UN RÊVE
UNE LUTTE

AUTOBIOGRAPHIE

La famille du Dr Armand Frappier, les membres du Conseil d'administration de la Fondation Armand-Frappier et les dirigeants de l'Institut Armand-Frappier tiennent à remercier le Comité exécutif de Ville de Laval et les administrateurs de Bio-Chem Pharma inc. et de IAF BioVac inc. pour leur appui financier à la publication de cet ouvrage.

UN RÊVE
UNE LUTTE

AUTOBIOGRAPHIE

Dr Armand Frappier

1992
Presses de l'Université du Québec
Case postale 250, Sillery, Québec   G1T 2R1

Données de catalogage avant publication (Canada)

Frappier, Armand, 1904-

  Une lutte, un rêve : autobiographie

  Autobiographie.

  ISBN 2-7605-0703-3

  1. Frappier, Armand, 1904-1991. 2. Institut Armand Frappier – Histoire. 3. Microbiologie – Recherche – Québec (Province). 4. Microbiologistes – Québec (Province) – Biographies. I. Titre.

QR31.F7A3 1992   576'.092   C92-096606-3

ISBN 2-7605-0703-3

Dépôt légal – 2ᵉ trimestre 1992
Bibliothèque nationale du Québec
Bibliothèque nationale du Canada
Imprimé au Canada

Table des matières

Avant-propos

Les divers chapitres de ce livre dépendent tous et chacun d'un même sujet : la vie et la carrière du docteur Armand Frappier, qu'il raconte lui-même. Il décrit d'abord sa ville natale et les observations qui ont marqué son enfance, période enchanteresse suivie d'une disparition rapide de ses parents les plus chers. L'espoir renaît. Vient ensuite l'histoire de sa famille, du nom Bergevin dit Langevin, de celui de Codebecq et de celui de Frappier. Mais il fallait sortir de sa coque de campivalensien pour explorer le monde de la microbiologie et le vaste monde de la science. Suit le récit abrégé de la longue carrière scientifique de l'auteur et une annexe sur le vaccin BCG au Canada. L'auteur invente une fantaisie pour rappeler l'ouverture des premiers laboratoires de l'Institut à l'Université de Montréal en 1941. En évoquant son ami Paul Cartier, il avoue sa passion pour la chasse, la pêche, le jardinage, les fleurs et les arbres. Retournant à des sujets plus scientifiques, il expose sa conception de la recherche et de la médecine préventive modernes. Incidemment, il décrit une expérience vécue d'écologie. Dans un dernier chapitre, il raconte l'histoire de la plupart des faux dieux apparus en médecine, mais il conclut qu'il n'y a qu'un vrai Dieu de la médecine.

Le lecteur avide du passé trouvera, dans ce volume, réponse à des questions qu'il ne se pose même pas parce que notre monde actuel ne peut guère se reconnaître dans celui du début du XXe siècle.

S'il estime quelques paragraphes trop techniques, qu'il passe outre! Il est inévitable d'utiliser certains termes scientifiques pour lesquels n'existe, dans l'écriture courante, aucun équivalent acceptable.

L'auteur, qui a atteint la quatre-vingt-septième année d'âge, en a long à dire, sur cette période de près d'un siècle qu'il a vécu.

$$* $$
$$*\qquad *$$

Grâce à sa patience, à son habileté et à sa grande connaissance du français, je dois à madame Claire Fredette-Laplante, ma secrétaire depuis de nombreuses années, d'avoir dactylographié, corrigé le contenu et suggéré des changements pertinents, en utilisant les méthodes modernes et efficaces de traitement de texte. Une bonne partie du mérite de cette œuvre lui revient et je l'en remercie de tout cœur.

Une autre à qui cette œuvre doit beaucoup est ma fille, le docteur Lise Davignon. Elle m'a conseillé d'éviter des répétitions, a modifié la présentation de certains sous-chapitres, réduisant ainsi la longueur du texte pour ne rapporter que les événements majeurs de ma vie professionnelle. Médecin et épidémiologiste de formation, ayant vécu à l'IAF sa carrière au complet, elle était au courant des travaux de tous et chacun. Présentement à la retraite et malgré ses occupations de mère et de grand-mère, elle a accompli ce travail de révision et je lui en suis très reconnaissant.

Je tiens à exprimer mes sincères remerciements à monsieur Claude Pichette, directeur général de l'IAF et président de son Conseil d'administration, à qui je dois en bonne partie d'avoir pu occuper mon bureau pendant la rédaction et la correction de ce volume. J'apprécie également sa courtoisie à mon égard. De plus, il a établi un climat de productivité, dans la recherche et les services, qui annonce bien pour l'avenir de l'Institut.

Puis-je rappeler qu'il est secondé par des personnalités de haut calibre, en particulier par messieurs Guy Gélineau, directeur de la planification et secrétaire général de l'IAF, et Serge de La Rochelle, directeur du service des Affaires publiques, qui ont joué le rôle d'intermédiaires entre les Presses de l'Université du Québec et l'auteur.

Note de l'auteur

Le lecteur me permettra de rappeler la parution d'un précédent volume intitulé : *Ce combat qui n'en finit plus* par Alain Stanké et Jean-Louis Morgan (1970). C'était un essai sur ma vie et mon œuvre. Le titre en lui-même n'évoquait rien de précis. Mais si on le reporte à la médecine préventive, il prend une signification singulière. On n'aurait pu mieux définir la médecine préventive que par un *combat qui n'en finit plus*, ainsi que je l'explique au chapitre XV du présent volume.

Tout était parfait dans ce livre et d'ailleurs, dès la parution, le nombre d'exemplaires s'est envolé promptement, tant la présentation et le style en étaient séduisants.

Je serai toujours reconnaissant à monsieur Alain Stanké et à monsieur Jean-Louis Morgan d'avoir trouvé un titre aussi descriptif de la médecine préventive car, je le sais par expérience, il faut convaincre les gens en combattant continuellement pour les amener à utiliser les moyens de la médecine préventive moderne.

Première partie

L'homme

Chapitre premier

Il y a belle lurette...

Salaberry-de-Valleyfield et son environnement

C'est là que je suis né le 26 novembre 1904. Pourquoi la ville porte-t-elle toujours ce nom composé? Histoire de bonne entente entre anglophones et francophones! Lorsqu'il s'est agi d'ériger la ville en 1875, le pouvoir économique était aux mains d'un petit groupe de sujets de langue anglaise, mais la majorité des citoyens était de langue française. Le nom à choisir, Valleyfield, proposé par le citoyen anglophone le plus éminent, rappelait le patelin de son enfance en Angleterre. Les francophones tenaient à Salaberry. Comme le Canada a toujours été le pays des compromis, on forma le joli nom de Salaberry-de-Valleyfield, facile à prononcer mais long. Il se traduit aussi très bien en latin, du moins partiellement, *campivalensis,* vallée des champs. On n'a jamais proposé quelque modification que ce soit à ce nom. Il apparaît tout au long sur les papiers de la Ville, sur son drapeau, sur le gros tambour de la fanfare. Mais personne ne s'avise de le formuler en entier. On revient toujours à Valleyfield. Tant pis pour la mémoire de Salaberry!

Je me propose, dans ce chapitre, de raconter des événements et des choses du passé. Ces souvenirs s'adressent à mes petits-enfants et à mes arrière-petits-enfants, les enfants et petits-enfants de Lise, de Monique, de Michelle et de Paul. Ma jeunesse s'est écoulée dans cette ville relativement isolée à cause du fleuve Saint-Laurent qui longe la région au nord, et de la frontière qui la sépare des États-Unis. Endroit enchanteur, plus alors qu'aujourd'hui!

Au début de la colonisation de cette partie de la seigneurie de Beauharnois, vers les 1820, les marins, guides de cages ou « cageux », et quelques
pionniers concessionnaires, ou futurs concessionnaires de terres seigneuriales,
avaient construit un petit ensemble de maisons qu'on appelait Pointe-du-
Lac, en allant vers la Grosse Pointe qui, à cette époque, prolongeait la terre
ferme au sud-est jusque loin dans le lac Saint-François. Plus tard, par suite
de la hausse du niveau de l'eau, elle est devenue une île, l'île de la Grosse
Pointe. Cette langue de terre limitait l'embouchure du lac qui se déversait
dans le cours du Saint-Laurent par une série de rapides entre les îles. Ainsi,
les eaux turbulentes bondissaient en partie là où se trouve aujourd'hui la baie
Saint-François. De l'île aux Chats et de la Grande Île, au nord, les eaux se
précipitaient, à travers un véritable archipel, dans les rapides de Côteau-du-
Lac, de Saint-Timothée, des Cèdres et des Cascades jusqu'au lac Saint-Louis.
En amont, à la tête du lac débouchaient les rapides du Long-Sault, longue
glissoire bouillonnante dont le volume maintenait plus ou moins le niveau
du lac Saint-François. Sur la Grosse Pointe, se trouvait, entourée d'une forêt,
une auberge surtout à la disposition des marins et des « cageux ». Il s'y passait,
paraît-il, des désordres dus à l'abus de l'alcool. Les autorités religieuses et
les honnêtes citoyens se plaignaient. Un jour survint un ouragan abominable.
Le ciel menaçant jetait tout le monde dans l'effroi. Le curé de Salaberry-de-
Valleyfield, selon ce que ma grand-mère m'a raconté, sortit le saint sacrement
hors de l'église face au météore qui rasa la Grosse Pointe au complet, l'auberge comprise, excepté un orme, un seul, à la pointe ouest de l'île. Nous
l'avons observé de nombreuses années, cet arbre. Il faisait l'effet d'un mât
de navire désemparé. L'ouragan épargna la région mais passa dans le rang
double. Un parent de mon oncle David Rousseau, qui travaillait aux champs,
n'eut que le temps de se jeter dans un fossé. Il aperçut sa maison passer
dans les airs, alors qu'il savait sa femme à l'intérieur; la dame survécut. Au
marché de la ville, on nous la montrait, car elle était restée infirme.

Lac Saint-François

L'environnement naturel, et le lac en particulier, n'avaient encore presque
rien perdu de leur qualité primitive et exceptionnelle. Les forêts des environs
se révélaient extrêmement giboyeuses; le lac, en plus, faisait les délices des
pêcheurs et des chasseurs. Il n'était pas rare de voir passer, le soir, des
pêcheurs ou des chasseurs, bottés, traînant sur le trottoir des enfilades de
poissons ou de gibier comme le canard et l'outarde. On ne se gênait pas sur
les quantités! Les lois n'étant guère appliquées, le lac donnait toujours et
quand même un rendement extraordinaire.

J'ai vécu cette période où des volées de canards de toutes sortes sillonnaient le ciel et, tellement denses, que ce dernier en était obscurci! Elles

projetaient de l'ombre à la surface du lac. On pouvait prendre, et en quantité énorme, les plus nobles espèces de poissons telles l'achigan, le doré et l'esturgeon. Sans parler d'autres espèces comme la perchaude, l'anguille et le brochet qui, même aujourd'hui, semblent inépuisables. Plus tard, la pollution, probablement d'origine manufacturière, est venue des Grands Lacs et du fleuve en amont. D'autre part, les courants ont changé de direction. On a creusé le chenal du lac pour compléter le nouveau canal de Beauharnois. Le nombre de poissons nobles a diminué considérablement, de même que l'abondance de la gent ailée. Je ne suis guère optimiste pour l'avenir, à moins d'une action concertée et omniprésente des gouvernements fédéral et provinciaux du Canada et de leurs équivalents aux États-Unis pour enrayer la pollution.

Les bords du lac n'avaient aucun caractère particulier : un simple liséré plus ou moins foncé marquait la limite des eaux. Terres basses, du côté sud surtout; beaucoup de marais dont l'importance était due au fait que le niveau du lac Saint-François avait été élevé à quelques reprises.

L'ancien canal de Beauharnois

Le seigneur Ellice avait fait creuser en 1840 le premier canal de Beauharnois pour la navigation; il avait à peu près neuf pieds de profondeur. Il s'ouvrait vers le milieu de la baie Saint-François et longeait la grande rue, au centre de Salaberry-de-Valleyfield. Pour y garder un niveau convenable, on avait construit un barrage entre la Grande Île et l'île aux Chats refoulant le courant vers le canal.

Des rapides d'autrefois, il ne reste, à l'arrière du barrage de la manufacture, qu'une petite rivière et des marais soustraits aux regards par la végétation. Jusqu'en 1910, l'ancien canal de Beauharnois a servi à la navigation, après quoi on l'a creusé davantage pour atteindre vingt-cinq pieds, et on en a changé la vocation. Il servit alors de voie d'amenée d'eau à la centrale électrique de Saint-Timothée pour être ensuite complètement désaffecté vers 1935.

Le niveau des grèves

Par suite de la construction des barrages, la hausse du niveau de l'eau peut être estimée à cinq ou sept pieds. C'est considérable. Pourtant, mes observations depuis ma jeunesse me confirment dans ce calcul. Salaberry-de-Valleyfield est donc traversée par le premier canal de Beauharnois. Ses plans d'eau, en plus du lac, ont fait penser un peu à Venise. De sorte que des annonceurs lui prêtent le nom de « Venise du Québec ». Légère exagération!

Comme conséquence du changement de niveau des eaux, les terres, surtout du côté sud, déjà basses, se trouvèrent de plus en plus submergées. Lors des années de hautes eaux, ces dernières montaient jusqu'au chemin Larocque menant de Valleyfield aux régions de la frontière. Ce chemin formait une digue et avait été construit par un monsieur Larocque, particulièrement pour transporter le bois. Une barrière aux confins de la ville obligeait à payer quelques sous pour utiliser le chemin. Mais, un jour, on a construit une vraie digue le long des rives sinueuses du sud-est du lac Saint-François, digue rocheuse qui donnait place à un chemin plutôt étroit conduisant aux quelques villages étalés par-delà le lac. Les eaux se sont alors retirées, les terres as-séchées sont devenues cultivables, mais de peu de rendement, la terre noire n'ayant pas brûlé. Quant à la nouvelle digue qui se prolongeait loin au sud, elle a aussi retenu les eaux qui noyaient les terres de Sainte-Barbe. Asséchées, ces terres ont brûlé et, contrairement aux autres, sont devenues très fertiles. Je me rappelle la fumée à l'odeur particulière mais non désagréable que le vent d'ouest chassait sur l'eau et qui intensifiait la couleur rouge du soleil à son coucher. Cette odeur était sans doute produite par le brûlage de brindilles provenant de diverses essences de bois encore contenues dans le sol.

L'origine de Hungry Bay

Mon père avait acheté une pointe sur le lac, que les premiers ingénieurs-arpenteurs avaient nommée la pointe du Milieu parce qu'elle s'allongeait fort loin et formait avec la Grosse Pointe une grande échancrure que ces mêmes ingénieurs avaient appelée la « Hungry Bay ». Pourquoi? On a dit qu'il s'a-gissait de la baie des crève-faim! Je ne le crois pas. Je présume plutôt que c'est parce que les terres basses des rives étaient envahies par l'eau qui pénétrait sous une espèce de matelas de brindilles entrecroisées, restes d'une forêt détruite, soulevait cette couche emportant de la terre noire et, finalement, la détachait de la rive. Ces îlots, sur lesquels avaient poussé des quenouilles et autre végétation de marais, suivaient le courant pour se jeter plus loin dans les rapides. On pouvait donc dire que l'eau mangeait les rives, d'où le nom de « Hungry Bay ». Supposition qui correspond bien à l'observation.

Une des meilleures preuves de la hausse du niveau de l'eau et de la disparition des rives, c'est que longtemps on a vu de nombreuses souches de gros arbres, lavées par les eaux tout au long de la Grande Anse, aujourd'hui baie des Brises, allant de la pointe du Milieu vers Port Lewis. Ces souches étaient situées à plus de cent cinquante pieds du rivage. Avec les années, les gens de Salaberry-de-Valleyfield sont venus, les ont sciées en bois de chauf-fage et, les glaces aidant, le reste en est disparu. Après une journée de travail, ces gens, voyageant en chaloupe, s'en retournaient en ramant sur plusieurs milles avec une charge de bois, l'embarcation calant jusqu'au bord.

Les Indiens

Ma grand-mère m'a raconté que, avant le creusage de l'ancien canal de Beauharnois, les Indiens de Saint-Régis venaient aux bleuets dans cette « Hungry Bay ». Les gens de Pointe-du-Lac n'appréciaient guère qu'on vienne leur rafler les bleuets qui, pensaient-ils, leur appartenaient. Un jour, ils se sont fâchés et ont jeté à l'eau des paniers d'osier contenant les bleuets cueillis par les Indiens. Bien entendu, ça ne s'est pas fait de façon aussi simple. Mais depuis, paraît-il, jamais ne sont venus les Indiens.

Ou plutôt, ils sont revenus. La pointe du Milieu, que mon père avait achetée, servait de relais à ces Indiens en voyage. Elle a continué à servir encore à ces fins pendant de nombreuses années. Ni mon père, ni moi-même ne les avons ennuyés. J'étais marié et mon aînée avait déjà cinq ou six ans, quand je suis allé la chercher dans un campement de famille indienne au bout de la pointe. Elle avait déserté la maison et traversé un petit bois pour voir ces Indiens. Dans le fond, c'étaient de bonnes gens. Ils allaient vendre des paniers d'osier et des ouvrages de tricot ou de cuir de toutes sortes. Ils campaient sur le bout de la pointe et prenaient quantité de « barbues » au moyen de lignes dormantes qu'ils tendaient le soir sur les fonds de sable de la baie. On ne voit plus ces Indiens de Saint-Régis depuis belle lurette.

La Grande Anse

La Grande Anse constituait une magnifique plage de sable gris, bordée par des marais alors non habitables. Rien n'était plus apaisant qu'un tour de chaloupe à la rame dans cette baie, par un soir calme. Tout ce que l'on entendait était le chœur des voix aiguës des grenouilles alternant avec celui des voix basses des ouaouarons. La lune se levait à l'est sur cette scène et on se serait cru transporté à l'autre bout du monde. Aujourd'hui, cette baie est bordée par des constructions pour villégiateurs. Elle fait l'agrément de nombreux baigneurs.

Le chemin de Valleyfield à la pointe par la digue

Le chemin qui allait de Salaberry-de-Valleyfield à la pointe par la digue, le long du lac, présentait beaucoup d'attraits. Si l'on excepte sa nudité : une vulgaire digue formée de grosses roches et élevée d'au moins six pieds au-dessus des terres basses et de cinq pieds au-dessus du lac; un chemin de gravier dit « macadam » y passait. Cette nudité, on l'oubliait rapidement quand, tout à côté du chemin, se succédaient de très belles plages de sable gris entre la digue et une chaîne de roches à quelque cent cinquante pieds au large, pour calmer la fureur des eaux. Ce sable gris était caractéristique de la région. Par temps de grand vent, l'eau devenait brouillée mais s'éclaircissait rapidement après une journée de beau temps. Au large, sur une embarcation, il était possible de voir jusqu'à quinze, vingt pieds au fond.

Le lac virait souvent à la colère. Les vagues, surtout le printemps et l'automne, assaillaient la chaîne de roches avec force éclats dans l'air et venaient mourir au bord de la route. Par temps de tempête, on s'abritait avec des toiles qu'on fixait à la voiture tirée par un cheval.

La navigation

Les « cages » dans les rapides

Un grand nombre des plus anciens citoyens de Salaberry-de-Valleyfield étaient navigateurs. Un autre métier, celui de « cageux », a concouru à donner à cette région sa réputation de centre de navigateurs. Le bois, amené l'hiver sur la glace jusqu'à la partie nord-ouest de la Grosse Pointe, était empilé et attaché au moyen de harts rouges de façon à constituer une espèce de radeau sur lequel on élevait une cabane, radeau que l'on actionnait par de longues rames de chaque côté et par des rames servant de gouvernail à l'arrière. Ces radeaux suivaient le courant pour descendre le fleuve jusqu'à Montréal en passant par les rapides, bien entendu. Entre Saint-Timothée et Les Cèdres, les hommes faisaient une prière devant les clochers des chapelles sur les deux rives. Dans les rapides, il arrivait que la cage se disloquât. Il importait alors de rattacher le billot au train principal. Le préposé à cette tâche devait savoir s'y tenir debout malgré le roulement de la pièce elle-même et l'impétuosité des eaux. À Montréal, on vendait le bois et on s'en revenait à cheval, chargés de belles choses pour la famille.

La navigation

Les rapides descendaient de Salaberry-de-Valleyfield au lac Saint-Louis, et du lac Saint-Louis à Montréal. Une beauté exceptionnelle de la nature. Peu d'endroits au monde présentent un fleuve de cette importance qui s'élargit et forme une succession de deux lacs, où la vie prolifère avec tant d'activité. Lacs précédés et suivis de rapides pittoresques, ces derniers parsemés d'îles complètement sauvages sur lesquelles personne n'a pratiquement jamais abordé, îles remplies de toute la gent ailée imaginable. À proximité d'une agglomération importante comme Montréal, à peine vingt milles, et d'une ville comme Salaberry-de-Valleyfield, il est incroyable qu'on pût trouver un paradis semblable, paradis béni des dieux, non seulement à cause de la jouissance qu'il procurait à la vue, mais aussi à cause de son utilisation pour la navigation.

La Compagnie Richelieu, devenue la Canada Steamship Line, utilisait, vers 1940, plusieurs navires dont au moins trois sautaient les rapides à tour de rôle, le *Rapids' King*, le *Rapids' Queen* et le *Rapids' Prince*. L'eau devait être suffisamment haute, sinon, ils faisaient un détour par le canal Soulanges, qui avait remplacé le vieux canal de Beauharnois. Ces bateaux, que l'on prenait dans les Mille Îles, sautaient d'abord le Long-Sault, bordé d'îles et qui, sur le bas, tournait vers la droite et se jetait dans le lac Saint-François. À l'embouchure du lac, les émotions doublaient : trois rapides jusqu'au lac Saint-Louis, sur une quinzaine de milles et un autre au bout du lac, le rapide de Lachine, court, mais qui vous prenait les tripes. Sauter les rapides, je l'ai fait une première fois, avec mon père et ma mère et mes jeunes frères et sœurs sur un petit bateau qui s'appelait *City of Toronto*. Il avait son port d'attache à Salaberry-de-Valleyfield comme le *Cecilia*, le *Laurentia* et d'autres qui ne sautaient pas les rapides. Ce navire à aubes et balancier haut perché ne tirait pas beaucoup d'eau. Ayant contourné la pointe ouest de l'île aux Chats et cinglé vers le pont du chemin de fer qui tournait pour la laisser passer, l'embarcation s'engageait alors dans un courant aux remous puissants. On stoppait les machines et le bateau glissait dans un silence solennel. Bientôt, l'agitation des eaux se faisait entendre; il s'approchait à toute vitesse de la pointe d'une île. À cet instant, les machines se remettaient en branle, le pilote tournait sa roue rapidement, le balancier s'agitait et on virait « à droite toute » pour éviter cette pointe et suivre le chenal. Émotionnant! Tout le monde, concentré à la poupe, n'en revenait pas de ce spectacle.

Dans les rapides de Lachine, c'est la « cave » qui nous attendait. Le navire s'y engageait et se dirigeait vers ces énormes rouleaux d'écume entre deux tablettes de roc que le courant cachait à peine de chaque côté de la « cave ». Il y plongeait. On sentait une secousse et, de le voir longer ces blocs de pierre à toute vitesse, il y avait de quoi avoir peur. Le *Rapids' Prince* s'est échoué dans les environs et jamais plus d'autres bateaux du genre n'ont fait ce voyage.

Le feu du *Filgate*

La navigation, non seulement dans la baie de Valleyfield, la baie Saint-François, où s'amarraient les petits vapeurs blancs, mais aussi dans le canal de Beauharnois était pittoresque. Des vaisseaux plus importants s'arrêtaient devant ce qui est aujourd'hui le bout de la rue Nicholson pour y prendre du bois.

Ces vapeurs fonctionnaient au bois et faisaient la navette, pour la plupart, de Montréal jusqu'aux Grands Lacs et retour. Quantité de barges étaient tirées par des remorqueurs, d'autres, plus modernes, possédaient leur propre engin à vapeur. On voyait aussi des bateaux de plaisance à aubes, assez gros, tout blancs. Ils s'approvisionnaient de bois comme les autres et continuaient leur route vers Montréal mais en sautant les rapides ou, lorsque l'eau était trop basse pour prendre cette voie, en continuant dans l'ancien canal de Beauharnois lorsque c'était encore possible. Une nuit, le *Filgate*, magnifique bateau d'excursion, amarré dans la baie Saint-François, prit feu. Spectacle inoubliable! Les amarres ayant brûlé, le navire se promenait sous le vent dans la baie, d'un côté et d'autre; les gens très inquiets cherchaient des moyens préventifs, mais n'en trouvaient pas. Heureusement, un vent favorable empêcha toute conflagration.

La vie d'autrefois

La manufacture de coton

Le lac et le fleuve ont sûrement conditionné les débuts de Salaberry-de-Valleyfield parce qu'on en a utilisé les eaux pour le transport du bois au moyen des cages dans les rapides, pour la navigation par la suite et la liaison avec Montréal, enfin, pour faire fonctionner les moulins hydrauliques et, plus tard, électriques. La première installation de ces machines, de puissance moyenne, était située sur un petit barrage entre le centre de la ville d'aujourd'hui et la Grande Île. Mais bientôt, tout fut remplacé par un solide barrage entre ces deux sites, barrage derrière lequel on construisit la manufacture de coton, possédée par la Montreal Cotton Limited, une usine qui a employé plus de 3 600 tisserands, les « *weavers* », comme on disait, usine qui fut à l'origine de la ville elle-même et en a conditionné la vie même au-delà de la moitié du XXᵉ siècle.

Lorsque, pour actionner les moulins à tisser, on a remplacé l'énergie hydraulique par l'énergie électrique, produite par une petite centrale que la manufacture de coton avait construite, l'ensemble a cessé de trembler! Mais tout s'explique. Les courroies nécessaires à la transmission de l'énergie hydraulique et les énormes roues utilisées, de même que des arbres de couches plus ou moins ajustés, occasionnaient de sérieuses vibrations que l'on entendait même à l'extérieur des bâtiments en pierre.

À ce moment-là, le nombre de moulins sous la responsabilité d'un seul homme était limité. À la longue, l'automatisation a contribué à réduire considérablement le nombre d'employés de cette manufacture. Au lieu du chiffre mentionné, le nombre en est tombé à moins de 2 000. Autrefois, un seul « weaver » surveillait quelques moulins et devait arrêter le fonctionnement de celui où un brin de textile s'était brisé. Réparation faite, il faisait repartir le moulin. Cependant, avec l'invention de moulins qui s'arrêtent automatiquement au cassage d'un brin, le nombre de « weavers » fut diminué de beaucoup. Il paraît que les Japonais ont rendu l'opération encore plus économique en obligeant leurs employés à parcourir en patins à roulettes les rangées de moulins afin d'arriver plus tôt à celui qui est arrêté et, réparation des fils textiles brisés étant faite, patiner vers une autre machine dans les mêmes difficultés.

La centrale électrique de la manufacture, la première à avoir servi à l'éclairage de la ville, jusqu'à la construction de la Centrale de Saint-Timothée par la Montreal Light Heat & Power, est considérée comme une maison historique et a été préservée de la destruction comme telle au moment du démantèlement des corps principaux de la manufacture de coton.

Pourtant, l'architecture de cette dernière était remarquable, toute en pierre, de style victorien, sorte de château-fort avec tours à créneaux. La haute cheminée de brique rouge complétait l'aspect de gros complexe industriel, fin XIXe siècle, surtout pour ceux qui l'apercevaient dans son entier au fond de la baie Saint-François.

Pour aller à la manufacture, à partir de l'ancienne ville, on traversait le pont du vieux canal de Beauharnois et, suivant la voie qu'on appelle maintenant la « voie du Centenaire », le long du barrage gazonné, on passait devant quelques édifices du complexe manufacturier à droite. Étaient amarrés à l'opposé, des bateaux tout blancs à la cheminée noire. On arrivait à un autre pont menant à la Grande Île, partie importante de la ville, et construit sur un canal d'amenée d'eau pour fins hydrauliques.

Des cirques fréquentaient Salaberry-de-Valleyfield assez souvent. Le tout commençait par un défilé dans les rues principales. On discutait fort entre jeunes et même entre vieux, à savoir si ce pont serait assez solide pour soutenir les gros fourgons attelés de quatre chevaux et surtout, la troupe d'éléphants! De ce pont, on apercevait les plus grosses bâtisses de la manufacture. De cette « voie du Centenaire », la vue offrait la série de vitrines des magasins de la grande rue de Salaberry-de-Valleyfield; à son extrémité, l'ancienne cathédrale et son clocher pointu. Par temps calme, et surtout le soir, cette rue, de son vrai nom, rue Victoria, produit encore un spectacle féerique. Elle se mire dans la baie Saint-François avec ses couleurs lumineuses. Le jour, la vue s'élargit jusqu'à l'île aux Chats, à droite, et la Grosse Pointe, à gauche. Cet espace permet aussi de découvrir au loin l'immensité du lac Saint-François et de beaux couchers de soleil.

Les contraintes de la vie manufacturière

Dans ma jeunesse, le matin à cinq heures, le sifflet de la manufacture de coton criait : « Réveillez-vous! » Quelque temps après, il criait encore : « Partez et venez-vous en. » Car on travaillait douze heures d'affilée. Il fallait donc commencer de bonne heure. On terminait à six heures le soir, toujours au son du sifflet. À la manufacture, on comptait les grands « boss », les moyens « boss » et les petits « boss ». Les grands et les moyens étaient anglophones, seuls les petits étaient francophones. Encore ne fallait-il pas que l'ouvrier fût l'objet d'un mauvais rapport de l'un ou l'autre d'entre eux. On vous mettait tout de suite à la porte, car il y avait toujours de vingt-cinq à trente pauvres diables qui attendaient pour remplacer les sujets difficiles. Pas besoin de vous dire que ce système, après un certain temps, a dégoûté les ouvriers qui ont cherché des manières de s'en sortir : le syndicat, la grève, trop sérieuse dans sa répression. Il paraît même qu'un canon avait été installé par les militaires au sommet d'une tour crénelée de la manufacture. La situation s'est progressivement plus ou moins corrigée.

En effet, la manufacture de coton était la seule industrie de la région. Tout le monde en dépendait : les travailleurs et les commerçants. Même si chaque « weaver » ne recevait pas un gros salaire pour son travail, l'ensemble de la paie laissait tomber périodiquement un important stimulant pour le commerce et l'agriculture.

Notre ville a toujours souffert, jusqu'à ces derniers temps, de la dépendance à une seule industrie.

Les cloches

À part le sifflet de la manufacture, les cloches avaient une grande importance. L'arrière de la cathédrale faisait face à notre maison. La cloche commençait à sonner le matin vers les six heures moins quart, comme dans les autres églises et chapelles de la ville. Lors des grandes fêtes, le carillon de cinq cloches lançait ses volées joyeuses. Mais, dans le temps ordinaire, on sonnait la plus petite un quart d'heure avant chaque messe. Comme il y avait six messes, elle sonnait donc six fois. Ensuite, elle sonnait pour les mariages et les sépultures; matin, midi et soir, pour l'angélus. Donc, la cloche ou les cloches sonnaient tout le temps. Ma grand-mère maternelle et mes tantes étaient très pieuses et très dévotes, mais pas bigotes. Elles fondaient leur propension à la religion sur la formation reçue de leurs parents et de leurs ancêtres. Nous, les enfants, mangions chez elles de temps à autre. Au milieu du repas, l'angélus sonnait. Grand-mère, les tantes et les enfants se levaient et récitaient l'angélus. La prière terminée, il arrivait que le « tinton » sonnât lentement, un coup à la fois, un glas annonçant la mort d'un fidèle. Grand-mère disait : « On va réciter le De profundis. » D'autres sons de cloche vous donnaient à réfléchir. Ainsi, entendiez-vous soudain un son de cloche irrégulier se rapprochant : l'annonce du prêtre qui allait porter la communion aux malades. En soutane et revêtu d'un surplis et d'une étole, il tenait bien précieusement le saint sacrement. Fanal à chandelle sous globe de verre dans une main, l'enfant de chœur, lui aussi en soutane avec surplis, le précédait avec, dans l'autre main, la cloche. Tous les passants s'agenouillaient devant les Saintes Espèces.

D'autres sons de cloche animaient les rues : cloche de l'aiguiseur de couteaux, du marchand de guenilles, du vendeur de bananes, des pompiers qui guidaient le galop fou de leurs attelages.

L'hiver, des cloches ou des clochettes de sons variés annonçaient les voitures sur patins : des sons acceptables, d'autres désagréables, des sons joyeux, des sons plutôt éteints et fêlés. On entourait certains attelages d'un cerceau de clochettes. Quelle gaieté! Comme les voitures richement décorées, ces traîneaux appartenaient à ceux qui en avaient les moyens. Chez nous, on se contentait de six clochettes banales.

La nuit, en revenant de veiller, marchant dans les rues désertes, on percevait le lointain roulement des machines broyeuses de la manufacture de bronze, mais aussi la cloche de la chapelle des Clarisses qui appelait à la prière nocturne. Selon la direction du vent, on entendait parfois le grondement éloigné des rapides.

Les rues

Des chemins de terre sillonnaient la ville. L'été, on arrosait les rues, le matin, soit un petit jet d'eau de rien pour abattre la poussière. L'hiver, on n'enlevait pas la neige, on la roulait. On passait des grattoirs sur les trottoirs, mais de gros « bancs » de neige séparaient ces derniers de la rue. Au printemps, chacun devait faire sa rigole devant sa maison. Si on n'y voyait pas, on risquait de voir son terrain inondé. Avec la hache et des pics, j'en ai fait de la rigole pour diriger l'eau du côté du puisard. Dans la rue, au printemps, on jouait aussi aux « boules » et on payait avec des « marbres ». Les filons creusés par les patins des voitures dans la neige et la glace favorisaient ce jeu qui n'était pas des plus propres. Des trottoirs de bois servaient encore aux piétons. Ils étaient cloués sur des montants. En y passant, ça résonnait un peu comme sur un tambour. L'hiver, les pas crissaient sur la neige.

Au printemps, les maladies contagieuses tuaient énormément d'enfants. Pour prévenir la diffusion de ces maladies, on placardait les maisons des malades : placard rouge pour la diphtérie, jaune pour la scarlatine et je ne sais quelle couleur pour la « picote », comme on appelait alors la variole. De petits corbillards blancs passaient dans les rues l'après-midi, transportant les victimes à l'église où on célébrait l'office des anges. La médecine préventive a fait disparaître ces spectacles si désolants.

En somme, les rues présentaient un aspect animé. Toutes sortes de voitures y circulaient : voitures pour le commerce, voitures de gros transport, attelées à de lourds chevaux conduits par un voiturier en livrée rutilante; voitures moyennes pour livrer les « épiceries » et achats. On faisait beaucoup de livraisons à domicile. Quelques-unes de ces voitures scintillaient de lignages dorés et de riches annonces. Certaines voitures de notables luisaient particulièrement au soleil parce que les jantes de leurs quatre roues étaient décorées de dorures sur l'extérieur.

Les rues étaient éclairées à l'électricité, s'il vous plaît. De gros globes de verre suspendus aux poteaux contenaient des électrodes de carbone. L'arc électrique qui en jaillissait donnait une lumière puissante mais un peu blafarde. L'électricité commençait à éclairer les maisons. On y utilisait les ampoules d'Edison qui donnaient une lumière plutôt jaune, le filament intérieur étant simplement un fil de carbone en forme de boucle. Nous n'avions pas le téléphone encore. Il fallait marcher.

Pour se faire une idée de la vie insouciante que menaient les jeunes et les moins jeunes, on n'avait qu'à se promener un samedi soir sur la « grande rue », la rue Victoria, qui longeait le canal. Elle était bordée d'un côté par des magasins aux vitrines très éclairées. Les jeunes y passaient et repassaient en s'esclaffant. Les filles étaient très jolies et savaient se maquiller et comment faire ressortir leur beauté. Elles s'habillaient bien. Les plus âgés des promeneurs qui circulaient pour une autre raison que le plaisir entraient dans les magasins et faisaient leurs achats. Mon père, qui avait essayé toutes sortes d'organisations musicales ou autres pour améliorer la culture de ces gens, disait que tout finissait par la « grande rue ».

L'enseignement

La commission scolaire existait. Quelques exceptionnels commissaires ne savaient ni lire, ni écrire. Les écoles donnaient l'enseignement primaire en français jusqu'à la quatrième année. Après, les garçons pouvaient continuer jusqu'à la septième mais ils n'occupaient qu'une seule classe, la classe du maître Girard. Ce dernier a formé des hommes qui arrivèrent à la tête de beaucoup d'activités dans Salaberry-de-Valleyfield même. Pour les filles, encore plus limitées dans leur possibilité d'études, même au primaire, on comptait deux écoles francophones : l'école Sainte-Cécile, où mes tantes et deux de mes cousines ont enseigné pendant longtemps, et l'école Marie-Rose.

Le couvent des Sœurs Jésus-Marie était fondé depuis quelques années; on y poursuivait un cours plus avancé. Le collège Saint-Thomas d'Aquin comprenait deux sections : l'une, commerciale, allant jusqu'à la dixième année inclusivement et l'autre, celle du cours classique. C'est dans cette dernière que j'ai étudié pendant huit ans. Là aussi, la vie fonctionnait à la cloche et au signal. La vie de collège, avec le recul du temps, me paraît encore plus dure que dans ma jeunesse. Mais je ne connaissais pas autre chose. Demi-pensionnaire, je couchais au collège, pouvais y déjeuner le matin et allais dîner et souper chez moi. La vie commençait vers cinq heures trente le matin, au son de la grosse cloche. Le surveillant criait une petite prière. On s'habillait, on descendait à l'étude. On faisait la prière du matin, une méditation, puis une demi-heure d'étude. Après quoi, la cloche sonnait encore et on descendait en rangs pour assister à la messe. Une autre méditation suivait puis on allait déjeuner et on revenait pour la classe de huit heures.

Chaque cours d'une heure commençait par le Veni Sancte Spiritus et finissait par l'Ave Maria. On était en rotation continuelle de prières. Le soir, on récitait chapelet et prière, la grande prière; quelquefois, on chantait le salut du saint sacrement. On terminait la journée à la salle d'étude. Coucher à neuf heures, toujours au son de la cloche.

Au collège : professeurs, discipline

Au collège, l'enseignement était dispensé par les prêtres dont plusieurs n'occupaient cette mission qu'en attendant d'être désignés pour faire de la pastorale dans une paroisse. Bon nombre d'entre eux ne jouissaient d'aucune préparation spéciale pour l'enseignement, autre que leur cours classique et leur théologie. Ils nous transmettaient ce qu'ils avaient appris eux-mêmes quelques années auparavant, souvent l'année précédente. D'autres se révélaient des éducateurs naturels, et je leur rends hommage parce que, comme je le dis souvent, l'homme et la femme étant mis sur terre pour l'éducation des enfants, ils ne vont pas à l'école spécialement pour apprendre à les élever. Ça ne leur nuit pas, mais ne sont-ils pas des éducateurs par définition? Ainsi, avec de semblables dispositions, les maîtres chargés d'enseigner et qui n'ont pas de préparation fantastique peuvent-ils se servir de leur don naturel, non seulement pour transmettre les connaissances, mais aussi pour concourir à la formation morale de leurs étudiants.

Le professeur de versification, d'ailleurs un homme assez bien en littérature, nous faisait une bonne introduction à cette matière, ainsi qu'aux auteurs latins et français. La qualité de son enseignement ne rencontrait cependant qu'indiscipline et dérision.

Un jour, ce professeur m'a adressé, en privé, des remontrances sur la légèreté de ma conduite. À moi, il avait dit, en entrebâillant sa porte : « Vous n'êtes pas vous-même, vous êtes un mouton à la remorque des indisciplinés ». À Maximilien Caron, de la même façon, il avait dédaigneusement fait la remarque qu'« il n'était qu'une grosse tonne d'orgueil ». Il faut dire que Maximilien, mon confrère et ami, menait la troupe des indisciplinés dont je faisais partie.

Nous avons changé du tout au tout. La réalité nous est apparue subitement. Le soir même, avant de m'endormir, je me suis composé une devise : « *Vox non echo* », c'est-à-dire tu seras la voix et non pas l'écho! Devise assez ambitieuse et prétentieuse, il est vrai. Mais ne faut-il pas toujours viser plus haut? Dès lors, finis les espiègleries et le désordre. Mon application à l'étude n'eut plus de limites. Quant à mon ami Maximilien, cette leçon changea son caractère. Il versa dans la modestie et dans l'ascétisme. Quand on connaît la carrière fantastique qu'il a menée à l'Université de Montréal, particulièrement en ce qui a trait à la réforme de l'enseignement à la Faculté de droit, ce tournant de sa vie est incroyable. Quant à moi, cette remontrance n'a pas changé mon caractère naturel. Mon bon ami Maximilien Caron, aimait bien écouter des histoires, il riait de bon cœur, mais n'aurait pas osé en raconter une, si innocente fût-elle. Ça ne faisait pas partie de son ascétisme.

En classe de rhétorique, toujours féru de littérature, stimulé par l'excellent professeur, sans avoir encore rien étudié de la science, j'étais vaguement hanté par son attrait. En philosophie, en 1923, je pressentais un essor dans ce domaine. Signalons l'évolution de l'automobile et de l'aviation au cours de cette même période. Je me sentais alors coupé de la littérature et pris par la philosophie et par ce qu'on nous enseignait des sciences... c'est-à-dire pas beaucoup, hélas!

Le professeur de chimie, consciencieux et dévoué, qui n'avait cependant rien d'un chimiste, m'a donné une leçon qui a guidé toute ma carrière et que j'ai transmise à mes étudiants. À l'examen, il pose la question : « Technique de fabrication de l'hydrogène? » Dans ma suffisance, je réponds : « Avec de la grenaille de zinc et de l'acide sulfurique ». Résultat : zéro. Je me révolte. « Vous avez mal lu le manuel, me dit-il, il fallait écrire acide sulfurique *dilué!* » Cette erreur m'ouvrit les yeux. Si, par l'absence de tout traité de chimie au collège, je ne pouvais en savoir plus long sur le mécanisme de cette réaction, du moins ai-je compris que la chose scientifique doit être précise. Toute ma vie, je suis demeuré reconnaissant à ce professeur, comme à celui de versification.

C'est ainsi que quelques professeurs ont eu un impact considérable sur mes études et sur ma vie. Bien sûr, la grande majorité donnaient l'exemple. Quelques-uns, que Dieu leur pardonne leur mauvaise conception de l'éducation, maniaient la punition corporelle sans retenue, de façon inconvenante, et presque sauvage! Ils distribuaient de la « masse » aux élèves dissipés, petits, moyens ou grands, c'est-à-dire qu'ils donnaient non pas seulement des taloches mais des tapes dures et nombreuses sur la figure. Aujourd'hui, ils risqueraient de passer en cour. Vestiges d'une conception primitive de l'éducation que le supérieur et l'évêque lui-même, qui s'intitulait le supérieur du collège d'ailleurs, auraient dû réprimer sévèrement. Je ne me souviens pas d'avoir été sujet à de telles punitions, et si elles m'avaient été infligées, jamais je n'aurais voulu continuer mon cours.

Quand on vient me dire que, dans les collèges classiques, on ne trouvait que des bourgeois, des bien nantis, ce n'est pas vrai. Mon collège était rempli de fils d'ouvriers ou de petits bourgeois, de fils de cultivateurs ou de modestes familles.

Cependant, le système collégial présentait des aspects excessifs. Si on ne s'y adaptait pas, comme un bon nombre, ça allait mal, soit qu'on quittât ou qu'on tournât à l'indiscipline chronique, ou que l'on devînt non croyant, ça s'est vu. Un régime inventé quasiment pour des saints!

Il est évident que la plupart d'entre nous n'étaient pas destinés à des vies comme celle-là. Nous comptions quelque quarante élèves en Éléments latins, nous avons fini treize en Philosophie. Les abandons n'étaient pas dus au fait que les jeunes manquaient d'intelligence, mais dus à la pauvreté ou au manque à gagner des parents, ou au fait que les enfants ne se trouvaient pas bien dans ce régime sévère.

Ordonnance des offices religieux

Les offices religieux étaient aussi conditionnés par la cloche ou autrement. Notre église avait rang de cathédrale et monseigneur Émard en était le premier évêque. Le dimanche, tous les élèves du collège assistaient à la grand-messe et aux vêpres. Un groupe portant soutane et surplis occupait le chœur de l'église, et l'autre groupe montait au jubé de l'orgue et offrait une bonne partie du programme de chant. Cependant, en général, les deux groupes se répondaient. Un orgue, actionné à partir de celui du grand jubé, était caché derrière l'autel principal et accompagnait le chant des collégiens au service du chœur. Très religieux et très liturgique! L'évêque tenait aux offices dignes et impressionnants. Les élèves prenaient tout à cœur.

Sur la fin de mes études, j'étais « claqueur ». Le « claqueur », une charge due aux seuls philosophes, gardait le claquoir dans ses mains, soit deux pièces de bois creusées et retenues par des pentures minuscules. Avec cet instrument, il dirigeait les mouvements de la cérémonie. Deux coups, par exemple, signifiaient : tournez-vous du côté de l'autel; un coup, détournez-vous face à l'évêque; un coup fort, asseyez-vous ou levez-vous. Gare à l'erreur car autrement le claqueur perdait son « *job* ».

La vie des citadins

Tout le monde travaillait. Si ça n'avait été que du salaire du père, les gens étant rémunérés à 1 $ par jour, ils ne seraient pas arrivés dans leurs finances. Mais, comme de bonne heure, après la quatrième année d'école et même avant, les jeunes commençaient à travailler à la manufacture, toute la famille en vivait et contribuait à construire et à entretenir la maison. C'est ainsi qu'un grand nombre d'ouvriers devenaient propriétaires de leur maison. Les locataires semblaient plus rares. Les premiers habitaient de moyennes maisonnettes dont la construction leur avait coûté des années. Aussi, nombreuses étaient les habitations, encore revêtues de papier isolant noir et dont les lambourdes pour recevoir galeries et balcons dépassaient toutes nues attendant toujours leur revêtement. Aspect pitoyable. Mais le bonheur venait du sentiment de propriété et de la façon de vivre, en société et en famille.

Jardins potagers et animaux

Chacun qui gagnait un peu d'argent possédait en plus de sa maison son hangar, son jardin potager, son écurie avec sa vache; pas de cheval, mais des poules.

Chez nous, nous étions fiers de notre poulailler. Je me prenais pour un spécialiste dans l'élevage et l'entretien des animaux domestiques. Je savais les propriétés des poules Plymouth Rock barrées, par rapport à celles des Leghorn. J'avais fait venir des livres du gouvernement et suivais mes animaux tous les jours. Je comptais les œufs pour contrôler si ça payait ou non. En sortant de la petite école, plusieurs de mes confrères allaient au parc municipal chercher leur vache. Vers quatre heures de l'après-midi, on voyait ces dernières défiler dans le chemin.

Dans le temps de la guerre en 1914, mon père affirmait qu'« il fallait tâcher de se précautionner à cause des temps, pour sa propre nourriture ». Il avait donc acheté une vache qui avait son veau. Au début de l'été, le problème s'est posé d'amener cette vache et son veau à la pointe, soit à cinq ou six milles de distance. Les gens donnaient à mon père toutes sortes de conseils : « Mettez le veau dans la voiture et la vache suivra en arrière ». Ça n'a pas marché si bien. Attachée par les cornes, la vache tiraillait de tous côtés et ne manifestait aucune tendresse envers son veau là, debout, dans la charrette. Quelle misère!

Achat d'un cheval au marché

La ville entourée d'habitants ou de cultivateurs offrait un marché deux fois par semaine. Les voitures s'alignaient autour de l'hôtel de ville. On vendait de tout : de la viande, des légumes, des fruits, etc. Même si quelqu'un voulait acheter un cheval, il pouvait aller au marché et consulter les habitants. C'est ainsi qu'un jour, mon père me dit : « Va voir Mastaï Brault, le vétérinaire, et demande-lui de nous acheter un cheval. Il sait ce que je désire ». Je vais donc voir ce monsieur qui m'invite à l'accompagner : « Viens au marché, il y en a justement un au coin ». Je le suis. La première bête qu'on aperçoit : « Achète-la », me dit-il. « Ça n'a pas de bon sens, lui répliquai-je, il est tout blessé par les traits qui sont en broche ». En plus, il était garni de moustaches qui lui pendaient de partout, y compris le poil aux pattes qui traînait à terre. Maigre et tout efflanqué, il paraissait souffrir du « souffle ». Le vétérinaire insista : « Crois-moi, achète ça. Tu n'en auras pas de chagrin. C'est l'ancien cheval du curé Perrault de Saint-Timothée, une bête courageuse, douce, de belles proportions et d'un beau rouge. Tu vas voir, elle a été mal entretenue mais on va la remettre en santé. » J'amène donc le cheval chez nous, l'attache au coin de l'écurie en attendant que mon père arrive après avoir chanté ses messes. En apercevant cette bête, il dit : « Qu'est-ce que c'est ça? » « Mastaï Brault m'a contraint de l'acheter ». « Est-il fou, ce n'est pas un achat à faire ». « Tu ne le regretteras pas », a-t-il insisté. Sur le fait, le vétérinaire arrive. Il confirme pour mon père tout ce que je viens de rapporter. Puis, il prend le cheval par le licol, il l'amène chez le forgeron pas loin. Là, on lui brûle les moustaches, les toupets et les touffes de poil partout, on le remet en ordre, on le ferre et on en fait un cheval d'assez belle apparence. Il n'avait pas la qualité d'autrefois, mais quand même, il s'est révélé très précieux, compréhensif et plein de courage.

Bien-être et parler des gens

Quant au parler des gens en général dans la ville, on en distinguait deux genres : celui qui s'était perpétué depuis le commencement de la colonie et n'avait pas été trop édulcoré. Il acquérait même de la perfection grâce à l'instruction primaire transmise par des maîtres et des maîtresses de grande

qualité. Ainsi, ma grand-mère maternelle, mes tantes et mes oncles s'expri-
maient très bien. Pourtant, le père de ma grand-mère était un des pionniers
de Valleyfield qui avait défriché une section de la pointe du Lac sur une terre
concédée. Il ne savait ni lire ni écrire. Ma grand-mère avait fréquenté le petit
couvent, même avant que la ville ne fût fondée. Elle s'exprimait bien et
manifestait une distinction naturelle. D'autres, même instruits, parlaient très
mal, avaient un langage relâché, vicié par l'emploi d'anglicismes ou de fran-
glais. Ils avaient perdu la tournure d'esprit française. Chez quelques-uns d'entre eux, le langage devenait une horreur. Chez ces derniers, l'éducation
familiale ne servait qu'à transmettre de mauvaises habitudes, non seulement
de langage, mais de l'usage de l'alcool en particulier. Il n'était pas rare de
rencontrer sur les trottoirs de bois des gens affalés, soûls morts, qu'il fallait
enjamber pour passer. J'insiste pour dire que, chez ces derniers, la société
Saint-Vincent-de-Paul s'ingéniait à apporter le nécessaire pour les enfants
et la pauvre femme dépourvus. À un dollar par jour, seuls les ingénieux s'en
tiraient relativement bien, les autres mangeaient de la vache enragée. Parmi
les premiers, le voisin et sa femme ont vécu jusqu'à quatre-vingt-dix ans. Ils
eurent plusieurs enfants, dont un grand nombre de filles aux noms finissant
tous en « a » : Nathalia, Sophrida, Anna, Laurentia, etc. Une famille admirable! Peinture et entretien réguliers des bâtisses, beau jardin potager et à
tous leurs enfants, une instruction raisonnable. Ils avaient su tirer parti de la
situation. Au bout de leur maison, un hangar bien propre dans lequel la
dernière petite fille avait sa maison de poupée! Une vie agréable! Bien entendu, les enfants sitôt leur instruction primaire acquise, allaient travailler.
Une fille devint religieuse. Une ou deux autres firent quelques années de
couvent. Toutes aidaient aux travaux domestiques. La ville de Salaberry-de-
Valleyfield ne manquait pas d'exemples comme celui-là.

Les loisirs

Les loisirs, on les passait en petites soirées familiales, en séances d'école, en
spectacles commandités par diverses sociétés à la salle des Chevaliers de
Colomb. On s'amusait avec le « ruine-babines », (l'harmonica), le violon et
la danse. Plusieurs fois, j'ai assisté à des soirées chez d'anciens « habitants »
devenus citadins. Je me rappelle d'une en particulier. La maison est encore
là d'ailleurs, inhabitée et toute seule dans le champ, près du cimetière. Pendant la soirée, on a chanté des chansons à répondre, des complaintes que
nous avons accompagnées. On préparait la table. On a servi le banquet.
Pour montrer la générosité de ces gens, rappelons que, au dessert, on nous
servit trois morceaux de tarte dans une assiette. Comme je n'en avais mangé
qu'un, on me dit : « Ben, vous aimez pas ça, on sait ben, j'ai pas réussi autant
que j'aurais voulu ».

Et vous pensez que la veillée était finie pour nous. Non. Je l'ai terminée chez des amis, dans une autre partie de la ville, là où le monde, jusqu'à sept heures du matin, a festoyé et a continué à se conter des histoires.

Le cinéma « Valleyscope »

De bonne heure, le cinéma s'était installé à Salaberry-de-Valleyfield. Une salle, appelée le « Valleyscope », fut ouverte par des pionniers de cet art, les frères Martineau, anciens membres du cirque *Barnum & Bailey*. Ils s'étaient établis à Valleyfield. Quand ils vivaient dans le cirque, l'un d'eux présentait, paraît-il, un spectacle au cours duquel il lançait des haches pour découper les contours de sa femme, immobile devant un grand panneau de bois. D'ailleurs, cette femme de silhouette sculpturale, aux yeux très bleus, aux longs cils et sourcils noirs, à la chevelure blonde et abondante aurait pu servir de modèle idéal à n'importe quel artiste. Sa belle-sœur, au contraire, plutôt menue, aux cheveux bruns, se révélait aussi jolie dans son genre que pouvait l'être l'autre. Au cinéma, la première vendait des billets; vous donniez votre billet à la seconde, à l'entrée de la salle, de sorte que vous en aviez plein les yeux d'admiration de la blonde et de la brune. La grande blonde a donné lieu à un suicide d'un amoureux éconduit, alors que la petite brune a perdu son premier mari qui s'est noyé, à ce qu'on dit, dans le vieux canal de Beauharnois. La vie, ici comme ailleurs, montrait de beaux aspects mais aussi des laideurs : la bonté, la beauté, mais aussi la passion, les aveuglements.

La musique : le trio Frappier

Dans notre petite ville, extrêmement rares se faisaient les occasions d'entendre des concerts de grande musique. D'avance, les organisateurs en étaient voués à la déception et aux pertes financières. Et pourtant, la ville comptait des ressources musicales valables. Ainsi, chez nous, la maison constituait un véritable sanctuaire musical. Mon père était reconnu comme un pianiste et surtout, un organiste de grande qualité. Je ne dis pas que les gens venaient à la cathédrale pour l'entendre à la grand-messe, mais c'était le cas de plusieurs. À la maison, l'immense piano à queue remplissait le salon, de même que des meubles à tablettes bourrées de musique. Dans les coins trônaient des instruments à cordes : contrebasse et violoncelle, alors que le violon avait sa place sur le piano au milieu de la musique. Mon père enseignait à la maison et au collège.

Nous avions la musique dans le sang. L'été, fenêtres ouvertes, nous pratiquions ensemble avec mon père. Les gens se promenaient sur le trottoir devant la maison et s'arrêtaient pour écouter. On leur donnait un concert pas cher. Bon nombre de citoyens aimaient la musique, aucun doute à ce sujet. Ma mère aussi faisait de la musique, de même que ma grande sœur Marguerite. Au couvent, beaucoup de musique aussi. Les filles apprenaient le piano ou le violon.

Peu de maisons dans la ville qui n'ait eu un piano ou un harmonium. N'oublions pas qu'au collège ou au couvent, l'enseignement du piano et du violon a toujours fleuri. Moi-même, j'ai enseigné le violon trois ans dont deux à la fin de mon cours classique, au collège et à la maison, et un au début de mes études médicales le samedi après-midi, en soirée et le dimanche toute la journée. Je ne manquais pas d'élèves; cela se passait en 1923, 1924 et 1925.

Le trio Frappier a joué pour de nombreuses festivités publiques ou sociales dans presque tous les villages et villes du diocèse, pendant notre temps d'étudiant au collège et à l'université.

Comment puis-je oublier la fanfare de la ville dont mon père fut directeur pendant des années. Plusieurs ouvriers de la manufacture en faisaient partie. L'un d'entre eux avait une lèvre toute particulière pour le trombone à coulisse. Grâce à lui surtout, la fanfare municipale avait fière allure. Je fis partie de celle du collège et de celle de la ville. Je jouais la clarinette en mi bémol et mon frère Irénée, celle en si bémol. Cette formation musicale participait à toutes les processions, celle de la Fête-Dieu plus particulièrement et celle de la Saint-Jean-Baptiste. On jouait de la musique appropriée. Lors du décès de personnages publics de la ville, la fanfare précédait le cortège funéraire. À cette occasion, le tambour était recouvert d'un voile noir. Un autre excellent musicien entraînait à la fois le jeu des instrumentistes et la cadence de la marche : il jouait de la petite caisse, s'ingéniant à trouver des roulements et des contretemps originaux qui rendaient quelquefois hésitant le pas des musiciens.

Mon père avait contribué à la formation artistique de presque chacun des membres de la fanfare. La pratique avait lieu le mardi soir dans la grande salle de l'hôtel de ville. Un visiteur assidu, Arthur M., s'asseyait sur le premier banc et accompagnait tous les airs en se tapant les cuisses et en soufflant dans son « cazou » (mirliton).

Musique et incidents cocasses

Nous étions en grande demande pour faire de la musique dans diverses paroisses de la région. Un jour, dans un petit village, était organisée une séance pour les enfants d'école. Devant l'estrade, nous étions commis à la musique. La séance commence. L'éclairage est assuré par des lampes à pétrole. Les villageois s'étaient réunis en grand nombre. La religion avait beaucoup à faire dans ces séances : exclamations envers la Sainte Vierge, par exemple. Juste au moment où une petite fille exprimait ainsi ses plus beaux sentiments, la maîtresse d'école, juchée jusque-là sur une chaise dans la coulisse, la lampe à la main et son texte de l'autre main, a perdu pied. Elle est tombée sur la scène, mains et pieds en l'air, la lampe d'un côté et l'huile renversée. La petite actrice terrifiée s'arrêta net. Des hommes se sont empressés de réparer les dégâts.

Autre expérience vécue dans un village différent, cette fois, lors de la messe de minuit à Noël. Mon frère et moi étions dans le jubé de l'orgue, mon violon et mon archet sur la console. Cette dernière se trouvait à côté d'une colonne supportant une lampe à l'huile. Les chantres devaient pénétrer à l'intérieur d'une palissade basse qui les séparait du reste des fidèles. Or, après la communion, les premiers revenaient pour continuer leur programme. Une dame au chapeau très haut décida d'enjamber le muret près de la colonne plutôt que de passer par la porte prévue pour les déplacements. En levant le pied, elle sauta de telle façon que son chapeau décrocha la lampe à l'huile allumée. Cette dernière tomba avec fracas en renversant l'huile, et sur le chapeau, et sur mon archet, et sur l'orgue. Quel dégât! Quelle humiliation pour la dame tout en toilette!

Tours de voiture

Les chevaux et la bicyclette étaient les seuls moyens de locomotion. On faisait ainsi des tours de voiture, tel celui de la Grande Île, en longeant les rapides qui léchaient les rives à grande vitesse. Entre le chemin et les rapides, de jolis boisés offraient un coin de repos et une place pour un pique-nique. Évidemment, nos parents nous défendaient de nous éloigner du côté de la rivière car « on pouvait tomber dans le courant ». Alors, c'en aurait été fait de nous.

Une autre distraction consistait à faire des excursions en voiture dans le rang double, de Valleyfield à Saint-Timothée, rang bordé de chaque côté, ici et là, par les habitations des cultivateurs, d'où son nom. Ce chemin donnait vue sur des forêts très denses, aux essences nobles, dans lesquelles les petits garçons allaient aux noix longues et aux noisettes, l'automne. Pour leur maman, car les amandes, difficiles à extraire de ces coques dures, étaient précieusement conservées dans des pots pour en garnir les tartes au sucre ou les tartes au sirop d'érable que l'on faisait l'hiver. On ne récolte plus de ces fruits à amandes, car ils sont presque disparus. Ces bois denses ont d'ailleurs fait place maintenant au nouveau canal de Beauharnois. Pourtant, c'était si bon des noisettes : très dures, grosses comme des pommettes, on les cassait avec un casse-noisettes. Dans les soirées, sur la table, une terrine ou un plat offrait des noisettes, des pics et un casse-noisettes à la parenté ou aux amis en visite.

De Valleyfield à Saint-Sauveur-des-Monts
en voiture hippomobile

Nous nous étions embarqués, mon père, la famille, le cheval et la voiture
sur le *City of Toronto*, nom curieux pour un petit bateau de Salaberry-de-
Valleyfield. Après quelques jours passés à Montréal chez mon grand-père,
mon père et moi sommes partis en voiture, rue Saint-Denis, de bonne heure
le matin, par un soleil radieux. J'avais huit ans. Arrivés à un pont de bois,
que nous avons dû traverser après avoir payé, (on reconnaît le pont Viau)
nous avons cheminé à travers l'Île Jésus. Les chemins n'étant pas encore
indiqués, chemins de terre ou de sable, chemins de campagne, mon père
s'informait auprès des cultivateurs dans les champs en criant pour connaître
la route. On répondait de loin : « Ben, vous faites tant de lieues à droite, tant
de lieues à gauche. » Il en fut ainsi toute la journée.

Dans le bout de Saint-Janvier, la voiture cala dans le sable. Le temps
devint horriblement chaud. Pas de parasol sur cette voiture. Un seul arbre
apparut sur le bord de la route; nous nous y sommes arrêtés à l'ombre. Je
ne sais ce qui est arrivé, mais mon père fut pris d'une extinction de voix par
le seul fait du changement de température, si petit fût-il. C'est vrai qu'il allait
dans le nord pour guérir une bronchite assez tenace.

De toute façon, nous sommes finalement arrivés en vue de Piedmont,
le ciel noir comme de l'encre; les éclairs qui le crevaient, devonant encore
plus éclatants, donnaient au cheval l'appréhension d'une menace imminente.
Pris d'un regain de force, il se mit à courir comme s'il sentait l'écurie pas loin.
À notre arrivée à Piedmont, juste comme l'orage se déchaînait, un palefrenier
de l'hôtel prit notre équipage en main, mit cheval et voiture sous la remise.
J'étais transi de frayeur. Nous sommes entrés dans l'hôtel.

Jamais je n'avais vu de chaînes de montagnes de ma vie. Les éclats
de tonnerre et leur réverbération dans celles des environs m'impressionnaient
énormément. Le gros de la tempête passé, nous avons soupé et sommes
sortis sur la véranda toute dégouttante de pluie. Cet hôtel est encore là, au
pied de la côte. Dans une maison en face, tout le monde à genoux récitait
le chapelet à tue-tête autour de la table de cuisine. Finalement, nous nous
sommes endormis aux éclairs, malgré mes frayeurs. Mon père m'avait ex-
pliqué que de tels éclairs s'appelaient « éclairs de chaleur », prédisant le beau
temps pour le lendemain. En fait, nous nous sommes levés tôt par un soleil
radieux et sommes partis pour Saint-Sauveur, là où nous nous arrêtâmes
pour la messe de huit heures chantée dans la même église que l'on voit
aujourd'hui.

Environ un mille passé le village, le long d'une route ombragée, sa-
blonneuse et sinueuse, nous avons trouvé une maison convenable à louer

et appartenant à des cultivateurs nommés Alarie, juste en face de ce qui est aujourd'hui le mont Habitant. À ce moment-là, cette montagne paraissait extraordinairement sauvage. Nous criions le soir et entendions l'écho s'y répercuter deux ou trois fois. La maison a été enveloppée de pierres des champs; le toit original dépasse cependant encore un peu.

Revenus au village, nous avons écrit à ma mère de nous rejoindre avec le reste de la famille par le « petit train du nord ».

Maladies et soins

Mort de mon petit frère Paul

Nous avons passé à Saint-Sauveur un été magnifique. Ce plaisir fut malheureusement gâché par la suite, alors qu'au mois de novembre, le 2 novembre, le jour des Morts, mon petit frère de deux ans, Paul, mourut de méningite dans des circonstances dramatiques. Il faisait un vent épouvantable, secouant les tôles du toit de l'église en face et les faisant râler d'un bout à l'autre. Autour de mon pauvre petit frère à l'agonie, nous étions tous en pleurs et ma mère lui murmurait des paroles d'amour et des invocations à l'oreille. Sur ses lèvres, on croyait recevoir la réponse : « Jésus, maman ». Quelle épreuve! Dans ce temps-là, n'importe quelle famille vivait des drames semblables. Le même soir, sur le lac Saint-Louis, le *Cécilia*, petit bateau qui faisait la navette entre notre ville et Montréal, se trouvait en péril et disparut sous les vagues à quelques distances du canal Lachine. Presque tout l'équipage s'est noyé. Le fils du capitaine Leduc, un colosse, prit son père sur son dos et, appuyé sur un madrier, nagea une partie de la nuit au milieu de vagues affreuses jusqu'à l'île des Sœurs, près de Châteauguay. Par malheur, son père perdit ses forces et dut abandonner tout près de la rive. Le capitaine Leduc était l'oncle de mon confrère de collège, Albert Leduc, rendu fameux dans le club de hockey Canadien sous le nom de « Battleship Leduc ».

Des médecins plutôt balzaciens

Le médecin n'envoyait pas ses patients à l'hôpital, en général. D'ailleurs, le petit hôpital de Salaberry-de-Valleyfield, dans le temps, ne recevait que des cas extrêmes, surtout des cas de chirurgie. Le médecin soignait ses patients à la maison. On naissait et on mourait chez soi. Quant à la chirurgie, elle avait progressé techniquement. Mais la mortalité postopératoire était très élevée.

Le matin, le médecin partait dans sa voiture à deux places attelée à un cheval de belle allure pour faire la visite de ses patients à domicile, selon la liste des appels téléphoniques ou celle des personnes envoyées le quérir. Je ne sais combien de fois j'ai observé cette coutume. Ainsi, chez le docteur De Grandpré, dont les fils étaient nos amis très chers, l'un étant médecin comme son père, j'ai observé cette vie qui n'aurait pas dépaysé Balzac. Rendu sur place, le médecin laissait cheval et voiture à la porte et entrait chez son patient. Il se lavait quelque peu les mains, ou même pas du tout. Car, à cette époque, les médecins n'étaient pas tous formés aux méthodes pasteuriennes strictes et aseptiques.

On pratiquait de cette façon même à la fin du XIXe siècle, à la Faculté de médecine de Paris, mais au début du XXe siècle, les médecins commençaient à faire preuve de plus de discipline. À les juger avec le recul de la science moderne, je puis dire qu'on comptait d'excellents médecins, bien conscients des nouveautés pasteuriennes.

C'était en 1923, quelques mois avant que ma mère ne meure. « Tu veux faire de la médecine », me dit le docteur Groulx, « je vais t'emmener voir mes patients et tu observeras ma pratique. » Nous sommes partis. La première patiente chez qui nous sommes entrés était une femme dont le mari travaillait dans un magasin et dont le ménage constituait une famille qu'on pourrait appeler de petits bourgeois. Elle venait d'accoucher et faisait une phlébite. Deux ou trois petits enfants vagabondaient dans la maison. Personne n'en avait soin, la femme étant au lit avec le nouveau-né dans un berceau à ses côtés. Alors, le docteur m'a dit en entrant : « Toi, là, mon garçon, tu vas faire des beurrées pour les enfants, moi, je vais changer le petit », ce qu'il fit quand il eut terminé son examen. Il ajouta : « Nous allons maintenant voir une dame qui viendra prendre soin de cette patiente ». Nous sommes allés prier cette femme de venir. Je ne sais pas comment tout s'est arrangé, mais cette famille n'était pas pauvre, elle vivait un moment difficile. On voit quelle sorte de vie menaient les médecins de mon temps. Au cours de leurs visites, ils prenaient le temps d'expliquer la maladie aux membres de la famille et ne faisaient pas tout à la course.

Opération chirurgicale grave sur la table de cuisine

La technique chirurgicale avait fait beaucoup de progrès, mais ce sont les découvertes de Pasteur qui l'ont rendue efficace, en ce sens qu'elles ont éliminé les mortalités dues, sinon au choc, du moins aux infections post-chirurgicales. Deuxième voisin de chez nous, vivait avec sa femme, un cultivateur retraité. Dans le temps où il cultivait dans le rang double, sa femme avait souffert d'une hernie étranglée. Le médecin avait téléphoné à un chirurgien de Montréal, un chirurgien ambulant, très compétent d'ailleurs, qui était arrivé dans la soirée par le train apportant un grand coffre qui contenait le nécessaire pour l'opération et les soins de stérilité. Il était accompagné d'une infirmière spécialisée. Alors, le chirurgien, le médecin et l'infirmière se sont amenés à la maison. Ils ont étendu la femme sur la table de cuisine, le mari tenant la lampe à l'huile, le docteur praticien donnant le chloroforme et l'infirmière s'occupant du champ opératoire et des instruments. Le chirurgien a effectué l'opération. L'infirmière est demeurée quelques jours pour surveiller. Le spécialiste revint. Pour le tout, il a demandé 400 $. Le cultivateur dit : « Moi, j'ai tué des cochons toute ma vie. J'ai vu comment c'est fait un cochon en dedans. Il paraît que c'est fait comme un homme, la même chose ! Si j'avais regardé faire une opération comme celle-là deux ou trois fois, j'aurais été capable de faire pareil. Alors que là, je suis obligé de vous payer des centaines de dollars. » Mais, la femme a survécu, de toute façon. Ce chirurgien méritait sa grande réputation. Il avait bien ri des facéties du bonhomme.

Bilan comparatif de l'ancienne et de la nouvelle époque

La réponse pourrait se résumer en quelques mots. On jouissait alors de la paix, de la tranquillité, plus qu'aujourd'hui. La simplicité dominait le mode de vie. On se contentait de ce que la Providence mettait à notre portée. On vivait plus près de la nature que maintenant. On marchait davantage. On était plus résistants à la chaleur et au froid. L'environnement ne constituait pas encore une science, mais on vivait dans un très bel environnement, sans le savoir. Les citadins des petites villes se connaissaient mieux.

On peut dire qu'aujourd'hui, l'argent a gagné en importance. Certaines gens qui se croient démunis de nos jours sont encore mieux que beaucoup de soi-disant riches d'autrefois. Au moins, ils peuvent compter sur des systèmes de pension et de protection de toutes sortes, alors qu'auparavant, ils n'avaient que ce qu'ils avaient pu amasser en grattant continuellement. Mais, il ne faut pas s'y tromper, on n'a rien pour rien, les taxes sont là pour nous le rappeler. Quant à la musique, elle est omniprésente et envahie par le jazz, le rock, etc. La musique de petit orchestre, de trio, par exemple, est quasiment disparue au profit de grands ensembles philharmoniques. Le collège et le couvent qui dominaient l'éducation des garçons et des filles à Salaberry-de-Valleyfield sont, ou détournés de leur vocation originale ou adaptés à une approche plus moderne d'enseignement. Les élèves y font des grèves. Impensable, autrefois. Les filles étudient avec les garçons. Impensable, et même, péché mortel !

Les grands-mères ne sont plus aussi raconteuses qu'autrefois. Les jeunes s'intéressent-ils à ces choses-là ? Pour eux, la vie a commencé en 1960. C'est ce qu'on leur dit et c'est ce qu'ils croient. Ils ne savent même pas leur histoire, mais ils connaissent peut-être beaucoup mieux l'informatique. L'instruction mène beaucoup plus loin qu'auparavant. On se rend maintenant plus nombreux au baccalauréat, garçons ou filles. L'éducation est aujourd'hui concentrée dans les mains du gouvernement provincial. Et pour ce qui est de la religion, on est tombé dans un extrême auquel on n'aurait jamais pensé dans mon temps.

Il est bien difficile de faire le bilan des deux périodes : elles présentent un tel contraste ! Ainsi, j'ai parlé du décès de ma mère et de mon petit frère ; aujourd'hui, on aurait pu les sauver et rapidement. Il s'est fait plus de découvertes depuis cinquante ou soixante ans dans le domaine de la médecine que dans tous les siècles précédents. Quant à l'environnement, c'est une tristesse d'y penser. Le projet monstrueux du canal de Beauharnois a coupé les rapides, uni les îles magnifiques les unes aux autres par des barrages disgracieux. L'eau a été détournée au profit de ce canal. Tout a changé : les courants, la clarté de l'eau et sa limpidité. Aujourd'hui, des herbes, surtout des algues, poussent sur les bords et ont modifié la nature du beau lac Saint-François, pollué en outre par les déchets industriels venant de l'amont. Les poissons, s'ils ne sont pas totalement disparus, ont quand même beaucoup diminué en nombre, certaines espèces ayant décampé. Il en est de même des canards. On ne voit plus ces volées d'autrefois. Les beaux rapides que l'on côtoyait le long de la route de la Grande Île sont remplacés par des lacs innommés et sans caractère dans lesquels poussent d'ailleurs là aussi des herbes. Il semble qu'on aurait dû laisser un peu de cette beauté pour la jouissance de la vue et même, pour les besoins touristiques. On n'aurait pas dû gratter cent dix pour cent du potentiel.

En somme, d'un côté, le souvenir des jours heureux et de la nature vierge m'attire vers la première période, celle de mon enfance, et me la fait regretter. D'un autre côté, si je ne me laisse pas prendre par les exagérations de la vie moderne, il m'est permis de préférer la présente période qui offre beaucoup plus de possibilités à l'intelligence, aux plaisirs de la vie ordinaire, à la culture des qualités humaines, à la pratique raisonnée de la religion. Je suis convaincu qu'une troisième période nous conduira vers un monde meilleur, là où l'humanité pourra s'épanouir dans toutes les directions.

Chapitre deuxième

Enchantement de ma jeunesse
Période noire d'épreuves
L'espoir renaît
Années d'études universitaires

Enchantement de ma jeunesse

Les ancêtres maternels et paternels

Les Bergevin dits Langevin

Les Bergevin dits Langevin vinrent s'établir dans la région qu'on appelle aujourd'hui Salaberry-de-Valleyfield mais qui, à cette date, vers les 1820, portait le nom d'une subdivision de la seigneurie d'Annfield auparavant appelée seigneurie de Beauharnois, devenue la propriété du seigneur Ellice. Ce dernier avait donné le nom de sa femme ou de ses enfants à plusieurs parties de cette seigneurie. De sorte que la terre que le seigneur avait concédée à Louis Bergevin à la date précitée se trouvait dans Catherinestown. Cette place devint par la suite la Pointe-du-Lac.

Mon arrière-grand-père descendait de pionniers venus d'Angers, en France, qui s'étaient établis dans la région de Beauport près de Québec. Plusieurs d'entre eux avaient la réputation de connaître la profondeur de l'eau du fleuve Saint-Laurent. C'est dire qu'ils étaient quelque peu navigateurs. On retrouve des Bergevin à Beauharnois, appelée dans le temps Villechauve.

En 1838, on trouve des Bergevin parmi les Patriotes de cette dernière région, exilés en Louisiane. On a reproduit dans les journaux locaux il y a plusieurs années une lettre d'un patriote Bergevin pleurant son ennui dans ces lieux lointains.

D'autres Bergevin s'établissent à la « Mission » de Saint-Timothée (1780). Un peu comme le père de Maria Chapdelaine, ils semblent désireux de défricher de nouvelles terres. Aussi, l'un d'entre eux, Louis Bergevin, dit Langevin, vient-il s'établir à la Pointe-du-Lac vers les 1820. Mais le seigneur Ellice ne consent pas à lui donner un contrat avant qu'il ne prouve qu'il désire cultiver la terre et non pas seulement faire un coup d'argent avec le bois. Ce contrat, il l'obtiendra vers les 1824. Il est alors marié à Josephte Hainault et père d'une fille qui deviendra sœur Saint-François-Régis des Sœurs de la Congrégation. Sa femme meurt bientôt.

Il se remarie quelques années plus tard, encore avec une demoiselle Hainault, Angélique, de l'Île Perrot. Il existe probablement un lien de parenté avec la première épouse de mon grand-père Frappier dont le nom était Sarah Énos et qui venait de Sainte-Élizabeth du comté de Joliette (voir famille Hainault).

En ce temps-là, à la Pointe-du-Lac, qui devint par la suite la paroisse de Sainte-Cécile et la ville de Salaberry-de-Valleyfield, on faisait le commerce du bois par flottage. Dans les contrats dont il est question entre mon arrière-grand-père et le seigneur, ce commerce était réglementé, particulièrement en ce qui a trait aux billots de pin qui devaient servir à la marine britannique. Le bois venait de la côte sud est du lac Saint-François et des environs. On l'arrimait en forme de « cages » au moyen de harts rouges qui abondaient dans la région. Sur ces cages, on construisait des cabanes et ceux qui travaillaient, soit comme rameurs ou hommes de barre, on les appelait les « cageux ». Mon arrière-grand-père, Louis Bergevin, peut donc être considéré comme un des premiers colons de la région de Salaberry-de-Valleyfield. Étant aussi capitaine de cages, il dirigeait ces trains de bois à travers les rapides de Côteau-du-Lac, de Saint-Timothée, des Cascades et de Lachine. Métier plutôt dangereux!

Ma grand-mère Codebecq me confiait que sa mère trouvait son mari dépensier. Il avait le cœur large! Il revenait de Montréal les bras chargés de cadeaux. Il cultivait la terre entre-temps et faisait les sucres à Saint-Timothée. Pendant l'hiver, la famille préparait les bocaux en écorce de bouleau et les embouts en bois de sureau.

Sa terre était située sur le prolongement de la rue Ellice, à l'ouest de Salaberry-de-Valleyfield dans la région appelée plus tard Pointe-à-Brodeur. Elle mesurait quatre arpents le long du fleuve par vingt-cinq arpents de profondeur du nord au sud. Maintes fois, ma grand-mère m'a décrit la maison paternelle, construite de madriers équarris à la hache, toute blanchie à la chaux, surmontée d'un toit pointu, chauffée par un foyer. Devant la maison, face au soleil, quatre carrés de potager. En arrière, jusqu'au fleuve, le nombre d'arbres fruitiers de toutes sortes montre que mon arrière-grand-père ne se contentait pas du métier de marin. De ma grand-mère Codebecq, elle aussi amante des potagers et des arbres fruitiers, j'ai hérité de cette propension pour le jardinage et l'horticulture.

On veillait le soir, à la lueur des bûches flamboyantes; les voisins venaient rendre visite, en particulier, Tit-Jacques, l'un des premiers bûcherons des environs qui se faisait toujours accompagner de sa hache. Il avait le talent de faire des rimes et égayait tout le monde par ses chansons.

Un jour, beaucoup plus tard, un corbillard sans escorte passait le long de la grande rue de Valleyfield, en route vers le cimetière à l'extrémité de la ville. Mon oncle Ludger s'enquit de l'identité du défunt. On lui dit qu'il s'agissait de Tit-Jacques qui était décédé à l'asile de la Providence. Mon oncle suivit le corbillard pour honorer la mémoire d'un des premiers défricheurs de Salaberry-de-Valleyfield.

La terre que Louis Bergevin avait acquise pouvait se diviser en deux parties sur la longueur dont il vendit l'une au père du docteur Joseph-Arthur Gauthier de Salaberry-de-Valleyfield. À ce moment-là, le cours du fleuve situé entre la Grande Île et la terre ferme, le long de la propriété de mon arrière-grand-père, se transformait en rapides par lesquels se déversait la partie sud-est du lac Saint-François vers le lac Saint-Louis quinze milles plus loin.

Ma grand-mère me racontait que le père du docteur Gauthier était revenu de Californie avec une ceinture remplie d'or et qu'il déversa cet or devant tout le monde sur la table de la cuisine dans une terrine qu'il remplit au ras. Il maniait aussi le révolver de façon parfaite. Il avait bien connu les fameux cowboys de l'Ouest américain.

De sa deuxième femme, Angélique Hainault, mon arrière-grand-père Louis eut plusieurs enfants, garçons et filles. Lui qui ne savait pas signer son nom trouva le moyen de leur procurer une instruction primaire dans la mesure où on le pouvait dans le temps. Ma grand-mère, Adéline, m'a raconté qu'elle apprit à lire, au début, d'un instituteur anglophone itinérant, un monsieur McCharles. Sa sœur, ma grand-tante Denise Pinsonneault, ancienne institutrice, s'exprimait très bien et écrivait sans faute en français. D'autres enfants, comme c'était la coutume à cette époque, se virent forcés d'émigrer aux États-Unis, principalement dans la région de Flint, près de Chicago.

J'ai connu les descendants de ces derniers. Des cousines comme Louly, dont l'allure américaine a frappé ma jeunesse, venaient visiter la famille occasionnellement à Salaberry-de-Valleyfield. J'ai correspondu avec des jeunes de la parenté qui s'informaient de notre généalogie et qui tentaient

de remonter jusqu'à leurs arrière-arrière-grands-mères, filles de Louis Bergevin. Ce dernier mourut à un âge pas très avancé. Sa femme se remaria
trois fois et mourut vers les quatre-vingt-seize ans.

Les Codebecq

Salaberry-de-Valleyfield, qui portait en 1858 le nom de Pointe-du-Lac, se
développait. Un jour, à cette date, survint un nommé Charles Codebecq,
étranger, très bel homme, d'origine française et parisienne, sous-officier de
cavalerie des armées de Napoléon III. Il avait fait la guerre de Crimée comme
maréchal des logis-chef et avait émigré en Amérique peu après.

Par quel hasard a-t-il rencontré ma grand-mère, Adéline Bergevin, qui,
semble-t-il, étudiait à cette époque au couvent? Il devint amoureux d'elle et,
si on en juge d'après sa correspondance, un peu jaloux, parce que ma grand-
mère n'était pas laide. Elle était délicate de traits et de stature, comme ma
mère du reste. D'autre part, ses parents et elle-même ne pouvaient donner
espoir à monsieur Codebecq parce que ce dernier n'avait aucune preuve de
sa liberté à propos du mariage. Il attendait des lettres de Paris, de la part de
Sulpiciens qui devaient confirmer et, en fait, confirmèrent sa liberté. Il était
né dans ce vieux quartier du Marais de Paris, pas loin de l'hôtel de ville dans
la paroisse de Saint-Merry, rue de La Coutellerie, cette dernière transformée
plusieurs fois, surtout par Haussman.

Il m'est arrivé, au cours de mes pérégrinations, d'être reçu à l'Hôtel
de Ville de Paris par le maire, madame de Hauteclocque, et d'avoir à répondre
à brûle-pourpoint, au nom des délégués d'un Congrès international, à
l'adresse qu'elle avait faite. Je surmontai mon trouble en rappelant que, mon
grand-père étant parisien et moi-même canadien et d'Amérique du Nord, il
m'était permis de servir de trait d'union entre les délégués du Congrès, pour
une large part américains, et les Parisiens d'aujourd'hui. Non seulement mon
grand-père était-il né et avait-il été élevé en face sur cette rue de La Coutellerie, mais il avait vu monseigneur Affre, archevêque de Paris, porteur de
paroles de paix, se faire abattre sur les barricades en 1848. Cette introduction
historique et personnelle me permit de remercier ensuite et convenablement
madame le maire au nom des délégués.

Je n'ai jamais pu mettre la main sur les documents originaux concernant
la famille Codebecq à Paris. Aux préfectures, on m'a répondu que le premier
mouvement des révolutionnaires a toujours été de détruire tous les papiers
d'identification, pour des raisons que l'on peut bien deviner. C'est par des
recoupements qu'il est possible — mais coûteux et long — de retrouver les
traces de la parenté.

Nous savons que monsieur Pierre Codebecq, père de mon grand-père, exerçait le métier de mégissier, que madame Adélaïde Périllot Codebecq, la mère de mon grand-père, dont il était fils unique, s'est fait tuer par un obus sur le pas de sa porte en 1871. S'agissait-il d'un obus révolutionnaire ou autre, on ne le sait guère.

Pour revenir à mon grand-père Codebecq, il fut d'abord secrétaire de notaire. Il a fondé ensuite la première école primaire supérieure, appelée École modèle, qui conduisait les jeunes diplômés de la quatrième année primaire à un diplôme appelé lui aussi modèle. Cette école était logée dans l'ancienne école Sainte-Cécile, coin Sainte-Cécile et Bergevin, une maison magnifique, en pierre, anciennement un couvent; elle fut occupée ensuite par la commission scolaire.

Charles et Adéline eurent deux garçons et six filles dont ma mère Bernadette, la dernière.

Il fallait bien s'attendre à ce qu'un homme français, fils unique, ancien sous-officier à l'Armée française, ne se révélât pas complètement à son aise au milieu d'une population d'une ville naissante, sur le continent nord-américain. Il était réellement catholique mais certainement pas à la manière de ma grand-mère ni des parents de cette dernière. Il mourut en 1896.

Ses filles ont toutes milité dans l'éducation des enfants. Elles ont réussi, non seulement à soutenir les études en droit de leur frère Ludger, mais aussi à acheter la maison qu'elles ont toujours habitée, rue Sainte-Cécile.

Valentine épousa David Rousseau à qui elle a montré à lire et à écrire. Ils étaient établis dans une maison tout à côté, à l'ouest de la maison Co-debecq. Le fils aîné, Edgar, partit pour la Californie. On n'a plus jamais entendu parler de lui.

Après le mariage de Bernadette avec Arthur-Alexis Frappier et de Ludger à Joséphine Brossoit, il restait à la maison ma grand-mère et trois filles : Euchariste, Antoinette et Régina qui vécurent une véritable vie de communauté laïque et chrétienne, exemplaire. Rien de bigot. Discrétion toujours. La messe à tous les matins, beau temps, mauvais temps. De même pour les offices du soir. J'entends encore leurs pas crisser sur la neige et résonner sur le trottoir de bois. Avant le coucher, mes tantes et ma grand-mère récitaient, à genoux et à haute voix en se répondant, la grande prière du soir et les vingt Pater de saint François.

La maison de ma grand-mère et de mes tantes ralliait toutes les familles parentes de Valleyfield aux jours de fêtes religieuses ou familiales. On chantait en chœur les vieux airs de France ou des airs guerriers appris du grand-père, airs qui remontaient au temps de Napoléon I.

L'arrière de la maison consistait en un jardin où poussaient des pommiers, des pruniers, des cerisiers de différentes variétés. Des érables puissants croissaient tout près de la maison sur la rue Sainte-Cécile. Il nous était bien défendu de monter dans les arbres, d'en couper ou d'en massacrer les branches. À un moment donné, ces dernières soulevaient la couverture et il fallut raisonner la bonne grand-maman pour obtenir son consentement de couper les branches nuisibles. Elle avait le culte des arbres, comme nous l'avons tous dans la famille.

Sur les murs étaient pendus des cadres, dont celui de mon grand-père en uniforme de sous-officier de l'Armée française, sabre à la main. C'était une photo-reproduction d'un portrait plutôt qu'une photographie. Il avait l'air tout jeune. On trouvait aussi un piano droit et des statues de sainte Jeanne d'Arc et du Sacré-Cœur, sans compter un phonographe Edison, l'un des premiers.

Quand on s'engueulait entre frères et sœurs, cousins ou cousines, il ne fallait pas employer chez ma grand-mère des mots tels que « maudit » qui, dans son esprit, signifiaient l'invocation du diable! Je me rappelle avoir prononcé ce mot à tout hasard. Ma grand-mère s'est jetée à genoux et a supplié Dieu de me pardonner.

Le soir, après souper, la veillée se faisait les jours d'été sur la véranda. Nous, les petits garçons, étions assis sur les marches. Les gens passaient et repassaient. Certains soirs, les amoureux se tenaient la main. Croyez-le ou non, cela faisait scandale à cette époque et le silence sur la galerie en disait long.

La grande, grande fête était celle du jour de l'An. Avait lieu alors chez ma grand-mère le dîner de toute la famille : les oncles David Rousseau, Ludger Codebecq, mon père, leur femme et leurs enfants, cousins que nous aimions presque comme des frères ou des sœurs.

Après le repas, ma tante Régina, déguisée en Père Noël, arrivait au milieu de la place, comme par hasard, surchargée d'un gros sac rouge contenant les cadeaux. Pour avoir ces derniers, les petits enfants étaient obligés de présenter un joli compliment à leur grand-maman, à leur maman et à leur papa. Moment enchanteur dont je ne perdrai jamais le souvenir.

Ludger Codebecq était toujours accompagné de son chien Minos. Un jour, il me fut donné de visiter à Cnossos, en Crète, les ruines du palais du roi Minos, là où se serait trouvé le labyrinthe dans lequel Minos et sa femme Pasiphaé auraient enfermé le monstre Minotaure, moitié homme, moitié taureau, qui se nourrissait de chair humaine. Les Athéniens devaient lui fournir un tribut annuel de sept jeunes garçons et sept jeunes filles. Thésée, un des sept jeunes Athéniens condamnés à être dévorés par le monstre, tua celui-ci avec l'aide d'Ariane, fille de Minos, qui le guida au moyen d'un fil dans le labyrinthe, d'où l'expression « le fil d'Ariane ». Le chien Minos n'avait pas connaissance de cette ascendance mythologique. Son seul défaut était de chercher à mordre les pieds qui remuaient sous la table. Pourquoi mon oncle lui a-t-il donné ce nom? Personne ne l'a jamais su.

Les jours de congé, j'allais souvent chez ma grand-mère Codebecq. Que de nombreuses fois, les après-midi d'hiver, ne suis-je pas resté assis auprès d'elle, la questionnant sur ce qui s'était passé dans la région depuis 1820. Étant née en 1840, elle le savait par les récits de son père et de sa mère. Elle racontait très bien et j'en tirais des historiettes que je publiais quelquefois dans le journal local, de sorte qu'elle se relisait avec surprise.

Pendant que nous parlions, le jour baissait, la porte du haut de la fournaise, percée de trois petites ouvertures bouchées au mica transparent, reflétait le feu rouge, seul éclairage qui nous enveloppait ma bonne grand-mère et moi. Sur la fournaise dans la salle commune et sur le poêle dans la cuisine, on tenait des théières remplies de tisanes : tisanes à la menthe, à la graine de lin, à la racine d'anis. Je n'aimais pas ça. Ma grand-mère me forçait à en boire en disant : « C'est bon pour ta santé ».

Ce milieu parental a grandement influencé notre vie, la mienne en particulier, non seulement à cause de l'amabilité de tout ce monde, mais à cause des exemples nombreux et de toutes sortes qu'ils nous ont fournis.

Origine féminine et bi-ancestrale commune : les Hainault

La famille Hainault a réuni tous ses membres à la paroisse du Sacré-Cœur de Salaberry-de-Valleyfield il y a quelque vingt ans. Qu'ils s'appellent Énos ou Hainault ou autrement, ils se disent tous parents, du moins par une origine commune au Canada. Dans ce cas, nous serions des descendants d'un grand-père, Alexis Frappier, marié à Sarah Énos et d'un arrière-grand-père, Louis Bergevin, dit Langevin, lui aussi marié à deux Hainault de suite. Nous remontons donc, moi, mes frères, mes sœurs et nos descendants, à une même origine féminine et bi-ancestrale.

Les ancêtres paternels

Les Frappier du Canada étaient originaires de l'archevêché de Saint-Barthélemy à La Rochelle en France. J'eus l'occasion d'être informé de première main que le nom de Frappier se rencontre tout le long de la côte ouest de la France, de La Rochelle jusqu'en Vendée. J'appris, par missive de la part d'un médecin Frappier des environs de cette ville que, parmi les ascendants des Frappier de cette région, on retrouve un grand nombre de médecins de ce nom jusqu'au temps de Louis XIV. En outre, depuis de nombreuses années, j'échange des lettres avec une descendante de Frappier de la ville de Nantes. Aussi étonnant que cela puisse paraître, elle m'affirme que, dans les environs, « qui dit Frappier, dit médecin ». En fait, plusieurs des ascendants, descendants ou collatéraux de cette dame sont aussi médecins et pratiquent dans les environs de Nantes et d'autres régions du sud-ouest de la France. Enfin, je tiens une confirmation de ces dires de la part de Lady Miles, épouse de mon ami Sir Ashley Miles, l'ancien directeur de l'Institut Lister de Londres, Royaume-Uni. Cette dame descend des Fromentin de la région de La Rochelle. Sa correspondance avec des cousins d'outre-Manche corrobore exactement ce que j'avais appris par ailleurs.

L'ascendant direct de notre lignée Frappier au Canada vient de Sainte-Élizabeth, comté de Berthier, au Québec, là où naquit mon grand-père. Orphelin à seize ans, il doit, comme plusieurs Canadiens du temps, s'expatrier jusqu'au Texas pour gagner sa vie. Là, il est forcé, à la déclaration de la guerre de Sécession, de s'engager dans l'armée sudiste. Il subit les atteintes de la fièvre jaune. On n'entend plus parler de lui; on le croit mort et on chante même son service à l'église de Montréal. Il revient et épouse sa cousine germaine, Sarah Énos, tel que promis. Ils habitent Montréal où leur premier-né, Arthur-Alexis, mon père, viendra au monde le 26 août 1871. Il est suivi de nombreux frères et sœurs. En 1885, l'année de la « grande picote », la famille est quasi décimée. Cinq enfants sont emportés en quelques mois.

Une autre mésaventure de mon grand-père fut rapportée dans *La Presse* du temps et, plus tard, dans les éphémérides de ce même journal. Alors que sa femme décédée à trente-neuf ans était étendue sur les planches, un incendie ravagea la chambre mortuaire ornée, comme c'était la coutume, de cierges allumés et de tentures noires. Mon grand-père prit le corps et le sortit à l'extérieur.

La fin de sa vie, à côté d'une seconde épouse, Clarinde Lebeau, apporte le calme et une certaine prospérité. Mais sa mort, en 1920, est marquée par une aventure déplorable. Il tombe sur la voie ferrée des tramways frappé d'une hémorragie cérébrale. Malgré la distinction qui le caractérise, la police le prend pour un ivrogne et l'enferme dans une cellule du poste. Quelques jours plus tard, on le transporte mourant à l'ancien hôpital Notre-Dame où il décède peu de temps après à l'âge de soixante-douze ans.

Mon père

Vie de jeunesse et vocation incertaine

Mon père commence son instruction par un cours commercial à l'ancienne Académie de l'archevêché, d'où il sort à seize ans, muni de tous les premiers prix. Ce collège était situé rue Saint-Denis, au nord-est et près de la rue Sainte-Catherine. L'archevêché se trouvait déjà sur le territoire de la paroisse Saint-Jacques, dont l'église avait été construite par monseigneur Lartigue pour servir de cathédrale à Montréal. L'Académie était dirigée par les Frères des Écoles chrétiennes, en autant que je me le rappelle à partir de conversations tenues avec mon père. Je me souviens de cette bâtisse en brique rouge qui jouxtait la dite église le long de la rue Saint-Denis et qui fut détruite plusieurs années avant que l'Université du Québec ne s'installe dans le quadrilatère Saint-Denis, Sainte-Catherine, De Montigny et Saint-Hubert.

À sa sortie de l'Académie, mon père accomplit un stage dans une maison de commerce de plomberie appelée *James Robertson*. C'est le début d'une vie assez mouvementée. Dans ses heures de loisir, il s'adonne à l'étude de la musique et du dessin, arts qu'il possède comme par intuition et où il excelle déjà. Il touche à la peinture, mais la musique le subjugue comme une passion. Il passe une partie de ses nuits au piano. Il nous a dit souvent avoir été un disciple du père Chaborel pour la science du contrepoint. Il avait reçu des leçons de piano sous Ducharme, d'orgue sous le maître Pelletier et de chant grégorien sous la direction de la mère Sainte-Thérèse et du père Ladislas. Dans les milieux où il vit, il apprend aussi à jouer de certains instruments à cordes comme la contrebasse et des instruments de cuivre, comme le baryton; il en étudie la technique et les difficultés. Cet apprentissage artistique et technique lui servira dans les postes d'enseignement de musique qu'il occupera à différents endroits.

Vers l'âge de vingt-cinq ans, se sentant une vague propension pour l'état religieux, il entre au Juniorat d'Ottawa chez les Pères Oblats. Selon sa correspondance, il choisit cette institution, loin de Montréal, parce qu'il y trouve le moyen de poursuivre des études classiques tout en enseignant, ce qu'il fait en langue anglaise qu'il maîtrise parfaitement. Monseigneur Duhamel, archevêque d'Ottawa, le nomme professeur de solfège et de chant grégorien à l'Université.

Pendant son séjour à cette université, il passe une période de vacances dans les forêts de la rivière Gatineau, en compagnie du père Lajeunesse, qu'il aide à arpenter cette rivière et les environs. Les documents relatifs à ce travail, déposés au parlement d'Ottawa, furent détruits au cours de l'incendie de 1920.

Il quitte Ottawa après quelques années. Trop de travail et pas assez de temps pour l'étude. Il y laisse de nombreux amis qui le tiennent pour un artiste. Il passe au collège Saint-Laurent comme professeur de musique, tout en continuant ses études classiques. Il obtient son baccalauréat ès lettres. Il y peint des fresques sur les murs du réfectoire. Mais, bientôt présenté à monseigneur Allard, supérieur du nouveau collège, par monsieur Ludger Codebecq, l'un des premiers élèves de ce collège, qui était venu terminer ses études de philosophie à Saint-Laurent, mon père décide vers les 1901 de poursuivre sa carrière au collège de Valleyfield. Il y continue ses études et y enseigne la musique et les mathématiques. À cette date, il porte la soutane car il semble qu'il se destinait à la prêtrise, si l'on se reporte à certaine correspondance qu'il eut avec un monsieur Bernier, de Québec, l'un de ses amis.

De toute façon, il aborde l'étude de la théologie. À cette époque, les aspirants au clergé de ces séminaires locaux, qu'on appelait aussi collèges classiques, se voyaient chargés de nombreuses occupations outre celles de leurs études. Monseigneur Allard avait dit à mon père qu'il n'avait pas besoin d'aller au-delà de la rhétorique pour devenir prêtre. C'est pourquoi il avait entrepris ses études de théologie sans passer par la philosophie. Ce mauvais conseil, donné par le supérieur du même collège, un homme cependant remarquable, a causé un certain tort à mon père qui ne restait qu'avec un baccalauréat ès lettres. Il compléta le programme de philosophie par des études personnelles. Il ne passa jamais les examens du B.A.

Rentrée dans le monde et mariage

En 1902, Arthur-Alexis Frappier rentre dans le monde. Il s'installe dans une pension au coin des rues Sainte-Cécile et Bergevin, à Salaberry-de-Valleyfield, maison encore à cet endroit. Il fréquente la famille Codebecq. Il y rencontre les sœurs de Ludger Codebecq qui sont toutes éducatrices et institutrices et les deux frères, Edgar et Ludger, ayant fait carrière, l'un dans les affaires et l'autre, dans le droit.

À cette époque (1903), ce dernier commençait sa pratique. Son bureau était situé au milieu de la maison appartenant à la famille Codebecq qui vivait alors dans le logement de l'ouest; un passage de voiture séparait ce dernier du bureau de mon oncle. Chacune de ces sections était particularisée par une fenêtre en saillie au rez-de-chaussée. Plus tard, la famille Codebecq a déménagé dans celle de l'est et la partie qu'elle occupait fut louée à madame Martineau, la mère des Martineau qui ont fondé à Valleyfield le premier cinéma appelé « Valleyscope », et l'un des premiers dans la province de Québec.

Alors que l'on croyait que mon père demanderait Euchariste en mariage parce qu'elle était de son âge, ce fut Bernadette, la plus jeune, dans tout l'attrait de ses vingt ans, qu'il conduisit à l'autel le 20 août 1903. Ils allèrent habiter une maison à deux logements, à comble français, coin des rues Sainte-Anne et Cossette. Ils occupaient le logement à l'est. Cette maison est encore là quoique rénovée. J'y suis né le 26 novembre 1904.

Mon père racontait que la décision de se marier lui était venue à la suite d'un sermon entendu dans la paroisse de Bellerive, au cours d'une prédication de retraite, alors qu'il touchait l'orgue comme remplaçant. Le prédicateur avait fustigé les « vieux garçons » et leur avait enjoint de se marier, non pas le mois prochain, mais tout de suite! Mon père contait cela en riant. En fait, il avait emprunté de l'argent d'un peintre « décorateur », violoniste à ses heures, monsieur Bourdon. Mes parents firent leur voyage de noces à Niagara Falls.

En 1903, Arthur Frappier partageait son temps entre ses élèves de musique au collège et en ville, et ses devoirs de chantre et de maître de chapelle à la cathédrale.

Le printemps 1907 devait lui ouvrir un vaste champ d'action. Avec le départ de monsieur Jérémie Marchand, organiste de la cathédrale, et de monsieur S.A.A. Wébert, le directeur des écoles, une double carrière de musicien et d'éducateur s'ouvrait pour lui. Il y entra de plain-pied.

Directeur d'école

Dès son premier rapport annuel 1907-1908 aux commissaires de la commission scolaire de Salaberry-de-Valleyfield, mon père écrivait : « L'école primaire a pour mission de fournir à la masse du peuple l'éducation chrétienne et les connaissances indispensables pour remplir les devoirs sociaux. »

Plus tard : « Nous avons à exercer un apostolat qui consiste dans un triple enseignement : l'amour de Dieu, l'amour de la famille, l'amour du pays. Cette devise : Dieu, Famille, Patrie doit être celle de l'école. » Une devise qu'il a personnifiée. Dans les cinq écoles sous sa direction (cours primaire allant de la première à la quatrième année inclusivement), il commence par réorganiser l'enseignement : conférences aux enseignantes (un seul professeur masculin), programmes renouvelés, concours semestriels, séances dramatiques et musicales données par les enfants, résultats publics des concours entre les écoles, réunions mensuelles des élèves et lecture de leurs bulletins, rapports aux commissaires, réforme des abus, remontrances paternelles, fondation d'une société de tempérance chez les enfants, organisation d'un piquenique annuel, certificats d'étude et mentions honorables, articles pour journaux, congés du mois, etc. Il met tout en œuvre pour atteindre ses buts pédagogiques. En toutes circonstances, sa tenue est impeccable. Il faut avoir feuilleté ses manuscrits, chefs-d'œuvre de propreté et de calligraphie, pour constater jusqu'à quel point il estimait sa profession dont il remplissait les devoirs des plus consciencieusement.

Il avait pénétré assez profondément la philosophie et la théologie pour posséder un avantage réel sur le commun des éducateurs d'alors. Toute son œuvre se ressent de cette imprégnation particulière. Avant tout, il respectait l'autorité et exigeait qu'on la respectât. Il visitait les écoles à tour de rôle. À chacune, devant tous les élèves et le personnel, il parlait simplement de sujets peu coutumiers, de façon à éveiller l'esprit des jeunes. Ainsi, je me rappelle que, étant en quatrième année de l'école Émard, dans l'ouest de la ville, mon père nous avait donné une explication sur les propriétés extraordinaires de l'amiante et sur les possibilités de son utilisation. Il s'agissait évidemment d'une industrie de pointe à ce moment-là. Une autre fois, il avait exposé l'avenir des centrales électriques au Québec. Comme la plupart des élèves quittaient l'école après la quatrième année, ces sujets évocateurs leur donnaient à penser.

À l'école Salaberry du quartier centre, une classe poussait l'enseignement pour quelques élèves masculins au-delà de la cinquième année. Cette classe était dirigée par monsieur Frédéric Girard qui a laissé dans la ville un souvenir ineffaçable, tant pour sa compétence d'éducateur que pour son dévouement à la promotion des jeunes. Ceux qui ont fait leur marque dans Salaberry-de-Valleyfield comptaient, pour un grand nombre, parmi ses anciens élèves.

J'ai fréquenté moi-même quatre ans cette école après avoir fait une première année au Jardin de l'enfance des Sœurs de la Providence. Je me souviens encore de mon entrée à ce dernier. Mon père nous y conduisit mon frère Irénée et moi. Devant nous, il remercia la Révérende Sœur et lui dit qu'il lui conférait toute autorité en ajoutant à notre endroit : « Tenez-vous le pour dit. » Le lendemain, premier jour de l'école, j'y revenais mais avec un voisin de mon âge, la main dans la main, Emmanuel Sauvé, avec qui je suis resté ami jusqu'à nos jours. Nous avons suivi ensemble le cours des années primaires. Par après, Emmanuel s'en est allé avec son père à l'entretien des voies du chemin de fer du Grand Tronc. Il fut remarqué par les autorités qui lui obtinrent des facilités pour étudier, en Ontario, l'entretien des locomotives et il devint surintendant de tout l'est du Canada dans cette profession. Il est apparu avec moi dans le programme de télévision qui a duré une semaine, intitulé : *Avis de recherche* en 1986.

Revenant à l'école primaire, j'avoue que j'ai dû doubler la quatrième année, non pas parce que ma note ne me permettait pas de passer mais parce que, d'après mon père, elle n'était pas assez forte. Il jugeait que, pour entrer au cours classique, en éléments latins, il valait mieux solidifier mon bagage primaire et il avait raison.

Le nombre d'élèves des écoles pour les filles ne se comparait pas à celui des écoles pour les garçons. Ce n'était pas de mode à cette date de faire instruire les filles. Il faut ajouter cependant que le couvent des Sœurs des Saints Noms de Jésus et de Marie de Valleyfield en recevait un bon nombre de la région.

Les maîtresses m'ont laissé le souvenir de professionnelles engagées et désireuses, non seulement de donner le meilleur d'elles-mêmes au point de vue de l'instruction, mais également de la formation du cœur à l'amour de Dieu et du prochain. J'ai suivi bon nombre de ces élèves au cours de leur carrière. Leurs succès ont confirmé l'efficacité de la pédagogie de ces éducatrices. Pour d'autres élèves, plus rustres, les maîtresses s'ingéniaient à les dégrossir, tout en évitant de les humilier.

Au début de l'été, mon père, quelques enseignantes et monsieur Girard organisaient pour les enfants d'école un grand pique-nique dans un village des environs. Les marchands et industriels fournissaient les moyens de transport décorés spécialement. Chacun apportait son panier de provisions. Quel plaisir pour la jeunesse de parcourir ces routes, particulièrement celle du long du fleuve et des rapides, ancien sentier de chasse des Indiens, de chanter en chœur et de partager son repas avec ses confrères.

Dans le temps de Noël, mon père organisait aussi, toujours avec l'aide de maître Girard et de maîtresses dévouées, une séance dramatique et musicale dans laquelle les enfants révélaient au public des qualités d'expression et d'acteurs étonnantes.

La patience et le soin que mon père et ses collègues mettaient à préparer ces petites séances de veille de Noël attiraient la reconnaissance des parents. Les enfants jouaient des pièces très délicates. Bien entendu, la musique avait sa place. Après que la fumée des feux de Bengale se fût dissipée et que les derniers refrains fussent terminés, une mignonne petite fille et un gentil petit garçon offraient leur compliment à l'évêque, à leurs maîtresses et à leurs parents. Ensuite, mon père présentait un court rapport des activités scolaires, une revue du succès des enfants. L'évêque terminait par un petit discours. Mais quelle fatigue pour mon père et les maîtresses!

L'organiste

Mon père était avant tout un organiste et un professeur. L'orgue de la cathédrale, dans ma jeunesse, fonctionnait à l'eau, c'est-à-dire que le soufflet était actionné par la pression de l'eau. En hiver, comme il arrivait souvent que le frasil empêchât l'aqueduc de fonctionner, il s'ensuivait que soudainement l'orgue manquât pour ainsi dire de souffle.

Monseigneur Médard Émard décida de doter sa cathédrale de nouvelles orgues construites par *Casavant & Frères* de Saint-Hyacinthe. Pendant vingt ans, cet instrument, par ses ressources appréciables, a concrétisé tous les secrets de cette âme d'artiste dont la Providence avait doté mon père. Il savait capter l'auditoire des fidèles, son répertoire n'avait guère de limites. Il jouissait d'un ensemble de qualités qui caractérisent le musicien : sensibilité, délicatesse de sentiments, connaissance des auteurs, technique cultivée. Combien de fois n'a-t-il pas été invité à toucher les orgues de certaines paroisses du diocèse! Sans compter les demandes de plusieurs Églises catholiques ou d'autres religions aux États-Unis. Combien de fois aussi, à des occasions propices, n'a-t-il pas accompagné dans les églises ou dans les salles publiques ses deux fils, l'un au violon, l'autre au violoncelle!

Il faut dire aussi que, à quelques exceptions près, il ne fut pas toujours secondé par des maîtres de chapelle connaissant la musique. Il devait parfois adapter son accompagnement à leurs erreurs sans que rien n'y parût. J'ai vu mon père, devant l'insistance d'un chanteur invité pour une cérémonie particulière, abaisser d'un demi-ton son accompagnement. Rien ne le rebutait dans les questions d'harmonie. J'ai même observé qu'un chantre sans aucune culture ait changé de ton, par ignorance ou par distraction, et que mon père l'ait suivi de façon imperceptible, ou presque! Jamais son jeu « n'enterrait » le chanteur ou le chœur.

Je ne me souviens pas de m'être endormi à la maison autrement qu'aux accords du piano, quand j'étais enfant. Mon père a enseigné la musique au collège et à la maison à un grand nombre de jeunes.

Le couple Frappier

La vie brève mais exemplaire de ce couple m'a toujours inspiré au cours des multiples décennies de mon existence.

Physionomie

La taille de mon père tenait de la moyenne. Il n'était ni gras ni maigre. Sa belle figure reflétait la gaieté et, la plupart du temps, la sérénité. Mais la physionomie de l'autorité demeurait toujours. Il savait raconter des histoires et, de sa belle voix, chanter pour les enfants sur ses genoux, d'anciennes chansons du pays de France. D'autres fois, il remémorait ses aventures dans les bois de la Gatineau alors que, professeur à l'Université d'Ottawa, il travaillait l'été à l'arpentage de la rivière du même nom.

Il n'hésitait pas à se transformer, à l'occasion, en homme à tout faire ou même en menuisier, qu'il s'agisse de réparations, de construction d'une maison ou pour toute autre nécessité, ne dédaignant jamais le travail manuel. Il se révélait d'une étonnante habileté.

Quant à ma mère, d'apparence svelte, d'un air doux, ses yeux bruns et son regard insistant m'impressionnaient beaucoup. Sa figure souriante rayonnait la joie. Sur ses genoux, j'ai appris mes prières. De nature craintive, elle nous incitait par mauvais temps ou au fracas du tonnerre à réciter le chapelet avec elle, comme sa mère et ses sœurs en avaient l'habitude. Elle nous faisait aussi chanter des cantiques à la Vierge tels que : « Mère bénie entre toutes les mères, sois-nous propice à l'heure du danger. » Une coutume qui venait de loin ! En ce qui me regarde, ces craintes ne m'ont guère touché. J'ai voyagé dans toutes les conditions imaginables, dans les bois, sur les rivières, en canot dans les rapides, sur mer dans des paquebots géants, moyens ou petits, ou des avions, me mettant sous la protection du Bon Dieu. Après, advienne que pourra !

Elle tenait ses qualités d'éducatrice du passé de sa famille. Et aussi d'un instinct sûr. Avec sa chevelure abondante et foncée encadrant son air délicat, je l'aimais beaucoup.

Rôle général de parents

Comme mon père, ma mère aimait la vie, ses enfants, sa famille. Quand elle pouvait se libérer, elle allait avec l'un ou l'autre de ces derniers rendre visite à d'anciennes compagnes de couvent. Elle était fière de montrer sa progéniture. Elle s'ingéniait aussi à célébrer la fête de chacun et chacune de ses enfants. Ainsi, je me rappelle que, lorsque j'eus six ans, elle me donna une belle petite table et deux petites chaises. J'étais ravi.

Lorsque nous étions jeunes, elle nous montrait à manier la colle et le papier de couleur de manière à former des tableaux abstraits de bon goût. Nous étions sur la véranda à l'arrière de la maison. Cet espace était entouré d'une vigne magnifique. Nous y entendions le chant des oiseaux et aussi les rumeurs musicales venant du couvent des Sœurs, pas loin, en face de la maison. Mais ma pauvre mère ne pouvait pas nous donner trop de son temps, retenue qu'elle était par le reste de la famille. Je l'ai vue, combien de fois, devant l'évier profond, passer sur le frottoir les linges des nouveau-nés. Il lui fallait entretenir le feu du poêle à bois, remplir la bouilloire d'eau, étendre le linge sur la corde, ou le retirer, sans compter ses interventions pour ramener le calme au milieu des enfants trop bruyants. Humblement, j'ajoute que mon frère cadet et moi n'étions pas commodes. À la fin de l'adolescence, nous cherchions à affirmer tempétueusement notre personnalité. Ma mère tenait son bout. Mon père l'appuyait de son autorité. Comme cela est loin et comme je regrette d'avoir causé de tels ennuis à mes parents.

Bien sûr, ma mère avait de l'aide mais cela ne suffisait pas. Ni ma mère, ni mon père ne jouissaient d'une constitution physique leur permettant de s'adonner sans risque à la tâche surhumaine que leur famille exigeait.

Mon père et ma mère ne badinaient pas avec la religion. Nous devions accomplir nos devoirs. Je ne reviens à ce thème que pour affirmer que, si mon père a offert à Dieu toutes les prières qu'il a chantées ou accompagnées à l'orgue une grande partie de sa vie, il doit être lui-même un saint aujourd'hui. Quant à ma mère, sa tâche d'avoir mis au monde et élevé ses huit enfants est déjà en soi d'un haut mérite spirituel. C'est au foyer que mes parents ont révélé la dimension de leurs qualités humaines. Il faisait bon y vivre. Mon père considérait sa femme comme la maîtresse et la reine de la maison. Pas de disputes entre eux, pas de paroles amères. Ils offraient l'exemple d'amour l'un envers l'autre, de travail, de partage spontané des tâches domestiques quelles qu'elles fussent et de soins attentifs à leurs enfants. Cependant, il n'était pas de mode dans le temps de se manifester devant des tiers des marques sentimentales.

Adaptation

L'adaptation est une des qualités qui m'a le plus frappé chez mon père et ma mère. Elle qui, par exemple, n'avait jamais fait la cuisine chez sa mère, devint un cordon-bleu extraordinaire. Elle qui jamais auparavant n'avait commandé un train domestique devint une maîtresse de maison qu'on admirait et une maman incomparable. Mon père ne faisait rien sans la consulter. Elle s'adaptait à tout et a toujours gardé un grand respect pour mon père, bien qu'elle fût obligée de combler certaines de ses lacunes. Ainsi, mon père se sentait gêné de recueillir son dû. Ma mère, au contraire, le poussait, lui ou un de ses fils, pour qu'ils aillent chercher la paie. Jamais mon père n'allait au magasin, excepté à la quincaillerie, et encore! Ma mère faisait le nécessaire sans récriminer.

Mais, pour ce qui est de l'installation domestique, des réparations à la maison, etc., mon père reprenait son initiative. Avec peu, il faisait du parfait. J'ai vu mon père peinturer la maison, établir une écurie, un poulailler, entretenir la cour, planter des arbres, monter le charbon de la cave, peindre des panneaux décoratifs dans la maison.

Au surplus, il touchait l'orgue à l'église, dimanches, fêtes, funérailles et mariages; il chantait six messes par matin, debout à cinq heures et demie; il dirigeait la fanfare et faisait régulièrement la visite de cinq écoles sous sa direction, situées dans l'un ou l'autre des quatre quartiers de la ville.

Ma mère allaitait ses bébés pendant plusieurs mois. En vingt ans de mariage, elle mit au monde huit enfants. Chaque soir, elle supervisait nos devoirs et faisait repasser nos leçons. Je me souviens d'un jour alors que, dans un concours de mémoire, j'avais appris par cœur cinq cents vers de Virgile, en latin bien entendu, ma mère avait eu la patience de vérifier ici et là dans le texte l'exactitude de ma capacité.

On voit donc que mon père et ma mère s'étaient adaptés à leur rôle d'époux et de parents. Ils se complétaient l'un l'autre et accomplissaient des besognes que l'on dirait surhumaines de nos jours.

Rôle des enfants

Mon père avait acheté cheval et voiture et, pendant la guerre de 1914, vache, veau et cochons. Il élevait aussi des poules et nous, les enfants, aidions au soin de ces animaux. Nous collaborions à l'entretien des pelouses et du chauffage car, à cette époque, on chauffait les maisons au poêle à bois et à la fournaise au charbon. Obligation également de faire les commissions, surtout à l'épicerie. Par exemple, on achetait la mélasse à la « canisse », le sucre et le beurre à la pesée. Rien n'était empaqueté d'avance, à quelques exceptions près. Nous faisions notre déjeuner nous-mêmes. Ma mère en avait bien assez de s'occuper de ses autres enfants. Toute ma vie, j'ai fait mon déjeuner moi-même. Nous ne dédaignions pas de faire la vaisselle ni d'aider à la lessive.

Distinction

L'une des qualités exemplaires et des plus inspiratrices de mon père et de ma mère était leur grande distinction. Non pas une distinction prétentieuse; au contraire. Bien que, dans tous les milieux, on tînt mon père pour un artiste et un éducateur, dont on louangeait les qualités diversifiées, rien n'apparaissait dans le comportement ou la figure de ce dernier qui laissât voir cette satisfaction de quelque manière.

À la maison, on n'endurait pas que l'on parlât contre son prochain. Dans le monde, mon père et ma mère sortaient en public ou dans des réunions, lui, ancien ecclésiastique portant toujours le frac foncé et la chemise à plastron, et elle, la robe à feston et dentelles, serrée à la taille et, il va sans dire, avec manches. Ainsi, ils faisaient honneur aux hôtes qui les recevaient.

Loin d'être guindés, ils ne ménageaient pas les rires, la bonne humeur et les gentilles plaisanteries.

Mon père ou ma mère se fâchaient occasionnellement. Parce que nous avions mal fait notre travail ou avions désobéi. Quelquefois même, mon père outrepassait les limites du calme relatif que lui imposait sa distinction ordinaire. Ses explosions ne duraient pas longtemps; son instinct d'éducateur prenait le dessus. Il lui semblait raisonnable que l'éducation eût quelquefois des temps forts, comme la musique!

Les maisons paternelles

Je suis né dans le quartier ouest de la ville. Pas longtemps après, mes parents ont décidé de déménager près du collège, dans une jolie résidence en brique avec un grand terrain. Idéale pour y élever des jeunes. La maison y est toujours et les érables sont devenus géants.

Je me souviens qu'un jour, maman, qui était sur la galerie à l'avant, est entrée précipitamment en nous appelant, nous, les petits enfants et en disant : « Venez voir le père Frédéric qui passe. » Il portait la bure et des sandales de moine. Il était venu prêcher une retraite. C'est aujourd'hui un saint déclaré par l'Église.

Nous étions voisins du gros Hébert, ainsi appelé parce qu'il était énorme. Il mangeait un rôti de porc entier avant de se coucher. Il avait une femme très aimable, comme lui du reste, et un petit garçon et une petite fille de notre âge. Nous sommes restés là jusqu'en 1910, alors que mon père a acheté une maison derrière la cathédrale et qui avait appartenu au curé Lasnier, un des premiers curés de Valleyfield. Il l'avait fait construire en vue de sa retraite. À l'intérieur, elle avait l'aspect d'un presbytère avec plusieurs petites chambres individuelles (pour recevoir la visite des curés). Croyez-le ou non, les cabinets d'aisance étaient situés dans le fond de la cour, à peu près à vingt-cinq ou trente pieds de la maison. Quand je pense à l'hiver! Il est vrai que la chambre de toilette était pourvue de « jacquelines ». Mon père a tout fait refaire et moderniser cette disposition de l'intérieur et la décoration en y participant lui-même. À l'époque, on se servait peu de papier peint, on décorait les maisons en peignant des arabesques sur les plafonds et le haut des murs. Des artistes peintres gagnaient leur vie avec ce métier.

Au temps où nous demeurions près du collège, on s'éclairait au moyen de lampes à pétrole, munies d'un réflecteur en verre soufflé, comme les bouteilles thermos. Verre argenté qui reflétait chaleur et lumière. Je me rappelle encore de ma mère préparant le souper dans la cuisine, éclairée par une seule lampe de cette nature, à la lumière sombre et que l'on pouvait renforcer en montant un peu la mèche.

Dans notre nouvelle maison, mon père avait fait poser la lumière électrique. On se chauffait au moyen d'une fournaise ronde au charbon qui trônait près d'un mur de la salle commune entre la cuisine et le salon. Un tuyau coiffait cette fournaise et traversait le plafond jusque dans les chambres à coucher et à la cheminée. C'était toute une histoire de faire le feu dans la fournaise matin et soir : sasser, ôter les cendres, remettre du charbon et voir à ce que les gaz soient bien enfuis avant de fermer les clefs. On en tirait une chaleur convenable dans la maison. Jamais je n'ai trouvé qu'on souffrait du froid chez nous.

Amour de l'art, de la musique

Une des qualités de mon père et de ma mère et l'une de celles qui ont le plus influencé mon enfance et mon adolescence, c'est leur amour de l'art, de la musique surtout. Mon père fit de nous des musiciens respectables.

J'apprécie encore son extrême patience à nous enseigner, à moi, le violon et à mon frère, le violoncelle, alors qu'il ne s'agissait pas d'instruments qu'il touchait, mais de ceux dont il avait appris la technique dans ses études musicales. Une exécution musicale faussée provoquait sa réaction, fut-il au fond de la cuisine. À peine avions-nous huit ans, le « trio Frappier » se produisait sur scène à diverses occasions. Ma mère nous avait confectionné de jolis costumes de velours avec chemise à poignets de dentelle blanche.

Quand je fus au collège, mon père me fit suivre des cours d'un violoniste remarquable qui venait de Montréal pour l'enseignement de cet instrument. Cet artiste redressa certains défauts techniques mais, dans l'ensemble, il me considérait très bien parti sur l'instrument. La théorie de la musique, mon père s'en était déjà chargé et nous étions très avancés dans ce domaine, ce qui facilitait notre capacité d'apprentissage du doigté et de l'art de manier l'archet. Nous avons appris en plus la clarinette et le saxophone. Mon père nous disait souvent : « Mes enfants, j'ai gagné mes cours à l'Université d'Ottawa et au collège Saint-Laurent en enseignant la musique et ainsi, à Salaberry-de-Valleyfield, j'ai continué au collège. Vous ferez comme moi, vous ferez de la musique », et c'est ce qui est arrivé pour mon frère Irénée et moi.

Amour de la nature : création d'un milieu favorable

Si mon père et ma mère s'entendaient merveilleusement sur la nécessité de procurer à leurs enfants une instruction maximale et sur la formation à l'amour de l'art, ils s'entendaient également pour créer un milieu favorable à l'amour de la nature.

Ainsi, à l'approche de notre adolescence, mon père acheta la pointe du Milieu, devenue depuis la pointe Frappier, sur la rive sud-est du lac Saint-François, une étendue de terre de presque dix arpents carrés dont j'ai doublé, en 1936, la superficie. Nature d'une beauté sauvage et incroyable, habitée par un grand nombre d'espèces d'animaux volants, à nageoires ou sur pattes, en somme, un paradis de chasse et de pêche!

La vision de mon père s'est révélée grandiose lorsqu'il a acheté cette place entre Valleyfield et Sainte-Barbe, où presque rien n'avait été touché depuis la création du monde. À ce moment, cela pouvait paraître d'une audace inouïe, car cet endroit sauvage était entouré de marais et pratiquement inaccessible. Il réussit à construire un chemin à travers bois et marécages et sur le bord de l'eau, pour s'y rendre à partir du chemin du Roy, à agrandir une maisonnette qui se trouvait sur la rive à la moitié du contour de cette pointe. Cette maison était exposée à tout vent. Nous l'avons habitée quelques années. Après quoi, avec mon père, mon oncle Ludger et monsieur Frédéric Girard, un trio toujours de bonne humeur, nous avons bâti à l'est de la pointe, une maison à même le bois d'un hôtel démoli de la ville. C'était en 1917 et la maison existe encore, devenue la propriété de mon frère Jean et de ses descendants. Il va sans dire que c'était là un travail de vacances qui s'est poursuivi pendant au moins deux ans. Ce n'est pas avant 1924, après la mort de ma mère, que nous sommes retournés à la première habitation agrandie.

Mon père avait de l'imagination. Jamais on n'aurait cru, à le regarder travailler ainsi de ses mains, qu'il fût un intellectuel averti, un artiste consommé à la fois dans la musique, le dessin et la calligraphie.

Avec mes parents, nous devions entretenir l'intérieur et l'extérieur de ces maisons, les chaloupes, les quais. Dans de telles occupations, pour mes parents, résidait le secret d'une bonne santé physique et mentale. Ils s'organisaient pour tenir leurs enfants loin de la promiscuité citadine pendant les vacances et pour leur donner l'occasion de faire des travaux manuels de toutes sortes. Mon père désirait que nous apprenions à nous familiariser avec la nature, à ne pas nous effrayer de ses turbulences, ni même de ses violences extrêmes, pas plus que de ses silences profonds au cours des nuits sans lune, au milieu de la forêt immobile. Ma mère ne partageait pas ces objectifs. Au début, nous n'avions ni eau courante ni électricité. Nous devions faire tous les travaux compensatoires. En somme, nous vivions un peu comme des Robinsons.

Nos parents ne décourageaient pas notre esprit d'entreprise, si exalté fût-il. Ainsi, nous pouvions aller sur l'eau, à la pêche ou encore aux framboises, sur des terres avoisinantes, riveraines et très inhospitalières. Ils nous montraient à exercer une prudence raisonnable et tentaient de développer en nous l'esprit de responsabilité.

Cette vie, pour l'instruction, pour l'art et la nature, nous a ouvert des horizons que nous n'avons jamais cessé d'explorer. Aujourd'hui, ce sont mes enfants et mes petits-enfants, sans parler de mes arrière-petits-enfants, qui colonisent autour de moi et de ma femme, ce domaine qui a conservé une partie de son état sauvage.

Période noire d'épreuves

Extinction d'une partie de la famille : tout ce qu'il faut pour décourager

À une période de jeunesse et d'enchantement familial, suivit une succession d'épreuves suprêmes et sans nombre, débouchant, après quelques années, sur une longue et nouvelle destinée faite de chance, de gratuités de toutes sortes attribuables sans conteste à la bonté de la divine Providence et à l'intercession de Marie et de Joseph et de tous nos chers parents et proches morts en odeur de sainteté. J'en arrive donc à cette phase noire de ma vie qui commença vers les 1920 alors que tante Valentine Rousseau fut emportée par la tuberculose dite « galopante » (aiguë).

En 1922, à l'automne, après vingt ans de mariage, ma mère avait mis au monde son huitième enfant, une petite fille que l'on appela Marie et dont j'étais le parrain. Mon père m'invita à cette fonction. J'hésitais parce que je lui disais que j'étais trop jeune; j'avais dix-huit ans!

À la même époque, l'une de mes bonnes tantes Codebecq, la tante Régina, elle, si joyeuse et raconteuse de belles histoires, était emportée par une pneumonie, presque en même temps que mon grand-père Alexis à Montréal, dont j'ai décrit la mort tragique. Puis, ce fut ma grand-mère Codebecq qui décéda au début de 1923 et, si l'on ajoute le décès de ma mère survenu quelques semaines plus tard, cela porte à quatre le nombre de mes très proches parents décédés en moins d'un an.

Ma mère était une personne d'intérieur. Elle s'est fait mourir à élever ses huit enfants. Sa mort, à l'âge de quarante ans, fut, pour ainsi dire, à l'origine de ma carrière. De voir la flamme de sa vie s'éteindre de jour en jour jetait dans la consternation l'étudiant en philosophie première année que j'étais.

J'avais consulté le médecin, excellent du reste, qui m'a affirmé que ma mère souffrait de tuberculose pulmonaire « galopante », la même forme de tuberculose aiguë qui avait emporté tante Valentine.

Quelques mois avant la mort de ma mère, mes trois dernières petites sœurs avaient contracté des maladies infectieuses nécessitant beaucoup de soins. Ma mère, déjà épuisée par l'accouchement, les deuils récents et l'allaitement, se rendit à la limite de ses forces. Un jour, au début de 1923, déclarant ne plus pouvoir se tenir debout, elle s'effondra devant moi sur un sofa.

Désorganisation générale de la famille! Nos bonnes tantes prirent les trois plus jeunes filles en attendant que ma sœur Marguerite quittât le couvent pour diriger la maison. Elle n'avait que seize ans!

Dans son bureau, le médecin avait répondu à mes doutes sur l'efficacité des traitements qu'il utilisait : « On ne peut faire mieux, la science n'étant pas assez avancée. Seul un vaccin pourra un jour prévenir de tels drames. Votre mère n'en a que pour quelques semaines à vivre. » Je descendis dans la rue et décidai de me tourner vers la médecine, le meilleur milieu pour me préparer à l'objectif de ma vie, le combat contre la tuberculose et les maladies infectieuses de l'enfance. Il me semblait que la médecine et la science viendraient à bout de telles pestes. Je croyais que la chimie pouvait jouer un grand rôle dans ces études. Je n'étais peut-être pas dirigé dans le meilleur sens, quoique mon idée d'alors soit aujourd'hui de plus en plus appuyée par les faits.

Dans le cas de ma mère, il s'agissait d'une phase aiguë, là où le bacille tuberculeux se multiplie rapidement. Ce sont justement ces cas qui répondent le mieux au traitement par les antibiotiques modernes.

Ma pauvre mère agonisait. Nous nous tenions de bonne humeur et essayions de nous persuader, comme de la persuader elle-même, que la guérison viendrait. Elle s'occupait encore de nous, de notre habillement, de nos études. Souvent, elle pleurait doucement. Nous savions bien pourquoi! La nuit, j'allais quelquefois surveiller son état dans sa chambre. Sa figure, faiblement éclairée par le clair de lune projeté de la fenêtre, paraissait cadavérique. J'en avais le cœur ulcéré. Un jour où j'avais dû travailler à notre camp d'été, je fus rappelé d'urgence car elle était morte peu après mon départ.

La période noire d'épreuves allait continuer. À l'été de 1928, alors que j'exécutais mon programme régulier de musique pendant le souper chez *Kerhulu et Odiau*, un appel téléphonique m'avertissait que ma sœur aînée, Marguerite, venait de tomber soudainement malade chez des amies. Immédiatement après mon travail, j'allai la voir. Elle avait les yeux paralysés et paraissait confuse; je décidai de la faire transporter d'urgence à l'hôpital Notre-Dame où l'on fit le diagnostic d'une pathologie causée par l'hypertension artérielle. C'était tellement grave qu'on l'a renvoyée chez elle pour y terminer ses jours. Avec un interne, l'un de mes amis, nous l'avons transportée jusqu'à notre domicile en ambulance. Jamais je n'ai fait pareil voyage avec une mourante si jeune !

La mort avait donc cueilli ma mère à quarante ans; quelques années par la suite, ma sœur Marguerite à vingt ans, après une agonie effroyable de trois mois, comme si cette faucheuse ne pouvait venir à bout de sa jeunesse. L'année suivante, mon père mourut de chagrin à l'âge de cinquante-huit ans. Il fut professeur jusqu'au bout. Il s'est écroulé dans une école, devant un tableau, la craie à la main, en donnant une leçon de musique. Tout cela, semble-t-il, pour les sortir de cette vallée de larmes dans laquelle des personnes d'une telle excellence humaine erraient de peine en peine.

Parmi ceux qui restaient, moi, l'aîné, je fréquentais encore l'université. Mon frère cadet, dentiste, était déjà établi dans la maison paternelle. Mes bonnes tantes gardaient les petites filles.

La vie nouvelle à la pointe

Mon père n'avait pas laissé de testament. J'étais l'aîné et, selon l'arrangement fait avec l'oncle Ludger, avocat nommé par la cour pour administrer la succession de mon père, j'occupais l'été l'ancien chalet agrandi sur la pointe du Milieu. Toute la famille s'y trouvait donc réunie pour les vacances, mon plus jeune frère, Jean et mes sœurs, Cécile, Rachel et Marie, ainsi que les tantes Euchariste et Antoinette, qui passaient l'été avec nous.

Je souligne le dévouement de ma femme qui, dès le début de son mariage, tombait dans une association familiale à laquelle elle a quand même bien voulu s'adapter, sans jamais dire mot.

L'été, le lac Saint-François n'est pas toujours de bonne humeur. D'affreuses tempêtes le secouent certains jours ou certaines nuits. Une de ces nuits, un orage violent de tonnerre, de pluie et de vent avait ravagé la région. Un moment donné, une de mes tantes a crié : « Armand, il y a une lumière sur la galerie. » Je me rendis à la porte pour voir des hommes tout trempés qui attendaient que ça finisse. Je les invitai à entrer pour se sécher. J'allumai un feu dans le poêle. C'étaient des gens de la ville toute proche que je connaissais, qui avaient été à la pêche à l'anguille au centre du lac et qui avaient été surpris par la violence de la tempête. Ils avaient été soufflés, pour ainsi dire, sur la pointe avec leur chaloupe pleine d'eau mais contenant encore quarante belles anguilles. Ils m'en laissèrent deux. Le vent calmé, ils s'en retournèrent chez eux à la rame.

Quand toute la famille était réunie à la pointe, on disait la prière en commun le soir après souper. S'il y avait un orage de vent, de tonnerre et d'éclairs, on disait le chapelet. On allumait des cierges et on distribuait dans les cheveux des morceaux de rameau bénit.

Cette situation a continué au fil des années jusqu'à ce que mon plus jeune frère Jean entreprît des études de médecine. Il commença sa carrière à l'Institut de microbiologie et d'hygiène de Montréal et la continua comme vice-doyen de la Faculté de médecine de l'Université de Montréal jusqu'à sa mort en 1977. Il était âgé de soixante-trois ans. Sa femme, Bertrande Marchand, lui survit et occupe, l'été, avec sa famille le chalet à l'est de la pointe.

Rachel, ma sœur, entra chez les Sœurs des Saints Noms de Jésus et de Marie où elle a enseigné la biologie pendant plusieurs années. La troisième, Marie, la petite dernière, devint médecin et se maria.

Tante Euchariste et tante Antoinette meurent le même jour

Mes deux bonnes tantes continuaient toujours la vie d'autrefois, c'est-à-dire une vie de prière et d'actes religieux de toutes sortes. En particulier, elles demandaient de mourir le même jour et ensemble; elles furent exaucées. Tante Euchariste était affligée d'un cancer alors que tante Antoinette souffrait du cœur depuis plusieurs années. Un jour, elles se sont couchées pour ne plus se relever. Tante Antoinette est morte la première. Quelques heures après, ce fut tante Euchariste dans la chambre voisine. Elles furent ensevelies dans la bure de saint François.

Leur disparition mettait la maison à la disposition de mon oncle Ludger. Je pris quelques souvenirs qu'on voulut bien me donner et quittai cette maison où nous avions connu tant de bonheur.

Mon oncle Ludger fit raser la maison et le terrain devint un parc de stationnement.

La série d'épreuves immédiates n'était pas encore finie. Ma sœur Cécile, la plus âgée de mes jeunes sœurs qui restaient, aboutit dans le secrétariat à mon service, puis dans l'enseignement primaire jusqu'à sa mort à l'âge de vingt-huit ans, toujours causée par la même maladie ou ses conséquences, l'hypertension artérielle.

Cette maladie emportait, non seulement des pauvres et des délaisses, mais aussi des personnes qui payaient ainsi de leur vie leur dévouement extrême à la cause de leur famille. Avec les nouvelles médications, on aurait prévenu ces drames, si graves qu'en fussent les atteintes.

C'est ainsi que se termina cette période noire. Je n'ai cité que les proches qui ont réellement influencé ma vie. La fin de ces épreuves en série est survenue au moment où l'activité de ma carrière maintenait mon espoir dans la vie, le succès et le bonheur, alors que ces dernières années, j'avais senti un moment l'espérance me manquer.

L'espoir renaît

Ma vie familiale

Mon frère Irénée fit un immense succès de sa profession de chirurgien-dentiste qu'il a exercée, en bonne part, comme en pleine ville, au milieu de ses vergers et de ses bois, sur la frontière près de Franklin Centre. Avec deux dentistes comme collègues, sa réputation s'étendait fort loin au Canada et aux États-Unis. Il était marié à Élisa Brault qui atteint aujourd'hui un âge avancé et conserve toujours son caractère jovial. Ils ont eu une fille et six garçons.

La dernière année de mes études médicales (1929), je me suis marié à Thérèse Ostiguy, fille de Noël Ostiguy, important marchand de fourrures de la province, et de Coralie Guindon, de ma ville natale.

Après les réceptions d'usage chez mes beaux-parents et au retour de notre voyage de noces, mon père avait préparé chez nous un banquet réunissant les membres des deux familles et au cours duquel les jeunes présentèrent des danses et des compliments de grande originalité.

Qui aurait dit que, deux mois après ces instants de bonheur, ce serait au tour de mon père de succomber dans la force de l'âge?

Quand je me suis marié, je venais de passer mes examens de cinquième année de médecine et me préparais à entrer dans mon internat. C'est ainsi qu'on appelait la dernière année des études médicales à l'Université de Montréal. Il était rare à ce moment qu'un étudiant prît femme. Mes confrères m'avaient fait un magnifique cadeau : une chaise berçante rembourrée sur laquelle, après au-delà de soixante ans de mariage, je me repose encore, à côté de ma femme qui préfère une chaise à bascule.

Un an après mon mariage, avait lieu la collation des grades au théâtre Saint-Denis. Ma femme y assistait. Je reçus donc mon grade de médecin en sa présence. Elle avait laissé à la maison, au soin d'une personne de confiance, la toute petite fille, appelée Lise, qui nous était née le mois précédent et que nous adorions. Cette dernière fit ses études médicales à l'Université de Montréal et s'est mariée à un confrère médecin, André Davignon, cardiologue pédiatre. Tous les deux sont allés se perfectionner aux États-Unis où ma fille a obtenu le diplôme de maîtrise en santé publique de l'Université Harvard. Elle a passé par la suite à Johns Hopkins et chez les frères Mayo. Elle a étudié l'épidémiologie nouvelle, particulièrement celle des maladies chroniques, car auparavant cette spécialité couvrait surtout les maladies contagieuses. Après trois ans d'études à l'étranger, elle est revenue avec son mari et a commencé ses travaux à l'Institut de microbiologie et d'hygiène de Montréal en même temps qu'elle enseignait à l'École d'hygiène de l'Université de Montréal puis à l'Université McGill. Elle fut la première à démontrer que le cancer de la leucémie chez les jeunes enfants vaccinés par le BCG est de cinquante fois inférieur au taux qu'on trouve chez les enfants qui n'ont pas été vaccinés et sont du même âge.

Après une vie scientifique passée au service de l'Institut et de l'enseignement, elle a atteint l'âge de la retraite et s'occupe maintenant de sa famille (qui compte deux garçons et deux filles et dix petits-enfants) et aussi de bonnes œuvres.

Soit dit en passant, j'ai eu le plaisir d'intervenir au moment crucial de sa naissance en pratiquant l'accouchement parce que le médecin n'arrivait pas.

Quelques années plus tard, une deuxième fille nous est née : toute mignonne, toute frêle, qu'on appela Monique. Elle est de caractère plus vif que son aînée. Elle a toujours les gestes gracieux. En fait, elle suit encore des cours de danse, ce qui est aussi bénéfique pour sa santé. Elle entreprit ses études à la Faculté des sciences sociales de l'Université de Montréal et obtint une maîtrise en sciences économiques. Mariée à Gilles Desrochers, elle fit un stage postuniversitaire prolongé à Cambridge, Angleterre, puis à McGill. Elle est directrice de recherches économiques dans un ministère provincial du Québec.

Ils ont adopté deux enfants, un garçon et une fille, qui font le bonheur de leurs parents.

Plus tard, nous vint une autre fille, Michelle, d'une activité débordante. Elle se spécialisa en diététique et nutrition et particulièrement dans le domaine des pêcheries. Elle contribua activement, pour le compte du gouvernement fédéral, à la commercialisation des produits canadiens de la pêche au Canada, aux États-Unis, en Europe et en Asie. Finalement, elle prit à son compte des contrats avec les plus grands organismes gouvernementaux et industriels. Elle initia des cours en ichtyologie appliquée auprès des chaînes alimentaires et au profit de tous les détaillants en alimentation. Elle s'est mariée à Jacques Daigneault, devenu un homme actif dans le domaine de la finance internationale.

Enfin, ma femme et moi eurent le plaisir de recevoir un garçon, Paul, qui, après ses études secondaires, devint un homme d'affaires accompli, spécialiste dans les prêts et les évaluations qui les précèdent.

Michelle et son mari eurent deux enfants, de même que Paul et sa femme Diane Berthelet, femme d'affaires.

Trois de mes enfants sont établis pour la saison d'été à la pointe. Un des fils de Lise y vit régulièrement avec sa jeune famille.

En somme, ma famille au complet comprend quatre enfants, dix petits-enfants et leurs conjoints et douze arrière-petits-enfants. Et ce n'est pas encore terminé!

Tout ce monde vit dans des chalets, l'été, à la pointe et c'est une fête familiale continuelle, chacun cherchant d'abord à rendre service aux autres.

De leur mère, mes enfants ont d'abord appris la modestie, l'art de cuisiner, l'art et la volonté de rendre service, l'art de coudre et de s'habiller en sachant choisir ce qui sied le mieux, l'art de recevoir à la maison. Dans ma carrière, je ne me rappelle plus du nombre de personnalités que j'ai dû inviter chez moi. C'était toujours ma femme qui voyait à tout. De même, nous prenions plaisir, elle et moi, à recevoir oncles, tantes, cousins et cousines. Je me souviens d'un jour où nous étions une cinquantaine ainsi réunis. Après le repas, nous faisions de la musique et chantions.

Ma part dans les soixante années de mariage et au-delà que nous avons vécu ensemble se résume à l'entretien des maisons, au magasinage, au jardinage à la pointe, y compris les fleurs partout, à l'entretien des chemins et à l'obtention de la collaboration domestique ou jardinière voulue, sans compter celle qui, depuis ma retraite, il y a déjà plus de quinze ans, consiste à faire la vaisselle quotidiennement.

De toute façon, il est certain que si la Providence ne m'avait pas favorisé de la présence et des avis de ma femme, toujours de façon modeste et retirée, ma carrière n'aurait peut-être pas connu un tel essor.

Physiquement, ma femme est plutôt petite, mais elle s'impose par une volonté forte, une autorité discrète, une bonté extraordinaire, un certain charisme qui la font choyer par ses enfants, ses petits-enfants, leurs conjoints et par son mari.

Années d'études universitaires

À l'Université de Montréal

Mon frère Irénée et moi sommes arrivés à l'Université avec deux cents dollars que mon père avait empruntés pour payer notre premier terme. Restait à gagner notre pain quotidien. J'avais peinturé une maison l'été précédent;

j'avais vendu de l'aluminium de porte en porte. Ça n'a pas duré longtemps mais j'ai connu l'expérience du commerce. Au moment de faire la dernière livraison de mes ustensiles, j'étais en retard. Ce n'était pas de ma faute, mais celle de la compagnie. La paie des gens avait été dépensée : « Eh ben! vous venez trop tard, on ne vous attendait plus. » J'ai alors constaté que, dans le commerce, à part les profits, il y a aussi les pertes et les escomptes. Je suis sorti de cette aventure avec quelques dollars, une batterie de cuisine de démonstration qui dure toujours depuis plus de soixante ans.

Un gagne-pain : la musique

Comme l'avait prévu notre père, la musique pouvait servir à résoudre nos problèmes financiers, à mon frère et à moi-même, étudiants.

Nous ne connaissions personne à Montréal, excepté ma grand-mère; il nous a fallu du temps pour connaître nos confrères étudiants, les gens et leur disposition à accepter nos idées. Le premier orchestre que j'ai formé comprenait douze musiciens. Ce n'était pas très réaliste; qui engagerait douze musiciens à la fois? J'ai réduit ce nombre à six et trouvé un nom : « Les Carabins » que j'ai fait enregistrer sous celui d'« Orchestre les Carabins », composé exclusivement d'étudiants en médecine et en chirurgie dentaire. Cet ensemble a joué le midi chez *Dupuis et Frères*, au restaurant, pendant cinq ans. De plus, comme cet engagement ne rapportait pas suffisamment d'argent, je suis allé offrir mes services et ceux de mon orchestre au fameux restaurant français appelé *Kerhulu et Odiau*, juste en face de l'Université de Montréal, sur la rue Saint-Denis. Ils ont limité mon offre à un trio de violon, violoncelle et piano.

Kerhulu et Odiau, restaurant français, fut l'un des plus grands qu'il y ait eus à Montréal. En entrant, à droite, la chocolaterie, « tout fait à la maison », excepté les très jolies boîtes importées de France; à gauche, la paneterie, au fond, la salle à manger.

Les troupes françaises, les concerts au théâtre Saint-Denis fournissaient à ce restaurant une clientèle exceptionnelle. À l'étage supérieur, on avait aménagé un grand club pour la saison du tourisme, c'est-à-dire l'été. Il y avait danse et vaudeville. Le midi, je jouais chez *Dupuis et Frères* avec mon sextuor « Les Carabins ». Faubert, mon collègue, me remplaçait dans le trio du restaurant de la rue Saint-Denis. Le soir, je dirigeais ce trio à la salle à dîner et, pendant la saison touristique, l'orchestre de cinq musiciens au club, pour le vaudeville et la danse. Nous terminions la musique à une heure du matin.

Il me fallait ensuite faire le tour des laboratoires des hôpitaux Saint-Luc et de la Miséricorde, tout près, pour procéder aux examens préparés par mes techniciennes très dévouées. Ce n'était pas long. Je revenais prendre le tramway sur Saint-Denis pour me rendre chez ma grand-mère Frappier.

En dehors des saisons de tourisme, mes soirées étaient généralement libres. Je m'en retournais à la maison après le souper chez *Kerhulu* et mes visites aux hôpitaux, et je faisais mon travail d'étude. À ce régime, j'ai fait toutes mes études en ne dormant que cinq heures par nuit.

Musique et prohibition

Mon frère et moi, nous faisant remplacer à Montréal, allions parfois jouer dans des orchestres de danse pour des bals dans les environs de Salaberry-de-Valleyfield. Il est arrivé un jour, pendant le temps de la prohibition en Ontario, que nous soyons allés jouer dans un village de cette province et que notre directeur d'orchestre ait emporté sa valise de musique, comme de coutume, trompant la vigilance des inspecteurs sur le train. Mais, rendus sur place, en l'ouvrant, nous nous sommes aperçus qu'elle ne contenait que des flacons d'alcool. Devant nos protestations, notre directeur nous a dit : « Je vais d'abord commencer à jouer l'air au piano et, après que vous l'aurez entendu, vous serez certainement capables de le répéter sur vos instruments. » C'est bien ce qui est arrivé. C'était un véritable « tour de force ». Notre directeur avait fait plus d'argent en vendant ses bouteilles d'alcool que tout l'orchestre en jouant au cours de la nuit!

Direction à l'improviste d'un gros orchestre

Mon frère Irénée fut reçu dentiste et fit de sa profession un grand succès. Il passa du violoncelle au violon. Il s'était acheté un instrument très coûteux et prit des leçons de l'un des plus grands maîtres du moment à Montréal. Il devint très habile, car il était un musicien reconnu pour sa technique. Il jouait de la contrebasse dans mon orchestre « Les Carabins ». Nous jouions aussi dans des orchestres plus petits, sur les bateaux de la *Canada Steamship Line* au début de juin, période de vacances musicales chez *Dupuis* et chez *Kerhulu et Odiau*.

J'ai aussi dirigé la musique dans des circonstances extraordinaires au théâtre Empress nouvellement bâti, sur la rue Sherbrooke ouest, et dont un orchestre de vingt musiciens devait faire l'inauguration en même temps qu'on y projetait des films muets.

À la répétition, le supposé directeur de l'orchestre, un musicien très bien connu à Montréal, n'apparut pas et les instrumentistes me désignèrent pour diriger tout en jouant ma partie de premier violon. Le soir de la représentation, il y avait là le maire Camilien Houde et une foule considérable, le directeur ne s'est pas non plus présenté. Il m'a bien fallu reprendre la direction. Cela voulait dire jouer et diriger le vaudeville et la musique du film muet. À un moment donné, l'orchestre jouait une musique forte et tout à coup arrêtait parce que la scène changeait, et nous étions obligés en hâte d'alterner pour une musique plus douce et plus convenable. Inutile d'insister sur la tension qu'imposait un tel exercice.

Nous avons quand même maintenu notre engagement de quatre mois dans ce théâtre. La musique finit par un simple jeu de piano.

Une logeuse : grand-maman

Ma grand-mère et marraine Clarinde Lebeau, seconde épouse de mon grand-père, m'invita au début de mes études médicales à demeurer chez elle. Femme des plus distinguées — elle avait l'air d'une vraie princesse — son instruction n'allait pas de pair avec cette qualité, mais rien n'y paraissait car elle savait quand parler et quand se taire. Je l'aurais nommée professeur d'économie tant elle excellait dans l'art de gérer une maison et des biens, d'acheter et d'utiliser toutes fournitures avec circonspection. Elle aimait beaucoup la conversation. N'ayant pas moi-même la langue dans ma poche, je complétais le talent de ma grand-mère de bien passer le temps. Elle eut soin de moi comme de son propre enfant et je lui en ai toujours gardé la plus profonde reconnaissance.

Elle demeurait dans le nord de la ville, dans le quartier Saint-Édouard, un quartier où habitaient beaucoup d'Italiens et où se trouvait l'église de leur paroisse, Notre-Dame-de-la-Défense. J'y ai quelquefois remplacé mon oncle Mongeau, mari de ma tante Berthe Frappier, pour chanter des messes. Un jour, le curé m'a averti qu'il y aurait un mariage mais que je devais chanter la messe comme de coutume. Enfin, arrive un jeune homme sans faux-col, la chemise ouverte, et il occupe le banc spécial du marié. Se présente par la suite une très jolie fille, parée toute en dentelles, avec une robe de mariée vraiment princière. Le curé les marie. Je chante la messe et lui demande ensuite une explication de cet accoutrement étrange du marié. Il me répond bien simplement : « Vous savez, les Italiens ne perdent pas de temps. Ceux-ci ne sont pas arrivés depuis longtemps dans le pays, alors le marié travaille aujourd'hui, tout de suite après son mariage. » Ce qui démontre que des immigrants de bonne volonté sont prêts à tous les efforts et à tous les sacrifices pour s'établir convenablement un jour au Canada.

Bien que ma grand-mère demeurât loin du centre de la ville (coin Drolet et Saint-Zotique, immédiatement à l'ouest de la rue centrale Saint-Denis), je me suis accommodé parce qu'elle était extrêmement bonne pour moi. Le tramway arrêtait à une heure et demie du matin, rue De Fleurimont, (maintenant boulevard Rosemont). Il me fallait donc marcher le reste du trajet pour me rendre à ma pension. Comme il y avait un grand nombre de terrains vagues ou beaucoup d'escaliers devant les maisons, je n'étais pas rassuré de suivre le trottoir et marchais plutôt dans le milieu de la rue. Un jour, les journaux ont raconté des histoires de bandits dans cette région. J'ai demandé et obtenu le permis de porter un révolver!

La sœur de ma grand-mère habitait avec nous et lui rendait de menus services. Alors qu'elle voulait presser un de mes pantalons, elle le manipula de telle sorte que le révolver, qui n'était pas chargé, est tombé par terre. Elle a poussé un grand cri et le révolver est resté ainsi jusqu'à mon retour le soir. Ce n'était pas très avisé de ma part de laisser cette arme dans mes pantalons.

Université de Montréal

L'Université de Montréal ne donnait pas à l'étudiant une vraie idée de ce qu'est une université moderne. En 1920, après la séparation d'avec l'Université Laval, un ensemble d'écoles s'était constitué sous le nom d'Université de Montréal : médecine, droit, pharmacie et autres. La médecine occupait le plus d'espace, non pas « *quia nominor leo* », mais comme c'est encore vrai aujourd'hui, parce qu'elle est toujours une grosse faculté. La Faculté des sciences n'en était alors qu'à ses débuts.

À part les élèves du PCN (Physique, Chimie, Sciences naturelles) qui relevaient plutôt de leur futur médical, la Faculté des sciences ne recevait, en 1924, qu'une poignée de candidats mais ces derniers allaient augmenter d'année en année.

L'Université de Montréal m'apparut comme un groupement de facultés professionnelles, très autonomes, entre lesquelles on avait enté des facultés débutantes comme les sciences, les sciences sociales, les lettres et la philosophie. Le droit n'occupait pratiquement pas d'espace. Les professeurs limitaient généralement leur activité au seul enseignement. D'ailleurs, la plupart ne venaient à l'Université que pour donner leurs cours. À part le frère Marie Victorin, le docteur Pierre Masson, monsieur Édouard Montpetit, l'abbé Lionel Groulx, Me Maximilien Caron, les docteurs Télesphore Parizeau, Georges Préfontaine et Georges Baril, il n'y avait pas beaucoup de professeurs qui jetaient de la lumière sur l'université de la rue Saint-Denis.

À l'Université, le cours de chimie du docteur Georges Baril m'a vraiment emballé. Il était très doué pour l'enseignement. Le niveau des cours relevait du premier cycle, il est vrai. Ça ne pouvait être autrement, eu égard à la formation limitée que nous apportions dans toutes les matières. Baril préparait ses cours merveilleusement. Mon association avec le docteur Baril m'avait amené à son emploi comme garçon de laboratoire à l'Hôtel-Dieu l'été et le matin, au cours de mes années d'étude. Assez avancé en médecine à ce moment-là, je pouvais rendre de menus services qui me rapportaient au surplus un peu d'argent.

Laboratoires : les hôpitaux Saint-Luc et de la Miséricorde

À Saint-Luc, le surintendant m'avait demandé d'y monter un petit laboratoire et d'y faire les analyses courantes. De la même façon, l'hôpital de la Miséricorde utilisait aussi mes services. De sorte que, dans une demi-heure à chaque hôpital, j'avais pratiquement terminé mon travail. Les examens pour maladies vénériennes requéraient, certains avant-midi, ma présence au laboratoire de l'hôpital Saint-Luc. À la Miséricorde où l'on tenait des crèches de nouveau-nés et de jeunes enfants, j'ai acquis une expérience considérable.

L'été, c'est affreux à dire, il mourait un grand nombre de bébés au cours des chaleurs. Ils étaient assemblés dans de grandes salles, ce qui favorisait la diffusion des infections. À la fin de mes études, occasionnellement, je faisais des autopsies. J'ai appris les conséquences anatomiques des infections aux bacilles de la dysenterie et aux bactéries respiratoires. J'ai vécu là en plus des instants émouvants. Ces enfants-là, après la mort, étaient ensevelis dans de petites boîtes de bois mince. Le temps venu de faire l'autopsie, un garçon m'aidait. Il ouvrait la petite boîte. Très souvent, on y trouvait des billets écrits par la maman. « Dieu, faites que mon « chum » me marie. » Je me comportais avec grand respect et remettais tout en place après l'autopsie.

En 1930, j'obtenais le doctorat en médecine. Par malheur, la Crise battait son plein. Pendant dix ans, un très grand nombre de jeunes seront acculés, sinon tous, à l'inactivité, la plupart à l'improductivité, désastre mondial laissant présager la guerre qui suivit. Reçu médecin, et optimiste malgré tout, je poursuivais des études postscolaires en chimie biologique, chimie physique et mathématiques, sans grand espoir cependant quant à la possibilité prochaine de vivre une carrière scientifique.

Orientation définitive de ma carrière

C'est là que m'attendait le sort. Un jour que je conversais avec le professeur de physiologie, le docteur Élie Asselin, il se mit à s'apitoyer sur la condition de la bactériologie à l'Université de Montréal, une discipline, disait-il, vouée au plus grand avenir. Ce département était pratiquement vide, les professeurs successifs étant morts. D'ailleurs, aucun candidat pour ce poste de crève-faim. Si, cependant, je voulais lutter contre la tuberculose, je n'avais qu'à me spécialiser dans cette discipline ou, comme on l'a mieux dit par la suite, en microbiologie. De toute façon, mes connaissances de chimie ne pourraient que m'aider dans mes études futures. Pour de bon, je pris une vue objective de la situation. Après deux jours de réflexion, j'allai remettre mon destin entre les mains du doyen de médecine, le docteur Télesphore Parizeau, qui me reçut à bras ouverts. J'obtins une bourse de la Fondation Rockefeller pour étudier la microbiologie aux États-Unis.

Je passais avec succès mes examens de licence ès sciences. En un mot, je sortais de ma coque et j'allais explorer l'inconnu.

J'entreprenais alors une série de voyages d'étude et de stages dans divers laboratoires des États-Unis et d'Europe me permettant, au cours des années, de façonner une carrière qui me surprend moi-même.

Chapitre troisième

Sortir de sa coque
et explorer l'inconnu

Me destinant à la recherche sur la tuberculose et les maladies contagieuses de l'enfance, je devais d'abord sortir de ma coque, c'est-à-dire de cette vie plutôt renfermée que j'avais vécue dans ma famille et à l'université afin d'explorer l'inconnu par la recherche, l'éloignement et le voyage d'étude.

Je ne vois en moi rien d'extraordinaire. Je suis cousu de défauts. J'ai dû combattre mon caractère violent, rabaisser mes exaltations. Le métier de coureur de bois, au sens large, m'aurait assez bien convenu; j'aimais la chasse, la pêche, le mystère des forêts, la solitude des grands espaces. Mon père, éducateur et musicien, m'avait habitué aux déchaînements et aux profonds silences de la nature. Encore aujourd'hui, je ne perds pas une occasion de retrouver cette nature. Non! Je me trompe, je ne la retrouve pas, je ne l'ai jamais quittée. Si, comme je viens de l'avouer, je me laissais et me laisse encore attirer occasionnellement par son charme extérieur, j'en ai exploré quotidiennement les mystères intérieurs, les êtres unicellulaires et les microbes, par le moyen de l'observation et des sciences expérimentales, au microscope et chez les animaux d'expérience ou chez l'homme.

Sous les deux formes précitées, cette nature m'a d'abord émerveillé par sa beauté et sa complexité. J'en ai été confirmé dans ma foi en l'Être suprême. Mais la modeste exploration que j'en ai faite de l'aspect caché m'a tenu dans l'objectivité. Car la nature ne révèle ses secrets que sous l'effet d'une conception et d'une méthodologie toutes spéciales du chercheur, ordonnées sur l'observation et rivées sur le fait expérimental.

De même que, pour explorer des bois mystérieux et naviguer sur des eaux inconnues, on doit passer par des chemins différents de ceux de tous les jours, au bout desquels les guides ne se retrouvent plus, pour lesquels il n'existe pas de cartes, dans lesquels on ne s'engage que munis de la connaissance préalable de techniques d'approche éprouvées, ainsi en est-il de la recherche en général et, chez les êtres infiniment petits en particulier, qu'on n'aborde qu'avec un esprit objectif préparé par de multiples études, guidé et inspiré par des maîtres de haute autorité et, pour aller plus rapidement et plus sûrement, en équipes interdisciplinaires. J'ai donc choisi de m'engager dans l'étude des infiniment petits, ou du moins, de ce qu'on croyait l'être car, depuis ce temps, on ne cesse de descendre dans ce règne dont les limites ne sont pas encore en vue.

Pour en arriver là, j'ai dû sortir de ma coque, au sens physique comme au sens psychologique et intellectuel, soit d'une façon satisfaite de vivre la routine quotidienne, soit d'une espèce de cosmos social qui tenait son homme tranquille, éloigné du fracas du monde, sans influence véritable sur les transformations techniques qui font l'avenir des peuples, pauvre mais heureux quand même, comme je l'étais, il est vrai, dans ma petite patrie de Salaberry-de-Valleyfield, au sud-ouest de la grande province de Québec, le long de la frontière canadienne.

Mon histoire commence par le « *Primum vivere, deinde philosophari* ». D'abord vivre, ensuite philosopher, principe de philosophie, endossé par saint Thomas d'Aquin, quant à la foi : nécessité de manger avant celle de croire. La recherche est comme la religion. Avant d'explorer l'inconnu, il faut vivre et posséder un minimum de moyens techniques.

Études postuniversitaires

Aux États-Unis

Comme la plupart de mes compatriotes, je n'avais rien vu du monde. Je parlais l'anglais comme une vache espagnole, selon l'expression populaire. À mon arrivée dans la Faculté de médecine et au Strong Memorial Hospital de Rochester, New York, institutions parmi les mieux cotées d'Amérique, ma coque d'isolement a éclaté. Je n'avais pas assez d'yeux pour découvrir l'opulence de ce campus et l'abondance de ses ressources techniques. Tout me ravissait : le nombre des chercheurs, médecins ou non médecins, intéressés au diagnostic et aux sciences expérimentales, la diversité des travaux de diagnostic et de recherche, ordonnés en vue du soin des patients à l'hôpital, de l'enseignement à la Faculté de médecine, en vue également de la santé publique et des services de la morgue. Tous ces laboratoires étaient centralisés. J'avais devant moi des possibilités de travail dont le contraste avec la misère et la pauvreté de l'Université de Montréal, d'où j'arrivais, m'a bouleversé. Je liai connaissance avec tous, me hâtai de perfectionner mon anglais, tant et si bien que, au bout de quelques mois, j'osai, au cours d'un séminaire devant tout le Département, donner un exposé sur les premiers essais et l'emploi du vaccin BCG que l'on faisait à Montréal depuis 1926 dans la lutte contre la tuberculose.

En 1924, juste un an après la mort de ma mère, ce fameux vaccin contre la tuberculose, le BCG, découvert en 1908, avait été trouvé actif chez l'homme par Calmette et Guérin de l'Institut Pasteur de Paris. Aussitôt, le Conseil national de recherches du Canada avait institué un comité pour en faire l'étude, particulièrement chez l'homme. Le docteur J.A. Baudouin, professeur d'hygiène à l'Université de Montréal, avait été choisi pour diriger cette étude. Inutile de dire que, pendant mon temps d'étudiant en médecine, j'en avais suivi l'évolution et que j'étais au courant des travaux déjà commencés par le professeur Baudouin chez les nouveau-nés vaccinés en milieu tuberculeux. Il m'avait confié ses premiers résultats statistiques, ceux-là mêmes que j'ai exposés un peu triomphalement lors du séminaire à Rochester. J'allais subir une expérience désespérante.

Ma présentation fut la cible de questions, mais aussi de mises en doute, polies, il est vrai, mais fermes. Ma coque se brisait davantage, car j'expérimentais, pour la première fois, la difficulté d'obtenir l'adhésion d'un milieu scientifique. Pour convaincre des scientifiques, il faut apporter des preuves expérimentales ou statistiques telles qu'elles devraient attirer l'adhésion comme 2 et 2 font 4, en autant qu'on puisse aspirer à cette exactitude dans les sciences expérimentales, et cela, sans compter les oppositions farouches et irréductibles. Je faisais là un apprentissage de modestie que j'ai dû renouveler souvent. Alain Stanké, à la demande de mes collègues lors du 25e anniversaire de l'Institut, a publié une brève histoire de ma vie et des œuvres que j'ai poursuivies avec mes collègues. Le titre qu'il a trouvé pour ce volume traduit bien le rôle que les scientifiques ont à jouer : *Ce combat qui n'en finit plus!*

Pendant un an et demi, j'ai fait des séjours dans plusieurs des laboratoires de microbiologie parmi les plus renommés d'Amérique, j'ai rencontré les plus durs opposants au vaccin BCG. Puis, je résolus d'emprunter un peu d'argent, ce qui n'était pas facile à ce moment-là et d'aller en Europe à l'Institut Pasteur, connaître le pour du BCG chez les découvreurs eux-mêmes, Calmette et Guérin. Bien m'en prit, car quelques mois plus tard, Calmette décédait, miné par ces combats qui n'en finissent plus!

En Europe

À la fin d'octobre 1932, ma femme Thérèse et moi avons pris à Montréal un « Cunarder », l'un des plus petits bateaux de la Cunard Line appelé *Aurania* (jauge 10 000 tonnes). Nous avons traversé l'Atlantique. En arrivant sur les côtes d'Angleterre, une tempête effroyable obligea le petit bateau à tourner pendant une journée jusqu'à ce que le capitaine prît la décision d'accoster à Londres. À l'embouchure de la Tamise, le nombre de vaisseaux échoués ne se comptait pas. Paraît-il que les effets combinés du vent et des marées hautes auraient pu projeter notre navire sur le quai du Havre, en France, notre destination.

Nous en avons profité pour visiter Londres, Oxford et Cambridge. J'ai alors rencontré le docteur S. Griffith, un chercheur connu pour ses travaux sur le BCG au London School of Hygiene and Tropical Medicine.

Après dix jours de ce voyage imprévu, je me pris à penser qu'il fallait me hâter pour rencontrer les maîtres Calmette, Guérin et Nègre. Il s'agissait pour moi d'apprendre la technique de fabrication du BCG de la part des auteurs mêmes de la découverte. Jusqu'à cette date, je n'avais surtout entendu que l'opinion contre le BCG aux États-Unis et je voulais savoir le pour, comment fonctionnait l'un des laboratoires les plus en vue du monde. Des chercheurs de plusieurs pays se rencontraient le matin, à la salle d'autopsie. C'est alors que l'on pouvait y observer toutes les formes expérimentales de la tuberculose, en lisant les protocoles des expériences et en en voyant immédiatement les résultats chez l'animal autopsié.

Je fus reçu par Calmette et son groupe comme un membre de la famille.

Calmette sortait à peine de l'affaire de Lübeck. Le BCG envoyé par l'Institut Pasteur y avait été contaminé dans un hôpital. On l'avait déposé dans une étuve contenant aussi du bacille tuberculeux, ce qui fut démontré en cour. Les frères Bruno et Ludwig Lange ont rendu grand service dans cette affaire. J'ai eu l'occasion de les rencontrer lors d'un voyage en Allemagne en 1937 et ils m'ont donné le volume qui résume leur argumentation. On avait accusé Calmette de vouloir empoisonner la nation germanique. Ridicule! Toute cette affaire pesait fort sur la santé du maître. En fait, je fus bien inspiré d'aller le rencontrer à la fin de 1932 car, dès le début de 1933, il mourut. Il m'avait confié à Guérin et à Nègre mais, chaque jour, il venait nous rencontrer dans nos laboratoires.

Lorsque Guérin préparait le BCG, ses mouvements étaient toujours bien calculés et le silence autour de lui, assuré. On chuchotait : « Il dit sa messe ». J'appris rapidement la façon de manipuler ce vaccin et de le préparer pour usage par voie buccale car c'était le seul mode de préparation connu à cette date.

Je me liai d'amitié avec Guérin et Nègre. Ce dernier est venu trois fois dans mes laboratoires à Montréal. Nous avons échangé beaucoup de correspondance jusqu'à leur mort.

Non seulement j'appris la technique du BCG à l'Institut Pasteur mais également, par mes rencontres avec divers savants de tous les pays, par la visite du tombeau de Pasteur et de son appartement devenu musée, je réalisai tout ce que pouvait offrir une institution de cette envergure.

Nous sommes revenus en toute hâte au début de 1933 sur un autre transatlantique, le *Carinthia*, mais nous avons également été retardés de vingt-quatre heures par une autre tempête. L'eau entrait par les fenêtres du salon. À un moment donné, cette eau ballottait avec les mouvements du navire. L'*Aurania* et le *Carinthia* furent coulés au cours de la Deuxième Guerre mondiale.

Retour

Organisation du Département de bactériologie à l'Université de Montréal

Je revins pour entreprendre ma vie de professeur de microbiologie au Département de bactériologie de l'Université de Montréal, au début de 1933, tout en m'y occupant de la préparation du BCG et en continuant d'assurer la direction de mes laboratoires de diagnostic de l'hôpital Saint-Luc. Je retombais dans la pauvreté et l'isolement, sans guide compétent immédiat, car mes prédécesseurs étaient morts. Au cours de ces études à l'étranger, et de plusieurs autres stages subséquents, je m'étais non seulement ouvert l'esprit, mais familiarisé avec les problèmes de la méthode expérimentale. Je m'étais fait des amis de mes maîtres et ils m'avaient assuré de leur aide. Plusieurs sont venus me visiter à quelques reprises. J'ai suivi leurs conseils et les ai fréquentés jusqu'à leur mort.

À ce moment, l'enseignement de la bactériologie n'existait à l'Université de Montréal que pour les élèves de troisième année du cours de médecine : 30 heures de cours théoriques et 60 de cours pratiques. Jusqu'à son décès survenu vers 1929, le professeur Arthur Bernier, qui était aussi directeur du Laboratoire d'hygiène de la province de Québec, consacrait deux après-midi par semaine à ses cours de bactériologie à la Faculté. De même en était-il de deux ou trois démonstrateurs, les docteurs P.P. Gauthier, A. Bertrand et H. Aubry qui, eux aussi, donnaient quelques cours mais faisaient surtout la démonstration.

Le Département de bactériologie incluait d'abord le laboratoire, pouvant accommoder au moins une centaine d'élèves, mais il n'y en avait guère plus de cinquante en 1933. On peut dire que cette salle de travaux pratiques se comparait avantageusement à toutes les autres de l'université de la rue Saint-Denis à cette date. Cette pièce servait aussi aux cours théoriques, les élèves étant assis sur des tabourets de bois, les genoux à la hauteur de la table de laboratoire, position très fatigante, surtout à deux heures de l'après-midi, après le dîner.

En outre, jouxtant cette salle de cours et ce laboratoire des élèves, il y avait une salle de préparation et de stérilisation. Ce service était en réalité sous la direction d'une aide-technicienne. Elle voyait à tout : la préparation des cours pratiques, celle du vaccin BCG et la direction même de tout l'ensemble. Elle n'avait suivi aucun cours particulier et n'avait appris la routine du travail que par expérience, sous la surveillance, bien entendu, et à l'occasion seulement, de l'un ou l'autre des médecins professeurs déjà nommés.

Cette salle de préparation, par laquelle on entrait dans le Département au troisième étage de l'Université, débouchait au milieu sur un étroit corridor conduisant au bureau du professeur dans lequel se trouvait une petite bibliothèque (il n'y en avait guère ni à la Faculté de médecine, ni à l'Université). À côté, une petite pièce d'environ quinze pieds par dix-huit était utilisée comme laboratoire de préparation du BCG depuis 1926.

La critique qu'on peut faire de ce département de bactériologie et de son enseignement est d'abord *positive*. Le professeur Bernier, qui avait succédé aux professeurs M.T. Brennan et T. Parizeau, comptait parmi les meilleurs bactériologistes du Canada. Il distribuait deux cahiers de notes de cours très bien rédigées sur la bactériologie et sur la pathologie générale, car il enseignait aussi cette dernière matière au même endroit, dans la même salle, aux mêmes élèves. Les cours du professeur Bernier représentaient à peu près l'équivalent de ceux qu'on donnait aux étudiants en médecine à l'Université de Rochester, New York. Mais le nombre de cours théoriques aurait dû être augmenté d'au moins vingt, ainsi que le nombre d'heures de travaux pratiques.

La critique *négative* se résumerait en quelques mots : l'enseignement de la bactériologie était limité aux étudiants en médecine. Personne d'autre ne pouvait apprendre la bactériologie à l'Université de Montréal et l'enseignement ne servait pas les besoins d'autres facultés. Aucun enseignement des deuxième et troisième cycles. On ne formait aucun technicien, aucun assistant pour le futur, aucun expert pour les besoins des gouvernements ou pour les besoins du diagnostic. En fait, les quelques bactériologistes des grands hôpitaux étaient plutôt des médecins biologistes, c'est-à-dire connaissant surtout l'hématologie, la physiopathologie et la microbiologie courante, elle-même très limitée : examen au microscope, cultures sur gélose ascite ou gélose simple. La gélose-sang était ignorée, de même que l'inoculation chez les animaux.

C'est dans cet état que je trouvai ce Département au début de 1933, au retour de mes premières études à l'étranger. Je commençai donc à donner des cours au début de janvier 1933 en m'inspirant de ceux que j'avais suivis sur les mêmes sujets à l'Université de Rochester. Mais l'Université, en raison de la Crise et de sa jeunesse, n'avait que très peu de fonds. La Faculté de médecine, réorganisée jusqu'à un certain point, après une étude faite sous l'égide de la Rockefeller Foundation, exigeait une année d'études prémédicales obligatoire dite PCN (Physique-Chimie-Sciences naturelles). La Faculté des sciences naissante s'offrit pour accomplir cette tâche. Il est permis de croire que le PCN a contribué, surtout par son nombre d'élèves du premier cycle, à consolider la fondation de cette Faculté. Pour devenir médecin, il fallait maintenant six ans d'études aux élèves qui sortaient des collèges classiques.

La Faculté avait pensé un moment avoir l'aide voulue pour engager un professeur à temps complet dans le Département de bactériologie, mais cette aide espérée lui fit défaut à cause de la Crise, de sorte que les promesses qu'on m'avait faites avant mes études à l'étranger se sont révélées nulles. On m'a offert à mon retour un montant de 1 500 $ par an, baissé à 1 350 $ par la suite, pour mon enseignement et pour préparer le BCG. On m'avait, avant mon départ, incité à quitter l'hôpital Saint-Luc pour me consacrer entièrement à cet enseignement, mais on n'était plus en mesure d'honorer ces promesses et on me suggéra au contraire de gagner ma vie à cet hôpital, après me l'avoir si méchamment décrié. Cependant, dans ma prudence, j'avais réuni le frère Marie-Victorin, le docteur Georges Préfontaine et mon ami Paul Cartier pour leur exposer le problème. Ils s'étaient mis d'accord pour me déconseiller d'abandonner l'hôpital Saint-Luc, dans les conditions où s'engageait l'Université au cours de cette Crise. Et j'avais, bien sûr, obtempéré à leur désir. Quand je revins, ma place à l'hôpital Saint-Luc était réservée comme chef du laboratoire que j'avais fondé et organisé lorsque j'étais étudiant à partir de 1927. Là on m'offrait un salaire convenable d'environ 4 000 $ (jusqu'à 5 000 $). Je passais alors pour millionnaire! On me donnait en plus le temps de faire mon enseignement et de préparer le BCG à la Faculté de médecine. L'hôpital Saint-Luc était intéressé en effet à maintenir de bonnes relations avec l'Université et j'ai ainsi servi, jusqu'à un certain point, de trait d'union.

Rôle de l'hôpital Saint-Luc

Voici en quoi consistait le travail à l'hôpital Saint-Luc. J'avais introduit dans ce laboratoire des méthodes modernes de diagnostic microbiologique observées et pratiquées dans les laboratoires de l'Université de Rochester, N.Y. et du Strong Memorial Hospital, en particulier, l'usage de la gélose-sang. L'espace considérable pour mes animaux inoculés aux fins de diagnostic servit aussi, les années suivantes, à mes travaux sur la tuberculose expérimentale. En outre, le laboratoire d'anatomie pathologique était attenant à celui de microbiologie, d'histologie et de chimie. Je pouvais en tout temps participer aux autopsies. Le plus intéressant, pour le Département de bactériologie de la Faculté de médecine de l'Université de Montréal, est qu'il m'était loisible d'inviter quelques élèves avancés dans ce laboratoire de Saint-Luc pour observer et pratiquer les méthodes de diagnostic microbiologique et autres, de sorte que tous mes élèves, au début au moins, ont reçu une bonne formation de laboratoire biomédical.

On profitait de toute possibilité. Les élèves bénéficiaient d'une formation très étendue dans le domaine de la bactériologie et même de la biologie normale et pathologique du sang, des humeurs, des exsudats et autres produits humains normaux ou pathologiques. Au Département de bactériologie de la Faculté, on n'acceptait que les candidats ayant suivi ou en voie de suivre des cours de biologie ou de chimie biologique.

Dans ce laboratoire d'hôpital, je tenais aussi des étuves contenant le bacille tuberculeux virulent. De sorte que, à l'Université même, aucun bacille tuberculeux n'était conservé dans le laboratoire et aucun animal tuberculeux non plus dans l'établissement de la ruelle Providence. Tous les animaux tuberculeux expérimentaux étaient tenus à l'hôpital Saint-Luc, dans cette animalerie neuve et bien organisée. Comme on le voit, mes collègues et moi faisions feu de tout bois. Dans les hôpitaux, à ce moment, on pratiquait le diagnostic biochimique, bien entendu, le diagnostic à base de microbiologie et, en plus, de cytologie et celui de la composition des produits humains normaux ou pathologiques. Il était aussi possible à l'hôpital de la rue Saint-Denis d'y faire des autopsies poussées sur des animaux et des humains, particulièrement pour l'étude de la tuberculose et de diverses infections. Plusieurs de mes élèves ont profité de ces possibilités biomédicales.

Préparation du BCG

À l'Institut Pasteur, j'avais appris à préparer, entre autres vaccins, le dit vaccin BCG. Calmette avait écrit au doyen, me disant prêt à prendre la responsabilité de fabriquer ce vaccin, vivant mais atténué. Un professeur bien connu de l'Université McGill, qui est devenu mon ami par la suite, m'avait cependant traité de criminel, quand il me vit m'engager dans cette voie, tant il est vrai que, à ce moment, préparer et administrer un vaccin *vivant*, quoique atténué, était considéré d'une audace que tous n'admettaient pas, surtout de ce côté-ci de l'Atlantique.

Cette technique avait d'abord été inaugurée à Montréal par le professeur A. Pettit, de l'Institut Pasteur de Paris, d'où il avait été délégué à cette fin à la Faculté de médecine de l'Université de Montréal. Par entente avec le Conseil national de recherches du Canada, la Faculté de médecine se rendait responsable de la préparation du BCG et de sa distribution à l'Assistance maternelle pour les essais du professeur J.A. Baudouin chez les nouveau-nés en contact avec la tuberculose. Après le départ du professeur Pettit, dont le caractère laissait à désirer, le BCG fut préparé par le docteur Breton ou l'aide-technicienne déjà mentionnée. Ce docteur dut bientôt abandonner, pour cause de la maladie dont il mourut quelque temps plus tard. Ensuite, le docteur P.P. Gauthier, du laboratoire de l'Hôtel-Dieu, vint le remplacer quelques mois avant mon arrivée au début de 1933. Il fut même un temps où l'on avait cessé de préparer le BCG.

Voilà donc la situation à mon retour, mais je suis seul dans ce laboratoire avec l'aide-technicienne. Bien entendu, je ne continue pas de préparer le BCG, mais je fais un nettoyage en règle du laboratoire et une stérilisation à fond de tous les instruments qui y sont utilisés. Je fais refaire la porte et changer la serrure. Bientôt, je ferai reconstruire l'intérieur comme une sorte de cage hermétique pour un isolement encore plus parfait des murs et des fenêtres. Puis, il s'écoule plusieurs semaines avant que je ne puisse me servir de la souche du BCG rapportée du laboratoire de Calmette au début de 1933. Pendant ce temps, je fais aussi l'analyse de l'innocuité de la souche utilisée jusque-là pour la préparation du vaccin, souche que je n'ai jamais employée moi-même à cette fin. Conclusion : l'innocuité de cette souche-fille chez le cobaye ne faisait pas de doute.

Quant à son efficacité, je n'ai pu en poursuivre, comme je l'aurais voulu, l'étude chez l'animal. Cette souche-fille fut d'ailleurs abandonnée. Les animaux du BCG, c'est-à-dire les animaux inoculés pour contrôler l'innocuité du BCG (et, par la suite, pour nos expériences sur le BCG exclusivement) étaient tenus dans l'ancienne École vétérinaire, ruelle Providence, le long de la rue Saint-Hubert, à Montréal. C'était un très bon endroit pour l'isolement et la tranquillité.

Enseignement de la bactériologie

Les développements que j'ai apportés à cette question à la Faculté de médecine de l'Université de Montréal et les améliorations auxquelles j'ai contribué ont porté cet enseignement à un niveau raisonnable et comparable à celui d'autres facultés parmi les meilleures : création d'un certificat de bactériologie, augmentation du nombre de cours, création des enseignements des deuxième et troisième cycles en microbiologie, introduction de non médecins, à la fois comme professeurs et comme étudiants en microbiologie, ce qui ne se fit pas sans certaines difficultés.

Des faits des plus importants survinrent à cette époque (1933) : l'arrivée de messieurs Victorien Fredette, pharmacien, Lionel Forté, pharmacien, (1934) mon assistant au laboratoire de l'hôpital Saint-Luc, puis Jean Tassé, L.Sc. (1938). Ils jouèrent un rôle considérable par la suite dans la fondation et l'extension de l'institut que nous avons projeté. Nous étions alors en 1934-1936.

Le professeur Jules Labarre, de la Faculté des sciences, me recommanda Fredette comme élève en microbiologie, intéressé au perfectionnement de son bagage scientifique. Fredette fut donc accepté par la Faculté de médecine et devint mon premier élève, avant de devenir plus tard mon premier assistant. Il suivit le cours de microbiologie des étudiants en médecine en même temps qu'il suivait des cours de biologie et de chimie biologique à la Faculté des sciences. Entre-temps, je lui ai montré les techniques basales de microbiologie et le pris comme assistant pour la préparation du BCG une fois par semaine à la Faculté.

J'avais donc fait créer, par la Faculté de médecine, le certificat de bactériologie au profit d'élèves médecins ou non médecins après au moins une année d'études. Le cours aux futurs médecins servait de base. J'y greffais un certain nombre de cours plus développés. Mais il s'agissait surtout de travaux pratiques très élaborés sur les aérobies et les anaérobies : Isolement et diagnostic des microbes le plus souvent rencontrés dans les produits humains ou dans les aliments, fabrication des milieux de culture nouveaux et courants. Ce n'est pas avant 1937 que furent décernés les premiers certificats à trois candidats, dont Jean Tassé et, en 1938, à trois autres candidats, dont Victorien Fredette et Lionel Forté. Ces cours du certificat obtinrent beaucoup de vogue et furent suivis par un total d'au moins une trentaine d'étudiants jusqu'à la création, en 1951, du grade de maître ou de docteur ès sciences par la Faculté des sciences pouvant inclure une « majeure » en microbiologie, cette dernière étant poursuivie dans les laboratoires du Département de bactériologie de la Faculté de médecine. Ce n'est que vers 1955 que les diplômes de maître ès sciences ou de docteur ès sciences en microbiologie furent octroyés par la Faculté de médecine. Certains mémoires pour la maîtrise ou le Ph.D., peu nombreux, furent aussi présentés à l'École d'hygiène vers les 1960-1961. On se rappellera que V. Fredette avait présenté sa thèse à la Sorbonne et obtenu le doctorat ès sciences d'État. J'eus le plaisir de diriger cette thèse.

Bon nombre de ces étudiants et candidats aux diplômes supérieurs furent, après leur graduation, employés dans l'Institut ou ont commencé leur carrière dans diverses facultés ou écoles universitaires ou dans l'industrie.

En attendant, je m'employais à obtenir et à faire augmenter une subvention du ministère de la Santé (ou, comme on disait à ce moment, du Secrétariat provincial qui recouvrait santé et éducation) une subvention qui commença à 2 000 $ et passa quelques années plus tard à 10 000 $ pour les recherches expérimentales sur le BCG. De son côté, le docteur Baudouin recevait du Sous-comité de recherche sur la tuberculose et le BCG du Conseil national de recherches quelque aide pour les essais du vaccin chez les nouveau-nés de l'Assistance maternelle, et mon laboratoire, 300 $ par année pour la préparation de ce vaccin. C'est au moyen de ces sources de revenus que je payais une certaine rétribution mensuelle à mes collègues. Avec la permission du docteur Parizeau, le doyen, j'appliquais aussi ces quelques revenus à mes recherches et aux recherches entreprises par la suite par mes collègues. À cette date, quand on avait payé 50 $ ou 100 $ par mois à un étudiant du 2e ou 3e cycle, c'était une belle bourse de recherche, mais trop faible comme salaire à un diplômé. Mais pendant la Crise, de 1933 à la guerre (1939-1940) et même jusqu'en 1941, il ne fallait pas se montrer trop difficile, car on ne trouvait pas d'endroit où travailler. Ce système a fonctionné avec l'espoir d'en sortir un jour.

Mon agacement, devant plusieurs faits, était considérable : d'abord, je n'étais qu'assistant au Département et, cependant, j'en avais la charge entière. Ce n'est qu'en 1937 qu'on me nomma professeur agrégé, après avoir présenté une thèse originale sur un sujet de tuberculose expérimentale devant trois professeurs, dont Pierre Masson. Cette thèse fut publiée sous forme de trois communications à la Société de biologie de Paris, publications auxquelles était associé également Victorien Fredette. Ce fut bien pire lorsqu'il s'est agi de nommer un professeur titulaire au Département de bactériologie quelques années plus tard. À la Faculté de médecine sévissait une chicane d'hôpitaux.

Comme j'étais de l'hôpital Saint-Luc, Notre-Dame et l'Hôtel-Dieu prenaient parti pour un de leurs candidats. Or, ces candidats ne pouvaient pas donner beaucoup de temps à la direction du Département parce qu'ils étaient accaparés par leur service de laboratoire d'hôpital et parce qu'ils ne tenaient pas à se mettre en travers de mes vues. Ils me considéraient comme un ancien élève et un collègue estimable. La Faculté de médecine préférait alors ne pas remuer. Il fallut le balayage de la Faculté par la nouvelle Charte en 1950 pour corriger cette situation ridicule. Je devins alors titulaire, mais dus me contenter de garder le même salaire !

Je ne saurais m'étendre ici sur toutes les réalisations de ces institutions. Le Département de bactériologie de la Faculté de médecine est devenu, à partir de 1970, l'un des plus importants des universités canadiennes.

Jusqu'en 1970, le budget de l'Université de Montréal et, conséquemment, celui du Département de bactériologie voué à l'enseignement, n'étaient que des exemples décourageants de famine chronique. Ainsi, lorsque j'étais arrivé en 1933, le budget du Département de bactériologie n'était que de 6 000 $ pour l'enseignement théorique et pratique à quelque soixante élèves et pour la préparation du BCG. En 1942, ce budget n'avait que doublé et, en 1950, il approchait 22 000 $. À ce rythme d'accroissement, heureusement corrigé — mais vers les années 70 seulement —, notre désir bien ancré de mener une carrière scientifique n'aurait pu tourner qu'au désespoir ou à l'expatriation si l'institut rêvé n'était devenu réalité. Ses premiers revenus en 1938 : 8 000 $; en 1942 : 62 000 $; en 1949 : 440 000 $. On voit tout de suite l'apport financier qu'a créé l'Institut. En 1986, ses revenus étaient de 26 millions de dollars.

Voilà donc comment, après être sorti de ma coque, j'ai fait carrière dans le nouveau et l'inconnu.

Cinquante ans d'étude et d'emploi du vaccin BCG au Canada 1924-1974

À la mémoire du professeur J.A. Baudoin qui, le premier, a commencé l'étude du BCG chez les humains au Canada.

À la mémoire de mes maîtres, Calmette, Guérin, Nègre et Ramon.

À la mémoire de mon premier collègue, le professeur V. Fredette.

À l'occasion du 50ᵉ anniversaire de la découverte de l'action préventive du BCG chez l'homme.

Introduction

L'histoire du BCG au Canada est celle d'une longue et patiente recherche. De plus, c'est l'histoire des origines de la recherche médicale organisée dans ce pays. La série des événements qui, au Canada, a suivi la publication (1), en 1924, des premiers résultats obtenus par Calmette et son groupe chez des nouveau-nés immunisés avec le vaccin BCG (Bacille Calmette-Guérin), fut un nouvel exemple de l'empressement des Canadiens et de leurs organisations de recherche et de santé à s'intéresser précocement aux plus audacieuses innovations dans le domaine de la santé publique et surtout à tirer avantage de ces découvertes aussitôt qu'elles sont reconnues utiles.

En 1925, le Conseil national de recherches du Canada a entrepris d'organiser, de coordonner et de subventionner l'un des plus importants programmes de recherches sur le BCG du temps. L'originalité de cette initiative venait de son caractère officiel et national, car le projet émanait du ministère de l'Agriculture*. Les associations d'éleveurs de bovins dans tout le pays étaient alarmées par la prévalence de la tuberculose bovine, de telle sorte qu'elles faisaient pression auprès du Ministère en vue d'organiser une étude du nouveau vaccin. L'initiative en question était aussi audacieuse, parce qu'elle signifiait l'essai, d'abord chez les animaux et ensuite chez l'homme, de l'innocuité et de l'efficacité d'un vaccin préparé avec des bacilles tuberculeux vivants quoique atténués. Le BCG était alors le premier vaccin bactérien vivant dont on considérait sérieusement l'étude pour usage humain, même pour usage chez les plus faibles, tels les nouveau-nés.

Il aurait été plus facile pour les hommes politiques ou les corps publics et officiels d'attendre, sans rien risquer, que les savants des autres pays aient sorti les marrons du feu! À cette date, le Canada a joué un rôle de pionnier aux yeux des autres pays.

Le Conseil national de recherches du Canada établit en 1925 le Comité consultatif sur la recherche en tuberculose.

Suivant l'avis d'un comité *ad hoc*, le ministre responsable autorisa le Conseil national de recherches du Canada à former un Comité consultatif sur la recherche en tuberculose présidé par le docteur H.M. Tory, lui-même président du Conseil et ancien président de l'Université d'Alberta.

Peu après la première réunion du Comité, en mai 1925, (2) on jeta les bases d'un programme de recherches sur la tuberculose, dont le cinquième article traitait de la vaccination et, en particulier, de la répétition des essais originaux sur les troupeaux faits par Calmette et Guérin. Toutefois, il devint immédiatement évident, comme le docteur H M. Tory l'expliquait à l'honorable Thomas A. Low, le ministre responsable du Conseil national de recherche, qu'il paraissait quelque peu ridicule d'intensifier la recherche sur la tuberculose bovine à moins qu'on ne conduisît en même temps une étude sur l'état du problème dans la population humaine, car les sujets ne pouvaient être dissociés (3).

---

* L'Honorable Thomas Low, 1925, ministre; Docteur J.H. Grisdale, sous-ministre.

En décembre de la même année, lors de la deuxième réunion de l'exécutif du Comité consultatif, l'offre de collaboration du docteur J. Baudouin fut acceptée. Le docteur Baudouin était alors professeur d'hygiène à la Faculté de médecine de l'Université de Montréal et son offre fut soumise par le doyen, le docteur T. de Lotbinière Harwood. Le docteur Baudouin proposait la répétition des essais de vaccination, tentés par Calmette et son groupe, en utilisant le BCG chez les nouveau-nés. La préparation du vaccin fut mise en marche par le docteur A. Pettit, délégué de l'Institut Pasteur de Paris, qui apporta la souche du BCG à Montréal et entreprit la formation d'un personnel local, (dans une section spéciale du Département de bactériologie de la Faculté de médecine de l'Université de Montréal), ainsi que la production du vaccin. Le professeur Baudouin était responsable de la supervision des essais cliniques chez les nouveau-nés et de la préparation des rapports au Comité. Ce projet de recherche a duré de 1925 à 1947.

À la septième réunion du Comité, en 1936, deux ans après qu'il y fut nommé, le docteur Frappier insistait, comme il est mentionné dans les minutes de la réunion pour : « [...] qu'il soit formé au Canada un Conseil de recherche médicale [...] il regrettait beaucoup qu'il n'y eût pas d'organisation au Canada pour assurer la coordination de la recherche dans le champ médical » (4). Éventuellement, en 1938, le Comité consultatif sur la recherche médicale du Conseil national de recherches prit en main l'organisation de la recherche médicale du Canada. Il devint plus tard, en 1960, le Conseil de recherche médicale du Conseil national de recherches et, en 1967, le Conseil de recherche médicale du Canada. L'étude du BCG fut continuée sous l'égide des conseils ci-dessus.

Les premiers travaux sur le BCG au Canada

Avant que le Comité consultatif ne soit formé, deux chercheurs canadiens avaient déjà commencé à étudier le BCG chez les bovins : le docteur A. Watson, V.S., chef du Service de pathologie au ministère de l'Agriculture à Ottawa et le docteur J.C. Rankin, C.M.G., professeur de bactériologie et d'hygiène, directeur des Laboratoires provinciaux et doyen de la Faculté de médecine à l'Université d'Alberta, Edmonton. Le docteur Watson essayait de mettre au point un vaccin antituberculeux et, en 1924, il avait obtenu la souche du BCG de Calmette et Guérin pour faire des comparaisons avec son vaccin. Il était extrêmement prudent quant au vaccin BCG. Le docteur Rankin avait aussi obtenu une culture de BCG en 1924 et avait, sous les auspices du Comité de recherche sur la tuberculose de la province d'Alberta, commencé à inoculer un troupeau de bovins dès mars 1925. En octobre de la même année, il avait rapporté au Comité consultatif du Conseil national de recherche, qu'il avait déjà inoculé 98 veaux, sans effet nocif apparent.

Les travaux du docteur Watson et du docteur Rankin furent continués sous les auspices du Conseil national de recherche. Pendant ce temps, le docteur Baudouin poursuivait ses travaux chez les nouveau-nés à Montréal, avec l'aide de mademoiselle A. Séguin, infirmière en hygiène publique et des infirmières visiteuses de l'École d'hygiène sociale de l'Université de Montréal, et la collaboration de l'Institut Bruchési, (dispensaire antituberculeux), de l'hôpital Royal Edward, de l'Assistance maternelle (une organisation volontaire de soins à domicile aux femmes nouvellement accouchées) et de plusieurs hôpitaux, incluant l'hôpital Ste-Justine pour les enfants malades, les hôpitaux Notre-Dame, St-Luc, de Verdun, etc.

Le docteur Pettit ne passa que quelques mois à Montréal. Le docteur A. Breton, professeur de bactériologie et ancien boursier de la Fondation Rockefeller, supervisa la préparation du BCG jusqu'à sa mort en 1932. Le docteur P.P. Gauthier, professeur et bactériologiste d'hôpital lui succéda jusqu'au début de 1933, alors que le docteur Armand Frappier, boursier de la Fondation Rockefeller, qui venait de compléter ses études aux États-Unis et avec Calmette à l'Institut Pasteur de Paris, prit cette responsabilité et donna un nouvel élan à la recherche sur le BCG.

Le docteur Baudouin, qui n'était pas familier avec la méthode expérimentale, se trouvait heureux de pouvoir compter sur la collaboration d'un spécialiste des questions du BCG, car le docteur Frappier avait été formé, d'abord à l'école des opposants du BCG, particulièrement dans le Laboratoire de recherche du sanatorium de Trudeau, New York, sous la direction du docteur S.A. Petroff, mais surtout chez les tenants du BCG, Calmette, Guérin, Nègre et leurs collaborateurs de l'Institut Pasteur de Paris. Dès 1926, le docteur Baudouin avait pu vacciner 71 enfants par la bouche en utilisant la méthode originale de Calmette. Le retour du docteur Frappier allait activer les essais cliniques de Baudouin et ceux d'autres chercheurs sur le BCG au Canada.

En 1933, le docteur R.G. Ferguson avait proposé au Comité consultatif que des essais de vaccination fussent entrepris chez les nouveau-nés indiens de Fort Qu'Appelle en Saskatchewan, en utilisant la voie intradermique. À cette date, au Canada, on comptait 5 000 cas de tuberculose contagieuse dans une population indienne d'approximativement 125 000. Le docteur Ferguson avait relevé 3 % de cas aigus chez les non-Indiens contre 30 % chez les Indiens. Le taux de mortalité tuberculeuse pour les nouveau-nés, chez les Indiens, était de 1 018,3 par 100 000. Le Comité consultatif se rangea à l'opinion du docteur Ferguson et le travail de ce dernier devint l'un des essais les mieux contrôlés, sur l'efficacité du BCG, entrepris dans des groupes d'enfants et, plus tard, dans des groupes d'infirmières et de membres de personnel hospitalier.

Le docteur J. Baudouin, ancien boursier de la Fondation Rockefeller, à l'Université de Johns Hopkins, était un pionnier et un promoteur dans le champ de la santé publique et de l'hygiène sociale au Québec. Son intérêt dans la recherche sur le BCG touchait les aspects épidémiologiques et statistiques. Le docteur Baudouin, travailleur audacieux, déterminé et consciencieux, présenta des rapports détaillés sur le progrès de ses travaux au Conseil national de recherches du Canada, à l'Institut Pasteur et aux conférences internationales sur le BCG. Pendant les 20 ans que durèrent ses travaux, il publia quelques articles sur le sujet* (5,6) spécialement dans le *Canadian Journal of Public Health*. Toutefois, grâce au détachement du docteur Baudouin, le statisticien, M.J.W. Hopkins, du Conseil national de recherches fut autorisé à publier, sous son nom seulement, dans l'*American Review of Tuber-losis* (7), une analyse statistique, faite par un tableau indépendant d'experts nommés par le Conseil national de recherches, des données accumulées par le docteur Baudouin, données que ce dernier avait analysées et présentées à diverses conférences auparavant. Le docteur Ferguson, un spécialiste de la tuberculose, doublé d'un épidémiologiste, était aussi directeur médical de la Ligue antituberculeuse de Saskatchewan et des sanatoriums provinciaux. Par conséquent, il avait une connaissance très étendue des divers aspects cliniques et épidémiologiques de la tuberculose. En collaboration avec le docteur A.B. Simes, il publia ses travaux rapidement dans l'*American Review of Tuberculosis* (8), le *Tubercule* (9) et le *Canadian Journal of Public Health* (10). Les travaux du docteur Baudouin prirent de l'expansion et ceux du docteur Ferguson furent entrepris grâce à la collaboration experte du docteur Frappier. Ce dernier, dès 1933, a vigoureusement contribué à la production et au contrôle du vaccin BCG, à des recherches expérimentales ou à des recherches cliniques rétrospectives ainsi qu'à la fourniture d'informations aux médecins, aux infirmières, aux organisations de recherche et aux corps gouvernementaux sur l'innocuité, l'efficacité, les méthodes

---

* Son premier travail intitulé « Vaccination contre la tuberculose par le BCG à l'Université de Montréal » (*Revue de phtisiologie*, XIV, 4, juillet-août 1933) ne porte pas de signature.

d'administration et de contrôle, et sur le rôle possible du BCG dans la lutte antituberculeuse.

En 1934, le Comité du Conseil national de recherches attribua 600 $ au Laboratoire du BCG de l'Université de Montréal, comme aide pour la préparation du vaccin. Pendant la même année, l'honorable A. David, ministre de la Santé publique pour la province de Québec (Secrétaire de la province de Québec était le titre officiel), autorisa une subvention annuelle de 1 200 $ au docteur Frappier pour ses travaux. De plus, ayant obtenu l'avis du savant médecin français Emile Sergent, qui lui-même s'appuyait sur les recommandations de la Commission du BCG de l'Académie nationale de médecine, de Paris, le Ministre, contre l'avis de son sous-ministre, permit à l'Assistance maternelle, dirigée par madame H. Hamilton, de créer, en 1935, la Clinique BCG de Montréal, pour la vaccination des nouveau-nés provenant de familles tuberculeuses et leur isolement pendant deux ou trois mois, après quoi ils étaient retournés dans leur famille, quand la réaction tuberculinique post-vaccinale était devenue positive et avait atteint son sommet. Les nouveau-nés étaient tenus en observation en clinique sous surveillance médicale pendant cette période. Le premier directeur de cette Clinique fut le regretté docteur A. Guilbault, professeur à la Faculté de médecine de l'Université de Montréal et chef du Service de pédiatrie à l'hôpital Notre-Dame. La Clinique BCG de Montréal fut fondée en 1935 et présidée par madame Simone David-Raymond soutenue par son père, le sénateur Athanase David, alors du ministère provincial. Elle est maintenant devenue l'hôpital Marie-Enfant. Le docteur Gilles Huard fut le successeur du docteur Guilbault à la direction médicale. Des dames distinguées se sont impliquées dans son fonctionnement.

La situation de la tuberculose au Canada et au Québec vers 1925

En 1925, la menace de la tuberculose pour les troupeaux paraissait alarmante, et la situation était de même quant à la tuberculose humaine. La situation chez les Indiens a été signalée dans les pages précédentes. Il faut aussi remarquer que le taux de mortalité par tuberculose chez les non-Indiens au Canada était de 82,5 par 100 000 en 1925. Dans la province de Québec, l'une des régions les plus durement affectées du Canada, au moment où les recherches sur le BCG étaient entreprises, le taux de mortalité par tuberculose était de plus de 125 par 100 000 personnes, mais le nombre de nouveaux cas connus annuels était évalué à au moins dix fois plus. Au moins 3 300 personnes mouraient de tuberculose chaque année dans le Québec. Il n'y avait que quelques sanatoriums. La lutte contre la tuberculose était menée au hasard et sans énergie. Le nombre de nouveaux cas chaque année n'était pas réellement connu et les médecins praticiens ne rapportaient pas toujours la maladie, évitant même de la mentionner sur les certificats de décès. Après l'établissement du diagnostic clinique, 50 % des patients tuberculeux mouraient dans l'espace de 5 ans.

Cela suffisait pour désespérer ceux qui entraient dans cette lutte. Les docteurs Baudouin et Frappier ne voyaient d'autre solution qu'un recours éventuel à une vaccination de masse par le BCG, comme cela est maintenant recommandé dans les pays sous-développés, incapables de faire face à la situation à cause de conditions sociales et économiques défectueuses. La situation dans les autres provinces du Canada se trouvait peut-être meilleure que dans le Québec. Mais, cependant, le problème de la tuberculose y restait l'un des plus importants et venait en priorité. Toutefois, avant de recommander une politique de vaccination générale, l'innocuité et l'efficacité du BCG chez l'animal et chez l'homme devaient être rigoureusement confirmées, aussi bien que la valeur des diverses méthodes d'administration du vaccin.

Revue des travaux accomplis de 1926 à 1974

Les dés en étaient jetés. Les recherches sur le BCG et l'utilisation du vaccin se sont développées en trois étapes.

Période de 1926-1949

Les rapports périodiques soumis par les docteurs Watson, Reed, Hopkins, Rankin, Baudouin, Frappier, Ferguson et Simes sont contenus dans les rapports annuels du Comité consultatif sur la recherche en tuberculose du Conseil national de recherches du Canada, de 1925 à 1938.

Les premiers résultats encourageants du docteur Baudouin et les travaux du docteur Rankin sont apparus en 1928 dans le rapport de la « Conférence technique pour l'étude du BCG et de la vaccination antituberculeuse par le BCG » (11), tenue à l'Institut Pasteur de Paris en 1938, sous les auspices de l'Organisation de la santé de la Ligue des Nations. Deux autres rapports par ces auteurs sont publiés dans un volume édité par l'Institut Pasteur, sous le titre *Vaccination préventive de la tuberculose de l'homme et des animaux par le BCG — Rapports et documents de divers pays — 1932* (12,13), dans lesquels le docteur Baudouin mentionnait qu'il avait déjà vacciné, par voie orale, 2 173 sujets entre 1926 et 1931. Sa conclusion était que le BCG est inoffensif.

Pour éprouver son efficacité, il avait établi deux groupes — l'un vacciné à la naissance, l'autre non vacciné — tous deux de même groupe d'âge, vivant dans des conditions économiques et de contacts semblables. Ces groupes comprenaient 341 nouveau-nés vaccinés et 400 qui n'étaient pas vaccinés. Il obtenait une différence de 61 % entre les taux de mortalité tuberculeuse en faveur du groupe qui avait été vacciné, pour une période d'observation allant de 1 à 4 ans. La différence augmentait à 71 % quand la comparaison se limitait aux enfants en contact ouvert avec les porteurs de bacilles. Le taux de morbidité tuberculeuse montrait une différence de 84 % en faveur de ceux qui avaient été vaccinés.

Dans sa présentation au Comité albertain, tel qu'il est rapporté dans « Rapports et documents », mentionnés ci-dessus, le docteur Rankin répondait aux trois questions soumises par le Conseil national de recherche du Canada. À la première question, concernant le retour à la virulence, le docteur Rankin répondait que, dans les expériences qu'il avait conduites dans ses troupeaux, le BCG, entretenu et utilisé selon la méthode de Calmette, ne manifestait pas la présence de germes virulents et dissociables et ne produisait pas de lésions tuberculeuses progressives. Il se disait en désaccord avec son collègue, le docteur Watson (14), qui fut l'un des premiers à douter de la non-virulence du vaccin. Il critiquait le docteur Watson, qui n'avait fourni aucun détail sur les méthodes qu'il avait utilisées pour cultiver le BCG; il avait provoqué, disait-il, des controverses inutiles, parce qu'aucun chercheur, ayant appliqué rigoureusement les techniques utilisées par Calmette, ne pouvait confirmer cette virulence hypothétique.

À la seconde et à la troisième question concernant le degré et la durée de la résistance obtenue par l'utilisation correcte du BCG, il répondait que, vu ses résultats, il estimait, comme d'autres le faisaient, dans certaines circonstances, que le BCG peut être un agent important pour la lutte préventive contre la tuberculose. Comparant les veaux vaccinés par voie intraveineuse avec des veaux non vaccinés, les deux groupes étant éprouvés après une période d'attente, il obtenait 95 % de lésions microscopiques tuberculeuses dans le groupe des non-vaccinés, alors que 80 % des groupes vaccinés ne paraissaient pas atteints par la tuberculose; ces résultats se maintenaient après 60 jours, 7 mois et 11 mois d'observation. Jusqu'en 1929, le docteur Watson a douté de l'innocuité du BCG. Mais, dans une publication parue en 1934 (15), il mentionne une « atténuation graduelle » de la souche. Au cours de la même année, le Comité du Conseil national de recherches déclarait que le BCG est inoffensif, mais ne présente pas de valeur pratique pour l'élimination de la tuberculose bovine dans la population animale de cette espèce au Canada.

Lorsque, en 1933, le docteur Frappier prit charge de la préparation du BCG, son premier objectif et son devoir le plus pressant consistèrent dans le contrôle rigide, sur place, de l'innocuité de la souche-fille du BCG, ou de la sous-culture de BCG, (292), qui avait été utilisée au Québec depuis 1926 et la nouvelle souche (450-51) qu'il avait apportée avec lui de l'Institut Pasteur de Paris et qu'il avait substituée à la première. Il prit toujours grand soin d'observer constamment le comportement de la souche qu'il utilisait, de façon à être certain qu'elle ne retournait pas à la virulence. De plus, il pratiquait des épreuves d'innocuité et d'identité sur chaque lot de vaccin produit.

À cette date, la plupart des chercheurs du monde admettaient la non-virulence et l'innocuité du BCG, lequel avait déjà été utilisé chez des centaines de milliers d'individus depuis 1924. Cependant, il y avait encore des doutes, en 1933, parmi un bon nombre de médecins dans le monde, particulièrement parmi les pédiatres, à cause des récents incidents de Lübeck en Allemagne, incidents qui n'avaient pas été causés par le BCG, mais par une contamination de sa culture par des bacilles tuberculeux virulents, à la suite d'une négligence impardonnable des responsables de la production du vaccin.

À Montréal, le docteur Frappier préparait le vaccin selon les instructions de Calmette et de Guérin. Il en organisa la production de telle sorte qu'il était impossible, soit physiquement ou techniquement, de contaminer le vaccin qu'il produisait.

En 1936, le docteur Frappier et son groupe* avaient déjà expérimenté, sur des milliers de cobayes inoculés par toutes les méthodes

---

* La citation de la plupart des œuvres du docteur Frappier et de son groupe sur le BCG est omise volontairement. Le groupe du docteur Frappier, engagé dans la recherche sur le BCG, augmenta en nombre avec les années, à partir de 1933. Ce groupe était, ou est encore, divisé en expérimentateurs et en épidémiologistes. Dans la première catégorie, on peut mentionner, par ordre alphabétique, les noms des auteurs et des co-auteurs : J.C. Benoît, Ph.D.; A.G. Borduas, Ph.D.; G. Boulay, Ph.D., V.D.; Ly-Than-Dang, M.Sc.; J. Denis, M.D.; A. Forget, Ph.D.; L. Forté, L. Pharm., M. Sc.; V. Fredette, B. Pharm., D.Sc.; G. Lamoureux, M.D., Ph.D.; P. Lemonde, Ph.D.; G. Lussier, V.D., Ph.D.; J.C. Paquette, B.A., B. Sc.; V. Portelance, Ph.D.; M. Quevillon, Ph.D.; J. Sternberg, M.D.; J. Tassé, M.Sc.; R. Turcotte, M.D., Ph.D. Dans la seconde catégorie, on doit mentionner M. Cantin, M.D., D.P.H.; R. Desjardins, M.D., D.P.H.; L. Frappier-Davignon, M.D., M.P.H.; R. Guy, M.D.; O. Roy, M.D., D.P.H.; et J. St-Pierre, Ph.D.

Ces scientifiques distingués méritent une bonne part du crédit pour le travail accompli sous la direction du docteur Frappier. Pouvons-nous ajouter que, à partir de 1936, d'anciens collègues de Calmette (qui mourut en 1933), tels que les docteurs B. Weill-Hallé et R. Turpin, visitèrent occasionnellement le laboratoire du BCG à Montréal et que le docteur Nègre, l'un des plus proches collaborateurs de Calmette, fit des visites prolongées à trois reprises dans ce laboratoire. Plusieurs des investigateurs montréalais visitèrent fréquemment les laboratoires de tuberculose et le Laboratoire du BCG, de l'Institut Pasteur de Paris.

et avec des doses extrêmes et avaient observé la fréquence et la régression des lésions péritonéales causées par le BCG et confirmé les résultats négatifs de la réinoculation de cobaye à cobaye du contenu de ces lésions.

En 1957, à la suite d'une défectuosité électrique de l'incubateur, la souche-fille n° 450-51 fut perdue. Elle fut remplacée par la souche-fille n° 568-571 que le docteur Frappier rapporta personnellement de l'Institut Pasteur de Paris. En 1976, cette souche-fille servait encore à préparer le BCG au Canada, à Montréal et aussi, depuis 1962 à Toronto. En 1958, le docteur M. Brown des Connaught Medical Research Laboratories de l'Université de Toronto (aujourd'hui Connaught Laboratories) obtint du docteur Frappier une culture de cette souche-fille en vue de faire des recherches sur la lyophilisation et les voies d'administration du BCG.

Les résultats de ces travaux furent publiés par les docteurs S. Landi, F.H. Fraser et F.O. Wishart (16) et les docteurs S. Grzybowski et M.J. Ashley (17). Auparavant, en 1948, le docteur C.O. Siebenman (18), de la même institution, au cours de ses observations chez la souris infectée avec des mycobactéries typiques ou atypiques, avait démontré la protection qu'apporte le BCG contre l'infection à *Mycobacterium kansasii* (une forme atypique du bacille tuberculeux).

En 1948, à Paris, lors du Ier Congrès international sur le BCG, les docteurs Baudouin, Guilbault et Frappier présentèrent leurs résultats. À cette occasion, le docteur Baudouin confirma ses résultats précédents qui avaient acquis une signification statistique encore plus grande avec l'extension de la période d'observation. Il insista sur le point que ses travaux arrivaient à la même conclusion que des études statistiques indépendantes, entreprises à même ses propres données, par Hopkins et un groupe de cinq membres nommés par le Conseil national de recherches du Canada.

Le travail du docteur Baudouin se distingue par l'observation, pendant plus de 20 ans, de sujets vaccinés et de témoins non vaccinés vivant dans des conditions identiques autant que possible. Par exemple, un groupe spécial qu'il avait constitué comprenait des sujets vaccinés et des témoins, dont 75 % étaient frères ou sœurs, d'âge rapproché, vivant dans une même famille. Naturellement, il avait tenu compte de la nature et de la durée du contact. Le groupe vacciné montrait 70 % moins de mortalité et de morbidité tuberculeuses que le groupe non vacciné. La valeur de ces résultats se trouvait augmentée du fait que le vaccin avait été donné par la bouche en trois doses (10 mg chacune), mais sans isolement des sujets et sans revaccination.

L'analyse (7) que fit le docteur Hopkins des travaux de Baudouin a consisté à sélectionner seulement les cas dont on pouvait prouver le contact avec des cas positifs. C'est pourquoi les groupes comparés se trouvèrent réduits par rapport au nombre des groupes étudiés par Baudouin, mais les conclusions, bien que les mêmes, se trouvèrent renforcées.

Le docteur Guilbault (19) a rapporté aussi, à ce Congrès, qu'il n'avait observé aucune mort par tuberculose parmi les 477 sujets qu'il avait vaccinés à la naissance, isolés pendant 2 ou 3 mois dans la Clinique BCG de Montréal, période à la suite de laquelle la positivité à la tuberculine apparaissait, sujets qui se trouvaient ensuite réunis à leur famille et furent observés pendant 13 ans, ceux qui étaient devenus négatifs à la tuberculine ayant été revaccinés. Ce groupe de vaccinés et revaccinés fut comparé avec 751 témoins non vaccinés, qui n'avaient pas été isolés mais qui étaient exposés à des conditions de vie identiques, souvent étant frères ou sœurs immédiats des sujets vaccinés. Ces témoins ont montré un taux de mortalité tuberculeuse de 93,8 par 100 000, pour ce qui est des sujets sans contact bacillaire, et de 160,6 pour ceux avec contact bacillaire. Des études semblables furent effectuées par le docteur N. Vézina à Montréal (20), le docteur G. Grégoire (21), au Dispensaire antituberculeux de la ville de Québec, et le docteur G. Lapierre, de l'hôpital Ste-Justine de Montréal (22). A. Frappier, à la Conférence de Paris, a aussi décrit les premiers travaux canadiens sur le BCG et a présenté un essai sur la Cuti-BCG qu'il avait mise au point avec le docteur R. Guy en 1947 pour usage comme épreuve allergique, rapide, quantitative et éliminatoire, préliminaire à la vaccination (23,24). Au Canada, cette épreuve est utilisée dans les provinces de Québec et de Terre-Neuve pour fin de vaccination seulement. Dans les autres provinces, les épreuves régulières intracutanées sont pratiquées.

Les pourcentages des diamètres des réactions à la Cuti-BCG peuvent être groupés sur une courbe caractérisant quantitativement l'état allergique ou le type collectif de réaction à la tuberculine d'une population ou d'un groupe. Dans 10 % des cas, la Cuti-BCG elle-même produit une faible allergie qui dure quelques mois. Conséquemment, la répétition de cette épreuve n'est pas recommandée, à moins qu'elle ne soit faite six mois après la première épreuve. (Des travaux plus récents et non publiés du docteur Frappier montrent que la Cuti-BCG et le Tyne test, ce dernier qui est aussi pratiqué par piqûre, mais en utilisant de la tuberculine sèche, donnent des résultats comparables. De plus, à partir de 4 mm, la Cuti-BCG montre la même spécificité que des réactions de 5 mm et plus à 5 unités tuberculiniques données par voie intradermique. Les cas actifs de tuberculose sont surtout trouvés dans le groupe de réacteurs présentant 10 mm ou plus à la Cuti-BCG.)

Quoique le docteur Ferguson ait été invité au Congrès de Paris en 1948, les rapports ne mentionnent pas de présentation de sa part, mais il a joué un rôle important à ce moment en essayant de convaincre certains membres de la délégation britannique de la valeur du BCG.

Les expériences du docteur R.G. Ferguson et du docteur A.B. Simes sur la vaccination des enfants indiens dans la réserve de Fort Qu'Appelle, en Saskatchewan, ont continué de 1933 à 1945. Elles ont révélé une réduction d'environ 80 % du nombre de nouveaux cas actifs de tuberculose et du taux de morbidité parmi les individus vaccinés comparés à des non-vaccinés vivant dans des conditions semblables. Le travail du docteur Ferguson s'étendit aux infirmières et au personnel hospitalier, à partir de 1938 jusqu'en 1947. Le même pourcentage de réduction de la morbidité tuberculeuse fut observé. Les travaux des docteurs Baudouin et Ferguson auraient atteint encore plus de signification s'ils avaient été continués pendant une plus longue période, tel que le conseillait le groupe spécial du Conseil national de recherches du Canada. Mais, leurs auteurs trouvaient que leurs résultats étaient déjà suffisants et, pour diverses raisons, ils ne pouvaient plus eux-mêmes continuer cette recherche.

À partir de 1947, l'Institut de microbiologie et d'hygiène de Montréal a mis au point un vaccin sec (25) en vue de faciliter la préservation et le transport du BCG en dehors de la province; le vaccin frais et liquide fut utilisé (jusqu'en 1975) sur place. L'Institut est parvenu à conserver des ampoules de vaccin sec, dans lesquelles le BCG gardait toute sa viabilité après plus de 25 ans. Des cultures de 7 jours sont utilisées pour la préparation de ce vaccin et de 14 jours pour la préparation du vaccin frais. Les deux méthodes, celle par rotation et celle par le système de lots de semence, sont utilisées parallèlement pour l'entretien de la souche de BCG, la première pour la préparation du vaccin utilisé au cours de certains travaux de comparaison et, la deuxième, pour la préparation du vaccin régulier.

Le lot de semence provient d'une culture de 1965 qui avait été trouvée, par voie expérimentale et clinique, très active dans des épreuves et des essais. Il en sera question plus loin.

Il faut mentionner ici que le docteur Baudouin avait commencé à édifier un fichier dans lequel apparaissaient les données relatives à chaque vacciné et à chaque personne témoin non vaccinée. Lorsque, par l'initiative du docteur Frappier en 1938, l'Institut de microbiologie et d'hygiène de Montréal (nom changé en 1975 pour « Institut Armand-

Frappier ») fut fondé, il absorba le Laboratoire du BCG et l'équipe de recherche du BCG qui œuvrait dans le Département de bactériologie de la Faculté de médecine de l'Université de Montréal. En utilisant le fichier du docteur Baudouin, l'Institut a établi un fichier plus moderne avec cartes perforées et machines à cet effet. Dans ce fichier, chaque sujet vacciné dans la province de Québec, depuis 1926, possède sa carte ou son dossier contenant toutes les données nécessaires pour l'identifier parfaitement et permettre des enquêtes épidémiologiques. Pendant quelques années, l'Institut a maintenu un fichier semblable pour la province de Terre-Neuve et pour le ministère fédéral responsable de la santé des Indiens et des Esquimaux.

Période de 1949-1961

La responsabilité pour la lutte antituberculeuse dans les provinces canadiennes, comme aux États-Unis, relevait ordinairement des organisations volontaires, appelées ligues ou associations antituberculeuses et des services officiels de santé.

En pratique, leurs activités n'étaient pas toujours intégrées dans les programmes officiels de santé. Évidemment, l'aspect spécifique de la prévention cédait souvent le pas à l'aspect curatif. Pendant longtemps, en Amérique du Nord, l'influence des travaux du docteur Watson, du docteur Petroff et spécialement du docteur J.A. Myers fut déterminante en ce qui concerne le peu d'intérêt, non seulement dans l'utilisation de la vaccination par le BCG chez l'homme, mais aussi dans le développement des études expérimentales sur ce vaccin, vaccin encore considéré à cette date comme potentiellement dangereux et d'efficacité ou d'utilité douteuses.

La solution « américaine », telle qu'exprimée par le docteur Myers (26-29) s'exprimait comme suit : en interprétant par extrapolation la chute des courbes de mortalité spécifique, on pensait possible de contenir et d'éliminer la tuberculose, au cours d'une période relativement courte, en utilisant les méthodes courantes (et plus tard les antibiotiques) sans l'aide d'un vaccin.

Toutefois, en 1948, après le I^e Congrès international du BCG à Paris, les ministres de la Santé du Québec et de Terre-Neuve, prenant avis respectivement de leurs sous-ministres, le docteur Jean Grégoire et le docteur J.M. McGrath, tous deux inspirés par l'expérience canadienne et les avis techniques du docteur Frappier et de ses collègues, favorisaient sérieusement l'utilisation systématique de la vaccination par le BCG, en l'intégrant dans leur programme de médecine préventive.

Les autres provinces, par leurs organismes antituberculeux, ont opté pour divers programmes de vaccination sélective et limitée.

À peu près à cette période, le ministère fédéral responsable de la santé des Indiens et des Esquimaux au Canada, entreprit, en collaboration avec le docteur Frappier, une enquête sur la possibilité d'utiliser le BCG systématiquement parmi cette population particulièrement vulnérable. Ce service fut subséquemment institué, maintenu dans plusieurs réserves indiennes au Canada, incluant celles de la province de Québec, et son œuvre était encouragée par le directeur des Services médicaux des Indiens, le docteur P.E. Moore. Mais, apparemment, depuis les dernières années, la vaccination antituberculeuse est appliquée moins systématiquement dans les réserves, un fait que plusieurs observateurs ont déploré.

La vaccination était aussi proposée aux étudiants en médecine et aux infirmières du Royal Edward Institute (30) à Montréal et de plusieurs autres hôpitaux canadiens. Le docteur G.F. Kincade (31), de la Colombie-Britannique, a publié des résultats clairement favorables sur le sujet. Le docteur C.B. Stewart et le docteur C.J.M. Beckwith (32) ont étudié l'évolution des réactions tuberculiniques chez les étudiants en médecine après la vaccination par le BCG.

En 1949, la vaccination par scarifications fut adoptée dans les provinces de Québec et de Terre-Neuve et par les Services de santé des Indiens au Canada. Cette méthode avait été préalablement étudiée, en comparaison avec d'autres méthodes de vaccination, par les scientifiques de l'Institut de microbiologie et d'hygiène de Montréal. Elle fut adoptée pour des raisons d'économie de personnel et de temps, pour la simplicité de sa technique et pour son acceptation facile par les familles, ce qui a résulté en une couverture plus considérable de la population.

Le groupe de Connaught Medical Research Laboratories de l'Université de Toronto a fait une étude comparative de la méthode par piqûres multiples et de la méthode intradermique de vaccination.

On a préféré la dernière méthode dans les provinces autres que les provinces de Québec, de Terre-Neuve et d'Ontario.

Partout, la priorité de vaccination était donnée aux sujets négatifs à la tuberculine et dont on connaissait ou suspectait le contact avec des cas de tuberculose. Mais Québec continuait, encore en 1974, à vacciner les nouveau-nés (environ 35 % du nombre annuel), et les enfants à la rentrée de l'école (pour des raisons inconnues, le Service de santé de Montréal a cessé d'appliquer cette règle dans les écoles au cours des dernières années). D'une façon générale, dans le Québec, la vaccination des nouveau-nés et des personnes en contact tuberculeux était la responsabilité des équipes médicales des services provinciaux de santé, des hôpitaux et des dispensaires, de la Clinique BCG de Montréal, de l'Institut Bruchési, du Royal Edward Hospital et de la Ligue antituberculeuse de Québec. Les médecins généralistes ne pratiquaient que rarement cette vaccination. Ordinairement, ils l'autorisaient et 85 % des parents donnaient leur consentement.

En 1949, en vue d'activer la vaccination des enfants d'école par le BCG et d'aider le personnel des divers services de santé provinciaux et municipaux, le ministre de la Santé du Québec fit appel à l'Institut de microbiologie et d'hygiène de l'Université de Montréal pour mettre des équipes itinérantes de vaccination scolaire, comprenant de 4 à 6 personnes, à la disposition des unités sanitaires et des services municipaux de santé. L'Institut fut ainsi chargé de la direction technique des opérations et les médecins et infirmières des services de santé étaient responsables de l'organisation administrative des visites et de la rotation des équipes. Ainsi, un enfant au Québec pouvait être vacciné à la naissance, éprouvé avec la Cuti-BCG lorsqu'il entrait à l'école et lorsqu'il laissait l'école, et, selon le cas, vacciné ou revacciné si nécessaire. On a estimé en 1974 que 70 % de la population totale des sujets âgés de 0 à 15 ans avaient reçu le BCG au moins une fois.

Ce type de programme a été appliqué au Québec depuis 1949 et, partiellement à Terre-Neuve (de 1949 aux environs de 1972); il servait tout à la fois à déceler l'allergie chez les sujets précédemment vaccinés ou non vaccinés (ce qui était aussi inscrit dans le Fichier). Ces informations permettaient de connaître la fréquence et le risque de l'infection tuberculeuse dans les populations non vaccinées. Des épreuves quantitatives à la tuberculine chez des groupes sélectionnés étaient pratiquées périodiquement pour les besoins de standardisation et de contrôle du BCG.

Le total annuel de vaccinations par le BCG ou de revaccinations au Canada était, en 1974, d'environ 135 000, dont 115 000 étaient pratiquées au Québec. Évidemment, l'utilisation du BCG est maintenant assez limitée dans les autres provinces. Un total de 4 millions d'individus ont été vaccinés ou revaccinés avec le BCG au Canada de 1926 à 1974, dont 3 200 000 vivent au Québec.

Le docteur Frappier et son groupe ont étudié la plupart des aspects expérimentaux et épidémiologiques du vaccin BCG et des méthodes d'immunisation : en particulier, ils ont recherché, chez l'animal, la stabilité du BCG (33) et éprouvé les méthodes transcutanées d'immunisation (34-35) qu'ils ont aussi étudié chez l'homme (36). Le Laboratoire du BCG de Montréal (à l'Université de Montréal, de 1926 à 1938, et, à partir de cette date, à l'Institut de microbiologie et d'hygiène de Montréal) acquit de l'importance parmi les quelques centres mondiaux de recherche spécialisés dans la tuberculose expérimentale et le BCG.

Le docteur E.H. Lossing (37), épidémiologiste du Département de la Santé nationale, a donné, en 1957, une vue générale des programmes de vaccination dans les provinces canadiennes. Le docteur J.W. Davies (38), épidémiologiste dans le même département, a fait une enquête, publiée en 1964, sur environ 20 épidémies de tuberculose au Canada, représentant 6 % de tous les nouveaux cas actifs annuels de tuberculose. Il conseillait l'utilisation rationnelle du BCG pour prévenir de telles épidémies.

En 1958, l'Union internationale contre la tuberculose et le Centre international de l'enfance, conjointement, ont confié à l'Institut de microbiologie et d'hygiène de Montréal, l'organisation de la première Expérience interlaboratoire sur les « Méthodes expérimentales pour l'étude du BCG ». L'un des collègues du docteur Frappier à l'Institut, le professeur M. Panisset, M.V., fut délégué comme coordonnateur de cette expérience internationale dans laquelle participèrent 15 laboratoires spécialisés dans le monde.

Le docteur Frappier, au même moment, présidait la Commission du BCG de l'Union internationale contre la tuberculose et participait en même temps, avec son collègue, monsieur M. Panisset, au Séminaire international sur les méthodes d'étude du vaccin BCG, tenu à Paris en 1958 (39), sous les auspices conjoints des deux organisations volontaires mentionnées ci-dessus. Il était aussi membre du Tableau d'experts sur la tuberculose de l'Organisation mondiale de la santé, qui suivait de près ces expériences. Ainsi, se trouvait constitué le premier exemple d'une action internationale concertée en vue de comparer la valeur des techniques utilisées par chaque laboratoire pour la recherche sur le BCG et le contrôle de la souche du vaccin et éventuellement, pour en arriver à la standardisation de ces techniques.

Les résultats de cette expérience conjointe furent rapportés à la Discussion de Table ronde, tenue en 1961, à Montréal, préalablement à la réunion de l'Union internationale contre la tuberculose tenue à Toronto. À cette Table ronde, prirent part la majorité des expérimentateurs, aussi bien qu'un nombre d'autres chercheurs sur la tuberculose expérimentale, invités de différents pays par l'Institut, grâce à une subvention généreuse du Conseil de recherches médicales du Canada. L'Institut se trouvait l'hôte de cette mini-conférence dont les comptes rendus furent publiés sous forme d'un volume (40), conjointement par l'Institut montréalais et l'Institut Pasteur de Lille, qui fut fondé par Calmette et là où le BCG fut découvert. La Discussion de Table ronde était présidée par le regretté professeur Charles Gernez-Rieux, directeur de l'Institut Pasteur de Lille, et par le docteur Frappier qui en était le modérateur.

À cette réunion, le groupe de Montréal reçut la responsabilité, de la part de ceux qui y assistaient, d'organiser une autre expérience interlaboratoire sur la comparaison de l'activité de certaines souches-filles du BCG chez les animaux et *in vitro*, incluant la souche même de l'Institut montréalais. Les résultats de cette étude, aussi bien que l'étude du docteur Gzrybowski sur le BCG dans les pays en voie de développement, furent présentés en 1971 à une conférence organisée par le Fogarty Health Center des National Institutes of Health américains et publiés sous leurs auspices (41). Il est intéressant de noter qu'en 1957, le docteur Frappier et le docteur M. Panisset avaient publié, sous forme d'une brochure, une étude exhaustive de la souche du BCG (42).

Il peut être aussi intéressant de mentionner ici d'autres épreuves qui furent entreprises plus récemment dans des pays étrangers avec le BCG préparé au Canada. Par exemple, le vaccin sec de l'Institut de microbiologie et d'hygiène de l'Université de Montréal, soit conventionnel, soit rendu isoniazido-résistant selon la technique de Dworski, fut utilisé par le docteur Dworski de l'hôpital Will Rogers de Saranac Lake, N.Y., pour sa recherche sur l'action thérapeutique de l'INH chez les cobayes vaccinés avec l'une ou l'autre des deux formes vaccinales mentionnées ci-dessus (43).

Ce travail a servi de préliminaire à un essai chez l'homme fait à Haïti par les docteurs H.M. Vandivière, M. Dworsky, mademoiselle I.G. Melvin, messieurs K.A. Watson et J. Begley (44) qui ont utilisé les mêmes formes de BCG que celles qui avaient été préparées par l'Institut et avaient servi à des essais chez l'animal. Ces auteurs ont obtenu, avec le BCG conventionnel de l'Institut, chez des humains négatifs à la tuberculine, une réduction d'environ 80 % des cas prouvés de tuberculose chez des sujets vaccinés par le BCG, par rapport aux résultats obtenus chez des individus à qui on avait injecté un placebo.

Au cours d'essais cliniques sous l'égide de l'Organisation mondiale de la santé, les vaccins secs faits, soit à l'Institut de microbiologie et d'hygiène de Montréal, soit aux Connaught Laboratories, ont été éprouvés avec d'autres vaccins par les docteurs G.B. Mackaness du Trudeau Institute à Saranac Lake, New York, quant à leur capacité de stimuler certaines réponses immunitaires (45). Les deux vaccins canadiens, issus de la même souche-fille, se sont comportés régulièrement bien au cours de cette expérience comparative.

Période de 1961-1974

La troisième phase est marquée principalement par la mise en évidence d'un effet nouveau et inattendu de la vaccination par le BCG, la prévention de la leucémie chez le nouveau-né. Deux publications évaluent les résultats du programme de vaccination par le BCG dans la province de Québec et traitent de l'effet spécifique du BCG dans la prévention de la tuberculose alors que d'autres publications traitent des effets non spécifiques du BCG dans la prévention de la leucémie.

Étude rétrospective sur les effets du BCG sur la méningite chez les enfants et sur la tuberculose pulmonaire dans la province de Québec (Canada)

En 1962, les docteurs A. Frappier, L. Frappier-Davignon, MM. Cantin et J. St Pierre (46) ont publié une évaluation des effets du programme de vaccination par le BCG sur la mortalité par méningite tuberculeuse chez les enfants de 0 à 10 ans, entre les années 1949 et 1953, dans la province de Québec. Le nombre annuel cumulatif de sujets de ce groupe d'âge qui furent vaccinés pendant ces années est passé de 98 000 à 425 000, pendant que le nombre de sujets non vaccinés du même groupe d'âge est passé de 862 000 à 775 000. La mortalité par méningite tuberculeuse fut réduite à presque rien dans le groupe de sujets vaccinés. La vaccination a sauvé au moins 69 vies autrement vouées à la tuberculose. Selon des calculs, au moins 361 vies auraient été épargnées si, pendant ces années, 100 % de cette population avaient été vaccinés.

En 1971, les mêmes auteurs avec P. Robillard et mademoiselle T. Gauthier, R.N. (47) ont publié un travail intitulé « La Vaccination par le BCG et la tuberculose pulmonaire au Québec ». Cette étude couvre la période de 1956 à 1961 et une population de moins de 30 ans. Le pourcentage cumulatif de sujets vaccinés a atteint 46 % de cette population en 1961. Cette partie de la population a varié durant cette période de 1 620 000 à 1 863 400 sujets âgés de 0 à 14 ans, et de 1 080 900 à 1 199 600 pour les sujets entre 15 et 29 ans. Au cours de la période étudiée, la fréquence de la mortalité par tuberculose, observée parmi les sujets vaccinés, était pratiquement nulle, alors qu'elle variait de 2,5 à 1,3 pour le groupe âgé de 0 à 14 ans, et de 4,5 à 7,0 pour le groupe âgé de 15 à 29 ans. En somme, la protection donnée par la vaccination par le BCG a progressé de 50 à 85 % en relation avec l'âge et la gravité de la maladie. Si seulement les formes graves de tuberculose pulmonaire sont considérées, les rapports vont de 1-3,7 à 1-6,0 et de 1-5,3 à 1-7,6 respectivement. Cette étude montre que le programme de vaccination par le BCG, au moins à ce moment, a eu un effet collectif bénéfique.

Études originales sur les effets non spécifiques et préventifs du BCG chez l'animal et dans la leucémie de l'enfant

En 1962 et les années suivantes, P. Lemonde et ses collaborateurs (48-50) ont montré que, en ce qui regarde la leucémie spontanée chez la souris et les tumeurs induites par le virus du polyome chez les souris et les hamsters, la vaccination précoce par le BCG prévenait jusqu'à 50 % de la mortalité et prolongeait la vie des animaux. D'autres auteurs avaient récemment publié des observations semblables dans le cas de tumeurs transplantées. Le docteur Lemonde et ses collaborateurs ont étudié le mécanisme cellulaire de cette action non spécifique du BCG.

Utilisant des données de 1960-1963, pour la population des enfants vaccinés par le BCG dans la province de Québec et celle des enfants non vaccinés, pour les groupes de 0-4 et 0-14 ans, les docteurs L. Davignon, P. Lemonde, J. St-Pierre et A. Frappier ont aussi trouvé une réduction de 50 % dans la mortalité causée par la leucémie parmi les sujets qui avaient été vaccinés par le BCG.

Cette découverte étonnante par des chercheurs canadiens fut publiée en 1970 dans le *Lancet* (51,52) et a soulevé beaucoup d'intérêt. Quoique certains auteurs (53-55), qui n'ont pas utilisé des populations aussi considérables ni une méthodologie aussi rigoureuse que le docteur Davignon et son groupe, n'aient pas subséquemment confirmé ces faits, d'autres tels que les docteurs H.Th. Waaler (56), G. Hems et A. Stuart (57), S.R. Rosenthal (58), et le groupe du Conseil britannique de recherche médicale (59) ont rapporté que, eux aussi, ont trouvé des réductions semblables dans l'incidence de la leucémie parmi les enfants appartenant aux groupes utilisés pour leurs études sur les effets spécifiques du BCG contre la tuberculose.

Tenant compte de ces faits, et aussi de l'hypothèse de plus en plus plausible de l'action stimulatrice du BCG sur l'immunité cellulaire

et des premiers travaux sur l'immunothérapie avec le BCG par le docteur G. Mathé *et al.* (60) en France, et, par le docteur D. Morton *et al.*
(61) aux États-Unis, les chercheurs de l'Institut de microbiologie et
d'hygiène de Montréal, en 1972, prirent l'initiative de convoquer les
immunologistes et les spécialistes du cancer de la province de Québec
pour leur exposer un protocole général d'essais cliniques d'immunothérapie de certains types de cancer avec le BCG et pour chercher des
moyens de coordination. Les représentants du Conseil de recherche
médicale du Canada et de l'Institut national du cancer avaient été invités
à cette réunion comme observateurs.

Conscientes de l'importance du problème, ces deux agences nationales de recherche s'offrirent bientôt pour coordonner les efforts des
quelques groupes cliniques canadiens déjà engagés dans cette recherche
et pour étendre au pays entier les épreuves cliniques proposées par le
groupe du Québec. Après une journée de réunion, tenue à Ottawa, de
toutes les parties intéressées, le Conseil de recherche médicale du
Canada créa en 1972 un « Comité consultatif sur l'immunothérapie du
cancer », présidé par le docteur J.W. Thomas de l'Université de British
Columbia. Le docteur H.E. Taylor, du Conseil de recherche médicale
du Canada, fut nommé secrétaire et modérateur du Comité.

De façon à ne pas doubler les travaux faits ailleurs et à cause des
résultats encourageants déjà obtenus par les docteurs J.W. Thomas et
R.E. Falk (ce dernier étant de l'Hôpital général de Toronto), le Comité
en question opta pour utiliser les doses élevées de BCG, administrées
par voie orale, comme ces derniers auteurs le conseillaient. Le comité
demanda au docteur A.B. Miller, épidémiologiste de l'Institut national
du cancer d'établir un protocole sur l'immunothérapie du cancer du
poumon, en collaboration avec les cliniciens cancérologues.

Les cliniciens, les spécialistes du cancer, les immunologistes de
divers groupes hospitaliers au Canada ont adhéré au protocole et participé aux essais.

L'Institut de microbiologie et d'hygiène de Montréal et les Connaught Laboratories de Toronto collaborèrent avec le Conseil de recherche médicale du Canada et l'Institut national du cancer dans cet
essai projeté et d'autres essais en fournissant le BCG et en mettant à
la disposition du Comité et des cliniciens, les instructions techniques
que leur dictaient leur expérience des essais expérimentaux et leur
connaissance du BCG. Les résultats furent négatifs. Le docteur Frappier
croit que l'on n'aurait pas dû utiliser la voie buccale mais une voie
parentérale.

Du côté expérimental, les recherches maintenant poursuivies à l'Institut portent sur la diversité d'action des souches-filles du BCG, ou des fractions subcellulaires ou de divers phénotypes (62) dans la prévention de la tuberculose et dans la prévention ou l'immunothérapie du cancer; elles portent aussi sur l'effet du BCG administré à divers animaux en doses extrêmement élevées, souvent répétées et données par diverses routes, et sur le destin du BCG chez les animaux et l'homme, ainsi que sur l'effet du BCG contre les infections hétérologues.

En 1975, en vue de célébrer le cinquantième anniversaire de la découverte de la vaccination par le BCG chez l'homme par Calmette, Guérin et leurs collègues, et d'honorer le travail de pionnier du docteur Frappier sur le BCG au Canada, l'Institut Armand-Frappier a organisé un « Symposium international sur le BCG et l'immunothérapie du cancer », dont les rapports furent édités et publiés par les docteurs G. Lamoureux, R. Turcotte et V. Portelance (63).

Conclusion

En prenant connaissance de l'histoire du BCG au Canada, on reste impressionné par le fait que, dès les débuts, ce pays a imaginé et suivi sa propre façon de penser au sujet de l'étude et de l'emploi de cette arme contre la tuberculose. Le gouvernement provincial du Québec, tout spécialement, fut le premier en Amérique du Nord à intégrer l'utilisation courante du BCG dans son programme de médecine préventive.

Et maintenant, le Canada, par ses diverses agences de recherche médicale, a pris l'initiative d'essais cliniques à la grandeur du pays, comme il le fit en 1924 et en 1933 (Baudouin, Ferguson). Mais cette fois, le but est d'étudier un nouvel aspect du BCG, c'est-à-dire son rôle comme agent non spécifique et immunothérapeutique du cancer. D'un point de vue expérimental, les chercheurs canadiens furent parmi les premiers à découvrir cette propriété non spécifique; d'un point de vue épidémiologique, ils furent les premiers à indiquer que la vaccination des nouveau-nés par le BCG apporte une protection appréciable contre la leucémie dans l'enfance.

En 1974, l'Académie nationale de médecine de Paris célébrait à Paris même, le cinquantième anniversaire de la découverte étonnante, par A. Calmette, C. Guérin, B. Weill-Hallé, A. Boquet, L. Nègre, J. Wilbert, M. Léger et R. Turpin, de la prévention de la tuberculose par le BCG. Le docteur Frappier, un pionnier canadien de l'étude et de l'application du BCG, se trouvait parmi les sept orateurs invités. Mais l'histoire du BCG n'est pas encore terminée. Le BCG peut encore apporter d'autres surprises parce que le mécanisme de son action dépend des systèmes mystérieux qui gouvernent l'équilibre de la vie.

Bibliographie

1- A. CALMETTE, C. GUÉRIN, B. WEILL-HALLÉ, A. BOQUET, L. NÈGRE, WIL-
BERT, M. LÉGER et R. TURPIN, « Attempts at Immunization Against
Tuberculosis », *Bull. Acad. Nat. Méd.* (Paris), 91; June 24th, 1924;
pp. 787-796.

2- ASSOCIATE COMMITTEE ON TUBERCULOSIS RESEARCH, « Reports from 1925
up to 1938 », Nat. Res. Council of Canada, Ottawa.

3- Mel THISTLE, *The Inner Ring*, University of Toronto Press, 1966, p. 167.

4- Proceedings of the Seventh Meeting of the Associate Committee on
Tuberculosis, National Research Council of Canada, June 1936, p. 15.

5- J.A. BAUDOUIN, « Vaccination Against Tuberculosis with the BCG Vaccine », *Canad. J. Pub. Hlth*, 27, 1936, pp. 20-26; 31, 1940, pp. 362-
366.

6- J.A. BAUDOUIN, « Vaccination antituberculeuse au BCG », Union Méd.
Canada, 70, 1941, pp. 750-751; 71, 1942, pp. 375-378; 73, 1943,
pp. 826-830.

7- J.W. HOPKINS, « BCG Vaccination in Montreal », *Amer. Rev. Tuberc.* 43
(5), May 1941, pp. 581-599.

8- R.G. FERGUSON, « BCG Vaccination in Hospitals and Sanatoria of Saskatchewan », *Amer. Rev. Tuberc.*, 54 (4-5), Oct.-Nov. 1946, p. 325-
339.

9- R.G. FERGUSON et A.B. SIMES, « BCG Vaccination of Indian Infants in
Saskatchewan », *Tubercle* 30, Jan. 1949, pp. 5-11.

10- R.G. FERGUSON, « BCG Vaccination in Hospitals and Sanatoria of Sas-
    katchewan », *Canad. J. Pub. Hlth*, 37 (11), Nov. 1946, pp. 435-451.

11- Report of the Technical Conference for the Study of Vaccination Against
    Tuberculosis by Means of BCG, League of Nations Health Organization,
    Publ. League of Nations Health 111, 17, 1928, p. 50.

12- J.A. BAUDOUIN, « Vaccination contre la Tuberculose par le BCG à Mont-
    réal », *Vaccination préventive de la Tuberculose de l'homme et des
    animaux par le BCG, Rapports et documents*, Institut Pasteur (6ᵉ éd.)
    Masson et Cie, 1932, pp. 103-113.

13- A.C. RANKIN, « Vaccination des bovidés par le BCG », *Vaccination pré-
    ventive de la Tuberculose de l'homme et des animaux par le BCG,
    Rapports et documents*, Institut Pasteur (6ᵉ éd.) Masson et Cie, 1932,
    pp. 114-120.

14- E.A. WATSON, « Research on Bacillus Calmette-Guérin and Experimental
    Vaccination Against Bovine Tuberculosis », *J. Amer. Veter. Med. Ass.*,
    73, Nov. 1938, pp. 799-816; Bulletin de l'Institut Pasteur 27, Jan. 1929,
    pp. 302-303.

15- E.A. WATSON, « Studies on Bacillus Calmette-Guérin (BCG) and vacci-
    nation against tuberculosis », *Canad. J. Res.* 9, 1933, pp. 128-136;
    Bulletin de l'Institut Pasteur 32, 1934, p. 47.

16- S. LANDI, F.H. FRASER et F.O. WISHART, « Vaccination with Freeze-Dried
    BCG », *Can. Med. Ass. J.* 91 (8), 1964, pp. 372-373.

17- S. GRZYBOWSKI et M.J. ASHLEY, « Report of a Crash Tuberculosis Program
    High Incidence Area », *Canad. J. Pub. Hlth*, 56, 1965, pp. 527-530.

18- C.O. SIEBENMAN, « Experiments with Killed Antituberculous Vaccines Deri-
    ved from BCG and Vole Bacillus », *Acta Tuberc. Pneumol. Scand.
    Supp.* 58, 1964, pp. 35-46.

19- First International Congress of BCG, Paris, June 18 to 23, 1948, Institut
    Pasteur (Paris), pp. 108, 213, 244, 255.

20- N. VÉZINA, « Vaccination antituberculeuse : le BCG », Union Médicale du
    Canada 73 (11), février 1944, pp. 1330-1335.

21- G. GRÉGOIRE, « Le BCG : expérience faite dans un dispensaire », Notes
    sur la tuberculose, publication du Comité provincial contre la tuber-
    culose 6 (1), septembre 1943, Québec, Canada.

22- G. LAPIERRE, « Quinze années de BCG à l'Hôpital Ste-Justine », Union
    Médicale du Canada, 76, mars 1947, pp. 328-331.

23- A. FRAPPIER et R. GUY, « A New and Practical BCG Skin Test (The BCG
    Scarification Test) for the Detection of the Total Tuberculous Allergy »,
    Canad. J. Pub. Hlth, Feb. 4th 1950, pp. 72-83.

24- A. FRAPPIER, R. GUY, R. DESJARDINS, O. Roy et C. Painchaud, « L'Emploi courant de la Cuti-BCG pour la sélection des sujets aptes à la vaccination contre la tuberculose », *Rev. Hyg. Méd. Soc.*, France 3 (2), 1955, pp. 95-110.

25- A. FRAPPIER, B. MARCIL, M. PANISSET, M.O. PODOSKI et J. TASSÉ, « Méthode de lyophilisation du BCG avec contrôle quantitatif des résultats », *Rev. Canad. Biol.* 10 (2) 1951, p. 182.

26- J.A. MYERS, « The Latent or Smouldering Stages in Tuberculosis », *Amer. Rev. Tub.* 36, 1937, pp. 355-375.

27- J.A. MYERS, « Primary Infection in Adults », *Amer. Rev. Tub.* 39, 1939, pp. 232-235.

28- J.A. MYERS, « Tuberculosis in Students », *Amer. Rev. Tub.* 44, 1941, pp. 479-486.

29- J.A. MYERS, « A Summary of the Views Opposing BCG », *Advances in Tuberculosis Research*, 8, 1957, p. 272, S. Karger, New York.

30- HUGH & BURKE, « A Follow-up of Household Contacts Vaccinated with BCG ». Can. J. Publ. Hlth. 57 (9): 383-384, 1966.

31- G.F. KINCADE, « Vaccination Program for Student Nurses in Berkeley, California », *Can. Nurse* 49 (2), Feb. 1953, pp. 110-112.

32- C.B. STEWART et C.J.W. BECKWITH, « Lack of Association Between Hypersensitivity and Immunity Following BCG Vaccination ». *Can. Med. Ass. J.* 83 (1), July 1960, pp. 1-5.

33- A. FRAPPIER, « Some Experimental and Clinical Observations on the Stability of BCG Vaccine », Proceedings of the Fourth International Congress on Tropical Medicine and Malaria, Washington D.C., May 10-18, 1948, pp. 187-201.

34- A. FRAPPIER et J. DENIS, « La résistance antituberculeuse du cobaye vacciné au moyen du BCG par des piqûres superficielles et multiples de la peau », *Rev. Can. Biol.* 4 (3). 1945, pp. 334-345.

35- A. FRAPPIER et V. FREDETTE, « Influence de la voie d'inoculation et de la virulence des bacilles tuberculeux sur le développement et l'évolution de la sensibilité dermique à la tuberculine chez le cobaye », Comptes rendus, Société biologie 131, 10 juin 1939, pp. 760-763.

36- A. FRAPPIER, R. GUY et R. DESJARDINS, « Variation du degré d'allergie par rapport aux méthodes de vaccination ou aux doses de BCG », *Rev. Tuberc.* 16 (9), 1952, pp. 749-762.

37- E.H. LOSSING, « Summary of Canadian BCG Vaccination Program », Read at meeting of Can. Tb. Ass., Vancouver, B.C., June 1957.

38- J.W. DAVIES, « BCG Vaccination – Its place in Canada », *Can. J. Pub. Health*, 56, June 1965, pp. 244-252.

39- International Seminar of BCG Research Techniques, « Methods for the Study of BCG Vaccination », Paris 1958, published by the International Union against Tuberculosis and the International Center of Childhood, *Bull. Intern. Union against Tuberc.*, Feb. 1960, pp 10-12, 14-20, 23-28, 164, 278-288, 298-299.

40- *Méthodes expérimentales d'études du vaccin BCG*, Résultats d'une expérience interlaboratoire et Discussion de Table Ronde, publié par l'Institut Pasteur de Lille et l'Institut de microbiologie et d'hygiène de l'Université de Montréal, 1963, 340 pages.

41- Fogarty International Center Proceedings n° 14, National Institute of Health., Bethesda, N.Y. 2014, « A Status of Immunization in Tuberculosis in 1971 », Report of a Conference on Progress to Date Future Trends and Research Needs, pp. 127-137 et 157-178.

42- A. FRAPPIER et M. PANISSET, « La Souche du BCG », publié par l'Institut de microbiologie et d'hygiène de l'Université de Montréal, 1957, 120 pages.

43- M. DWORSKI, « Efficacity of Bacillus Calmette-Guérin and Isoniazid-Resistant Bacillus Calmette-Guérin with and Without Isoniazed Chemoprophylaxis from Day of Vaccination », *Amer. Rev. Resp. Dis.* 108, 1973, p. 294-300.

44- H.M. VANDIVIÈRE, M. DWORSKI, I.G. MELVIN, K.A. WATSON et J. BEGLEY, « Efficacity of Bacillus Calmette-Guérin and Isoniazid-Resistant Bacillus Calmette-Guérin with and Without Isoniazid Chemoprophylaxis from Day of Vaccination », *Amer. Rev. Resp. Dis.*, 108, 1973, pp. 301-313.

45- G.B. MACKANESS, D.J. AUCLAIR et P.H. LAGRANGE, « Immunopotentiation with BCG – Immune Response to Different Strains and Preparations », *J. Nat. Canc. Inst.*, 51, 1973, pp. 1655-1667.

46- A. FRAPPIER, L. FRAPPIER-DAVIGNON, M. CANTIN, J. ST-PIERRE, « Influence de la vaccination par le BCG sur la mortalité par méningite tuberculeuse des enfants de 0 à 10 ans dans la Province de Québec », *Canad. Med. Ass. J.* 86, mai 1962, pp. 934-941.

47- A. FRAPPIER, M. CANTIN, L. DAVIGNON, J. ST-PIERRE, P. ROBILLARD et T. GAUTHIER, « BCG Vaccination and Pulmonary Tuberculosis in Quebec », *Canad. Med. Ass. J.* 105, Oct. 1971, pp. 707-710.

48- P. LEMONDE et M. CLODE, « Effect of BCG Infection on Leukaemia and Polyoma in Mice and Hamsters », Proc. Soc. Exptl. Biol. Med. 111, 1962, p. 739-742.

49- P. LEMONDE et M. CLODE, « Influence of Bacille Calmette-Guérin Infection on Polyoma in Hamsters and Mice », *Canc. Res.* 26, 1966, p. 585-589.

50- P. LEMONDE, « Inhibition of Experimental Leukaemia by a Combination of Various Factors », *Lancet II*, Oct. 1966, p. 946-947.

51- L. DAVIGNON, P. LEMONDE, P. ROBILLARD et A. FRAPPIER, « BCG Vaccination and Leukaemia Mortality », *Lancet II*, Sept. 1970, p. 638.

52- L. DAVIGNON, P. LEMONDE, J. ST-PIERRE et A. FRAPPIER, « BCG Vaccination and Leukaemia Mortality », *Lancet I*, Jan. 1971, pp. 80-81.

53- J.S. BERKELY, « BCG Vaccination and Leukaemia Mortality », *Hlth. Bull.* 29 (3), July 1971, pp. 167-169.

54- L.J. KINLEN et M.C. PIKE, « BCG Vaccination and Leukaemia – Evidence of Vital Statistics », *Lancet II*, Aug. 1971, pp. 398-402.

55- G.W. COMSTOCK, V.T. LIVESAY et R.G. WEBSTER, « Leukaemia and BCG – A controlled Trial », *Lancet II*, novembre 1971, pp. 1062-1063.

56- H.Th. WAALER, « BCG and Leukaemia Mortality », *Lancet II*, Dec. 1970, p. 1314.

57- G. HEMS et A. STUART, « BCG and Leukaemia », *Lancet I*, Jan. 1971, p. 183.

58- S.R. ROSENTHAL, R.G. CRISPEN, M.G. THORNE, N. PIEKASKI, N. RAISYS et P.G. RETTING, « BCG Vaccination and Leukaemia », *Bull. Inst. Pasteur* 70 (1), 1972, pp. 29-50.

59- HEALTH REPORT, « BCG and Vole Bacillus Vaccines in the Prevention of Tuberculosis in Adolescence and Early Adult Life », *Bull. Wld. Hlth. Org.* 46, 1972, pp. 371-385.

60- G. MATHÉ, J. AMIEL, L. SCHWARTZENBERT, M. SCHNEIDER, A. CATTON, I. SCHLUMBERGER, M. HAYAT et F. DE VASSAL, « Active Immunotherapy for Acute Lymphoblastic Leukaemia », *Lancet I*, April 1969, pp. 697-699.

61- D. MORTON, F. EILVER, R. MALMGREN et W. WOOD, « Immunological Factors which Influence Response to Immunotherapy in Malignant Melanoma », *Surgery* 68 (1), July 1970, pp. 158-164.

62- R. TURCOTTE et M. QUEVILLON, « Effects of BCG and two of its Phenotypes on Ehrlich Tumor », *J. Nat. Canc. Inst.* 52 (1), Jan. 1974, pp. 215-217.

63- G. LAMOUREUX, R. TURCOTTE et V. PORTELANCE, éditeurs, « BCG Immunomicrobiology in Cancer », Proceedings of an International Symposium held in Montreal, pp. 392, Grune & Stratton Inc., 111 Fifth Avenue, New York, N.Y. 5, U.S. 1976.

Deuxième partie

L'Institut Armand-Frappier

Chapitre quatrième

La création de l'Institut

Horizon bouché. Conception de l'Institut (1935)

Comme microbiologistes de carrière, comme chercheurs par goût et par vocation, et même comme professeurs d'une science en voie de développement extraordinaire, ni mon groupe, ni moi-même n'étions satisfaits. Nous ne pouvions pas marcher avec le progrès ni entreprendre de grandes choses dans les conditions où nous nous trouvions. Nous n'envisagions même pas d'être au moins à l'égalité des autres; pire encore, mes collègues ne pouvaient pas gagner leur vie, surtout les plus jeunes. L'horizon était bouché. Personne ne voyait comment sortir de cette affreuse nullité microbiologique malgré les considérations qu'on voulait bien exprimer en haut lieu.

Le Conseil national de recherches m'avait, en 1934, nommé membre de son Sous-comité de recherche sur la tuberculose et le BCG. Je gagnais un salaire raisonnable à l'hôpital Saint-Luc mais n'envisageais cependant pas de passer ma vie dans un laboratoire de diagnostic d'hôpital. Ce n'était pas là mon idéal. On a vu que, dans l'enseignement, l'avenir n'était guère rose non plus. Cependant, le nom de l'Université constituait un symbole et un appui, même dans la plus grande détresse. Ayant vécu dans de très grands laboratoires et visité quelques-uns des plus renommés, j'en rêvais, bien que n'entrevoyant dans le présent état des choses aucune possibilité d'un établissement décent.

Un exemple me frappait : les Connaught Laboratories que j'avais visités à plusieurs reprises de même que l'École d'hygiène de l'Université de Toronto.

Ces laboratoires avaient introduit au Canada, en 1923, l'anatoxine contre la diphtérie. Déjà, en 1914, au moment de la Première Guerre mondiale, ils avaient produit l'antitoxine diphtérique. Ils supervisaient la production de l'insuline, découverte de leurs savants collègues Banting et Best. Dans ces laboratoires, les recherches étaient très orientées vers l'amélioration des produits biologiques du temps. On y cherchait à en développer l'aspect industriel, l'aspect des services communautaires étant très limité. L'enseignement était dispensé par l'École d'hygiène attenant aux Connaught Laboratories.

À la réflexion, j'en concluais que leur principal client au Canada était la province de Québec car, à cette époque, le nombre d'enfants par famille dans cette province était l'un des plus élevés du monde occidental. Conséquemment, le nombre de vaccinations de toutes sortes allait de pair et la population augmentait. J'avais eu l'idée de faire du marketing avant que le mot ne fût inventé. Mon élève et collègue, Jean Tassé, et moi avions calculé, d'un côté, les quantités et les prix des produits achetés par la province de Québec pour la prévention des infections et, de l'autre, les quantités et le prix des produits vendus par les diverses agences américaines et par Connaught Laboratories. Chacun de ces deux facteurs se chiffrait à 350 000 $.

Sans être nationaliste à outrance, il me venait à l'esprit que si les profits de ces ventes restaient dans la province de Québec, y soutenaient des chercheurs et des techniciens, ils constitueraient un fonds considérable de promotion de la recherche car, au Canada, il n'existait pas d'agence à ce moment-là pour subventionner la recherche biomédicale. Conclusion : il restait à créer des fonds à même une nouvelle industrie au Québec, celle des produits biologiques utilisés comme dans un marché fermé car ils étaient, pour la plupart, distribués par le gouvernement et les hôpitaux. Les profits retourneraient à l'institution productrice sans but lucratif et seraient donc employés exclusivement pour la recherche.

Petit à petit, cette idée fit son chemin...

Le mémoire projeté à présenter au premier ministre Maurice Duplessis

Qui fournirait le capital requis pour construire les laboratoires de recherche et de production? Nous étions aux environs de 1935. Duplessis venait de se faire élire. Il avait balayé le gouvernement Taschereau après avoir créé l'Union nationale. Pour toutes sortes de raisons, le budget de la province augmentait et, pourtant, celui de l'Université de Montréal restait stationnaire. Dans le Département de bactériologie, par exemple, les élèves devenaient plus nombreux mais le budget restait pratiquement le même, de sorte que le nombre d'heures-élève s'accroissait alors que la courbe des dollars attribués à l'enseignement par élève diminuait considérablement.

Il ne pouvait jamais être question de présenter un projet à monsieur Duplessis pour « soutenir la recherche en microbiologie ou en toute autre matière ». Mais ce dernier avait à cœur le développement économique de la province par rapport à l'Ontario. En général, tout gouvernement récemment élu cherche, dans les deux ou trois premières années de son règne, des idées originales qui plaisent au peuple, apportent de l'argent nouveau et rendent la province plus indépendante de son entourage au point de vue économique. Aussi, à partir de cette date, soit 1935-1936, me suis-je appliqué à dresser un mémoire avec annexes appuyant énoncés et estimations, mémoire qui serait soumis en temps et lieu au premier ministre. Le nombre de versions de ce mémoire est considérable. Il insistait sur l'impact direct et économique de la proposition, sur des estimations solides quant au capital minimum requis pour le départ et aux profits raisonnables à retirer de la vente des produits biologiques au gouvernement et aux hôpitaux. On insistait donc sur une « subvention de départ » après quoi l'institut projeté se suffirait à lui-même en bonne partie pour l'ordinaire des choses. La première demande se limitait à 80 000 $ et insistait sur la nécessité pour le gouvernement d'acheter les produits de l'Institut lorsqu'ils seraient approuvés par le ministère de la Santé à Ottawa.

Mes jeunes collègues, convaincus de la justesse de mes idées, décidèrent unanimement de s'attaquer au problème de la production des anatoxines et des antitoxines afin de ne pas arriver les mains vides auprès des autorités politiques. C'était on ne peut plus audacieux, car l'espace et l'argent manquaient.

Ils se sont donc procuré des souches, en particulier celle de Park 8 de bacille diphtérique, souche toxinogène généralement utilisée dans le monde pour la production de la toxine diphtérique. Au moyen des estomacs de porcs, on fit un milieu de culture semblable à celui de l'Institut Pasteur. On s'inspirait aussi de ce que j'avais étudié [lors d'un séjour de plusieurs mois en 1932, (de même que Fredette plus tard)] dans le laboratoire de Wadsworth, le « New York State Laboratory of Health » d'Albany, où l'on produisait pour l'État de New York des produits biologiques. Ce sont messieurs Fredette et Forté qui, à tour de rôle, se sont préoccupés des premiers essais de culture. On n'a pas eu de difficulté à produire une certaine toxicité, par suite de l'ensemencement de la souche Park 8 dans notre milieu, mais elle était plutôt faible car nous n'obtenions pas de floculation entre les unités antitoxiques et notre anatoxine. On avait beau regarder à la loupe et sous tous les angles lumineux possibles, on arrivait toujours aux mêmes résultats négatifs.

Sur les entrefaites, nous avions entendu parler d'un jeune médecin vétérinaire français, fils du médecin vétérinaire Panisset de l'École d'Alfort de

France, que l'École vétérinaire, maintenant logée à Oka à côté de l'Institut agricole, avait récemment engagé pour son enseignement de la bactériologie. Je communiquai avec lui, car on ne pouvait pas songer à produire des antitoxines si on n'avait pas une collaboration des vétérinaires, ni un lieu où garder les chevaux. Après avoir exposé mes vues, il fut convenu d'enthousiasme que l'on rencontrerait le père Abbé, Dom Pacôme Gaboury, de façon à obtenir une ou deux places pour des chevaux en expérimentation pour la production d'antitoxine diphtérique. Le père Abbé lui-même était venu dans l'écurie tracer des endroits où l'on pourrait ériger une ou deux stalles de plus.

Mais tous ces projets furent retardés par le fait que la production de l'anatoxine diphtérique ne fonctionnait pas elle-même et conséquemment, celle de l'antitoxine.

Voyage dans les laboratoires d'Europe (1937) — Étude des techniques

Ce voyage fut l'un des plus productifs que j'aie jamais accompli. Les services de l'Institut Pasteur me reçurent avec bienveillance, mais également ceux de certaines institutions italiennes notamment celle de Milan Di Instituto Siero-therapico Milani où se trouvait le docteur Ascoli, un tenant du BCG, ainsi que le laboratoire du docteur D'Antona à Sienne, l'un des bons élèves du docteur G. Ramon qui m'avait recommandé auprès de lui. Je visitai aussi l'Instituto Superiore di Sanita de Rome où je fis la connaissance du docteur Giuseppe Penso que j'invitai par la suite et dont les conseils furent précieux pour le perfectionnement de l'organisation de l'Institut après sa fondation.

Puis, ce fut la visite de l'Institut Robert Koch de Berlin où je rencontrai les deux frères Bruno et Ludwig Lange, ceux-là mêmes qui avaient exonéré le BCG lors du procès tenu en Allemagne à propos du drame de Lübeck.

À l'Institut Pasteur, je trouvai la solution du problème du milieu de culture pour l'anatoxine diphtérique. À Montréal, on utilisait bien les panses de porcs dont on faisait le milieu de culture mais, à l'Institut Pasteur de Paris, on laissait reposer le mélange pendant une journée ou deux et on ne recueillait que le surnageant clair, sans quoi on n'avait pas de production de toxine, parce qu'elle se trouvait vraisemblablement adsorbée à la surface des particules flottantes. De plus, je perfectionnai ma façon d'utiliser le phénomène de la floculation pour doser les unités d'anatoxine et aussi la technique de mesure des unités d'antitoxine avec la plus grande précision possible. Ceci se passait dans le service de Ramon et avec la bienveillance de monsieur Richou, son assistant.

Dans le service des vaccins dirigé par Salembéni, là où d'Hérelle fit la découverte du bactériophage, j'étudiai la mise au point du vaccin antityphique et sa standardisation. De même en fut-il pour le vaccin contre le staphylocoque et pour d'autres vaccins bactériens.

Au cours de ce voyage, je visitai l'Exposition universelle de 1937 à Paris et, en particulier, le Pavillon des sciences. Je constatai partout en France le relâchement de l'ordre public, la grande admiration que beaucoup de Français portaient à Mussolini parce qu'il avait rétabli en Italie l'ordre public et économique : régularité de départ et d'arrivée des trains, aviation très remarquable (rappelons-nous le voyage de Balbo avec son escadrille en Amérique) alors qu'en Espagne se poursuivait la guerre de la Révolution. À Toulouse, j'avais constaté les malheurs des survivants de diverses familles d'Espagne décimées que les Français recueillaient. Ainsi, une Française et son mari avaient choisi une toute jeune fille; tout à côté, un petit garçon pleurait à chaudes larmes, évidemment de voir partir sa compagne, sa sœur. On s'informe, il s'agissait bien de son petit frère. La famille charitable prit les deux à sa charge, les parents de ces derniers étant morts au cours de la Révolution.

En Allemagne, j'ai voyagé la nuit d'Aix-la-Chapelle à Berlin en passant par Hanovre, Hesse et autres villes industrielles. Les manufactures crachaient fumée et feu toute la nuit. Les trains étaient bondés. À trois heures du matin, des gens entraient ou sortaient à différentes gares, le journal sous le bras. À Berlin, Hesse, Hanovre, Aix-la-Chapelle, Düsseldorf, partout des soldats au pas de l'oie. Dans les tavernes, on devait céder sa place aux militaires. À Düsseldorf, une exposition, sorte de pendant à l'Exposition de Paris, montrait quantité d'ersatz de guerre. Tout donnait l'impression que l'Allemagne cherchait à organiser une économie fermée et se préparait très activement à la guerre. Alors que, dans les pays avoisinants, le relâchement arrivait apparemment à son comble. À Vienne, on était encore marqué par l'assassinat du chancelier Dollfuss et on semblait terrorisé par la montée d'Hitler, qu'on avait pourtant favorisée.

Après mon retour, on redressa la situation de l'anatoxine diphtérique et on obtint les floculations à volonté. La production industrielle serait prête sitôt que l'occasion se présenterait. De même en fut-il pour l'antitoxine avec le docteur Panisset. Ce dernier, retenu en France en 1939 par la mobilisation, fut renvoyé au Canada comme chargé des services français de la remonte grâce à l'intervention du premier ministre, Louis Saint-Laurent, que j'avais sollicitée personnellement. Le docteur Panisset reprit son poste à Oka et à l'Institut.

Quant aux vaccins bactériens ordinaires, monsieur Tassé y avait aussi mis la main et on était donc en possession de moyens positifs pour appuyer la demande lorsqu'elle serait présentée à qui de droit en faveur d'un institut. On insisterait d'abord sur la rentabilité de cet institut à partir de la préparation de produits biologiques, sur l'offre de services communautaires et l'organisation sur l'enseignement des deuxième et troisième cycles. Bien entendu, les profits tirés de cette organisation retourneraient à la recherche.

Conception finale et réalisation de l'Institut

On approchait donc des trois-quarts de l'année 1937. Le mémoire à présenter au premier ministre était fin prêt et les calculs bien révisés. Le laboratoire de bactériologie se faisait de plus en plus connaître dans les milieux de la santé publique par son œuvre du BCG et publiait des travaux scientifiques. On n'arrivait pas les mains complètement vides.

Un jour que je devisais avec mon ancien professeur, le docteur Georges Préfontaine, au Département de biologie de la Faculté des sciences de l'Université de Montréal, je lui exposai mes projets, mon incertitude et mes limitations dans la recherche d'un interlocuteur auprès du gouvernement. Je connaissais bien le docteur Jean Grégoire, sous-ministre de la Santé, qui avait, grâce aux subventions consenties par le ministre, soutenu mon travail de recherche sur le BCG et de production de ce vaccin au moyen de subventions annuelles très appréciées. Mais je ne connaissais pas de force politique. Le docteur Préfontaine, toujours prêt à rendre service et à soutenir des nouveautés me dit : « Venez donc dîner avec moi demain midi au restaurant *Chez Stiens*. Je vous y présenterai des gens près de la politique et des affaires. »

Avec tous les documents pertinents, je me retrouve le lendemain au dit restaurant, y rencontre messieurs Louis Dupire, éditorialiste en chef du *Devoir,* Eugène Doucet, président de la maison Doucet et Frère Imprimeurs, Armand Dupuis, secrétaire-trésorier de la maison Dupuis Frères Ltée et quelques autres personnages dont le docteur Préfontaine. Mais, ce midi-là, d'autres questions préoccupent ces amis et on fait silence autour de mes problèmes de jeune médecin. À la fin du repas, on exprime des excuses. On se reprendra quelques jours par la suite. Tout le monde est alors au poste et on ne s'occupe que de mon affaire. On a lu le mémoire distribué. Dès le début, monsieur Dupire, enthousiasmé, dit : « Moi, je prends en charge la publicité dans le journal; toi, Armand Dupuis, veille à fonder et à incorporer une société sous la IIIe partie de la *Loi des compagnies*; toi, Eugène Doucet, tu consulteras Duplessis avec moi. Nous allons le voir et lui conseillerons de fonder cet institut que nous approuvons de tout cœur. »

Quelques jours par la suite, tout avait été réglé. Dupire publiait un article dans *Le Devoir* où il décrivait l'exacte nature de l'institut projeté et prodiguait son encouragement. Le docteur Grégoire a raconté que Duplessis l'avait appelé et lui avait dit : « Connais-tu ça l'histoire du docteur Frappier? » Sur la réponse positive du docteur Grégoire et après avoir consulté son ministre de la Santé, le docteur J.A. Paquette, il consentit à ce que l'institut fût incorporé et acquiesça en principe aux propositions contenues dans le rapport de ce jeune audacieux.

Son ministre de la Santé n'était pas étranger non plus à la proposition en question. Quelques mois auparavant, le docteur Télesphore Parizeau, doyen de la Faculté de médecine, l'avait invité à le rencontrer ainsi que le docteur Baudouin et moi-même au Cercle universitaire pour y discuter du BCG et de l'Institut également. Mais le docteur Paquette nous avait fait faux-bond. On s'était repris. Il était venu, avait visité l'Université et avoué que « Jamais il n'avait eu tant de peine à regarder le délabrement de cette construction! » Au lieu de rester une heure en cette compagnie, il passa quatre heures et tout fut discuté à fond. De sorte que monsieur Duplessis n'eut pas de difficulté à obtenir l'accord de son ministre de la Santé.

Le nom de l'institut projeté était Institut de microbiologie et d'hygiène de Montréal (IMHM).

Ce ne fut pas avant avril 1938 que l'Institut fut incorporé, après quoi on attendit encore quelque temps avant de recevoir les 75 000 $ de subvention de départ consentie par le gouvernement.

Inutile de rappeler la joie du groupe du Département de bactériologie à l'annonce de ces nouvelles. Toute mon *aequanimitas*[1] fut mise à contribution, surtout devant des événements de cette envergure, pour me contenir et faire face aux réalités.

Réalisation d'un rêve, d'un rêve chez des gens tout à fait éveillés! C'était l'ouverture d'une carrière pour mes collègues et d'une nouvelle carrière pour les étudiants. C'était la marche vers l'infiniment petit, une marche qui, depuis plus de cinquante ans, n'a cessé de progresser. Ma proposition correspondait à des besoins : besoin de développer dans la province le secteur de la bactériologie sous un grand nombre de ses aspects médicaux et industriels, besoin de former des experts dans ce domaine, besoin de créer et de rendre toutes sortes de services pertinents à la santé publique et à l'industrie, besoin de mettre à la portée du gouvernement et des hôpitaux des produits essentiels et indispensables à une nation qui se veut moderne. On avait des exemples de telles institutions dans les pays scandinaves et en Belgique, pays dont les

---

1. Expression empruntée à Sir William Osler. Signifie savoir contrôler ses émotions, s'exercer à tout recevoir d'une âme sereine, mais d'une manière dynamique au contraire du stoïcisme qui est statique.

populations n'étaient pas nécessairement plus élevées que celle de la province de Québec avec ses trois ou quatre millions d'habitants. Enfin, cet institut allait répondre au besoin de soutenir la recherche grâce à une production nouvelle dans la province et dont les profits combleraient une lacune incon cevable, celle d'agences dispensatrices de fonds de recherche au Canada. D'une réalisation économique sortirait en même temps, et comme objectif principal, le support de la recherche en microbiologie appliquée à la santé publique, à l'industrie et aux autres secteurs.

Cas spécial de la Pharmacie Leduc

C'est la Société d'administration de l'Université de Montréal, probablement à la suggestion de monsieur Duplessis, qui résolut le problème majeur de localisation des nouveaux laboratoires de l'IMHM, dont une section allait servir à la production des anatoxines et vaccins. Dans le livre intitulé *Ce combat qui n'en finit plus*[2], on raconte en détail les péripéties de cette période.

Même avant la fondation de l'Institut, j'avais été demandé pour servir de consultant par les Pharmacies Leduc qui possédaient un laboratoire de vaccin antivariolique. Situé au nord de la rue Saint-Laurent, ce dernier se nommait Institut vaccinal de Montréal. Il avait été érigé, semble-t-il, depuis l'épidémie de variole qui avait ravagé Montréal surtout en 1885 et à la suite de laquelle le vaccin antivariolique devint obligatoire pour les enfants entrant à l'école dans la province de Québec.

La Pharmacie Leduc avait besoin d'aide pour résoudre certains problèmes techniques dans ce laboratoire. Monsieur Tassé et moi avons visité à plusieurs reprises cette institution, y avons donné des conseils sur la façon d'éviter la contamination par les anaérobies sporulés, pendant plusieurs années, la pulpe récoltée contenait souvent des bactéries anaérobies sporulées, absolument pas moyen de s'en débarrasser, à part quelques exceptions. Selon les règlements d'Ottawa, le vaccin ne pouvait être approuvé dans ces conditions.

Monsieur Tassé fut délégué dans des laboratoires américains à Boston, à « Antitoxin and Vaccine Laboratories », Jamaica Plain City Health Department, de même qu'au « New York City Laboratory of Health », en vue principalement de s'informer de la possibilité d'obtenir un vaccin antivariolique dépourvu d'anaérobies sporulés. La réponse fut que cela était impossible. Conclusion : la loi canadienne devait être retouchée et spécifier « dépourvu d'anaérobies sporulés pathogènes ». En fait, vers 1936, le règlement

---

2. A. STANKÉ et J.-L. MORGAN, Éd. de l'Homme, 1970.

canadien fut changé et le vaccin antivariolique fabriqué à l'Institut vaccinal devint acceptable.

L'Institut fondé, on acheta l'instrumentation et l'achalandage de cette petite industrie vaccinale des Pharmacies Leduc et on se mit à produire à notre propre compte le vaccin antivariolique sous la direction immédiate de Jean Tassé. Cette production ne devint suffisante que lorsque l'Institut eut construit en 1952 un laboratoire spécial sur son campus à Laval-des-Rapides. Ce laboratoire existe encore et a servi jusque vers 1972-1975 à cette fabrication.

La période d'attente de 1938 à 1941 n'était pas une période d'inactivité. Nos rapports avec l'Université furent étudiés et décrits dans un projet de charte qui fut réalisé avec l'appui de la Société d'administration de l'Université de Montréal. Les plans d'aménagement de nos laboratoires dans l'aile H furent approuvés par cette Société et le loyer fut fixé.

Achat d'un campus

Par ailleurs, en 1938-1939, les essais de production d'antitoxines à Oka par le docteur Maurice Panisset ne progressaient guère, même après que nous eûmes corrigé la production des anatoxines, faute d'écuries fonctionnelles et modernes. La guerre menaçait et l'Armée canadienne exprimait des besoins.

Le conseil d'administration de l'Institut était d'accord pour acheter au plus tôt une ferme, pas trop loin de la ville, sur laquelle on érigerait les bâtisses nécessaires à l'entretien des grands animaux, particulièrement des chevaux. Monsieur Tassé et moi-même avons parcouru presque 10 000 milles dans les environs de Montréal afin de trouver cet endroit idéal pour servir un jour, non seulement au logement des grands animaux, chevaux, veaux et autres, mais à l'érection d'autres bâtiments spécialisés.

Il ne faut pas oublier que la microbiologie se développait considérablement et que l'approche de la guerre imposait à cette discipline d'être prête à rendre service au pays et aux Alliés.

Parmi les nombreux emplacements visités, l'un des plus intéressants se trouvait le long de la rivière Richelieu, près de Chambly, à l'ouest de la rive. C'était un peu loin et il fallait traverser le pont Jacques-Cartier. Monsieur Armand Dupuis, président de l'Institut, avait entendu parler d'une ferme à Laval-des-Rapides. Elle était à vendre à un prix raisonnable et se trouvait près de Montréal car, une fois franchi le pont Lachapelle, à un mille de distance à l'est, le long de la rivière des Prairies, elle étalait ses deux arpents de largeur par dix-huit de profondeur. Le prix en était de beaucoup plus abordable que celui des autres fermes précédemment visitées. Dans mon idée, un jour, l'Institut y serait construit. Les laboratoires de l'aile H à l'Université ne serviraient que pour une période de départ.

Le devant de la terre entre le boulevard des Prairies et la rivière serait plutôt employé à la fois par la communauté de l'Institut et par la communauté civique, car on ne prévoyait pas que ce terrain pût être utilisable pour des laboratoires. Le premier tiers avant du nord du terrain servirait aux constructions qui s'imposaient : écuries d'hyperimmunisation et, quelque temps après, laboratoire du vaccin antivariolique, caveau et, plus tard encore, laboratoire d'immunoglobine humaine, etc.

Un campus sillonné de galeries à rats

Lors de l'achat de cette ferme à Laval-des-Rapides en 1939, on voyait derrière la maison du propriétaire et un peu en avant et à droite de la maisonnette du fermier, une grange assise sur un lit de pierres qui ne servait plus depuis longtemps. Elle était, pour ainsi dire, submergée de rats, à ce point que, lorsque le soir, les phares allumés, une automobile se présentait devant les portes doubles ouvertes, apparaissaient sur les ravalements des milliers et des milliers de rats qui grouillaient partout. Une des premières mesures fut d'octroyer un contrat à des spécialistes pour éliminer cette peste. Après enquête, ils nous avertirent que le terrain était sillonné jusque vers le haut d'innombrables galeries dans lesquelles circulaient entre 100 000 et 300 000 rats, d'après leur estimation. Ces experts nous conseillèrent de démolir la vieille grange et le lit de roches. Ils entreprirent d'enfumer ces galeries avec des poisons spéciaux. Cette population était entretenue, non seulement par la présence de cette écurie et des déchets accumulés de grains et d'animaux logés là, mais aussi par de nombreux rebuts ou animaux morts que l'on avait jetés sur le terrain inoccupé au nord de la ferme. Ce fut un succès complet de dératisation.

La maisonnette de notre fermier fut plus tard démolie et il vint habiter dans la maison de l'ancien propriétaire, monsieur Forest, le long du boulevard des Prairies, à l'entrée du campus.

Du côté ouest de cette maison, se trouvait une fenêtre en saillie qui prolongeait une pièce de moyenne grandeur. C'est dans cette pièce que, après l'achat de la ferme en 1939, l'Institut a tenu les toutes premières assemblées de son existence.

Après l'acquisition de terres avoisinantes, du côté est, l'Institut démolit cette maison de l'ancien propriétaire et logea le fermier dans une maison voisine plus moderne et faisant partie d'une terre nouvellement achetée.

Ce fermier, monsieur Hector Chartrand, compta parmi nos premiers employés. Il comprit tout de suite le sens des activités de l'Institut et mit tout en œuvre pour faciliter l'implantation des techniques, notamment en ce qui regarde le soin des animaux, grands ou petits. Il a montré des qualités extraordinaires pour la gérance et l'entretien de ce qui allait devenir le campus de l'Institut. Son honnêteté était exemplaire et son dévouement sans limite. Il était grandement secondé par sa femme et son fils Marcel qui lui a succédé au moment de la retraite.

Construction d'une écurie d'hyperimmunisation. Antitoxines

On se mit fébrilement à l'étude des plans de l'écurie qui fut construite en un rien de temps. Elle servait à l'entretien des chevaux (une vingtaine) en voie d'hyperimmunisation, à leur inoculation et leur saignée.

Le docteur Panisset obtint bientôt en quantité raisonnable une antitoxine diphtérique de titre acceptable. Ce ne fut jamais une tâche facile.

Cette écurie était située en haut de la côte montant du chemin de la Rivière-des-Prairies vers le nord. Elle était entourée de majestueux bouquets de tilleuls. Elle avait grande allure et l'air moderne, mais aussi champêtre, avec son comble français et ses grandes fenêtres. Dès 1940, cette écurie spéciale fut prête. Le projet de louer les établissements de la ferme d'Oka avait été abandonné, heureusement.

En pleine période de guerre, donc vers 1941, l'Institut, peu de temps après la construction de l'écurie en question, occupait aussi ses laboratoires à la Montagne. La production des antitoxines, du vaccin antivariolique et des anatoxines diphtérique et tétanique allait battre son plein.

Tous et chacun avaient mis la main aux premiers essais de vaccins et d'anatoxines. Ainsi, outre Lionel Forté et Victorien Fredette, pour les ana-toxines, Jean Tassé tentait aussi de mettre au point la fabrication du vaccin antityphique et antiparatyphique A et B. Il collectionnait des souches locales par l'entremise du Laboratoire provincial d'hygiène en relevant, de la part de chaque médecin, l'histoire de cas des patients correspondant à chaque souche. À cette époque, il s'adjoignit madame Jeanne Lapierre, infirmière devenue médecin, autrefois du laboratoire de l'hôpital Saint-Luc, qui était passée au Département de bactériologie de la Faculté de médecine de l'Université de Montréal. Ces premiers essais étaient déjà avancés lorsque l'Institut a déménagé à la Montagne. Quant au docteur Panisset, en charge de la production des antitoxines, il venait quelques jours par semaine et, bientôt, il s'adjoignit un assistant dans la personne de monsieur Paul Marois, vétérinaire, qui finit par jouer un très grand rôle dans l'Institut.

Les nouveaux laboratoires de l'Institut
à l'Université de Montréal à la Montagne

L'architecte Ernest Cormier bâtit les laboratoires de l'Institut en un rien de temps dans les ailes H6-7-8. L'Institut avait droit à la priorité AAA (triple A), soit la plus haute pour construction en temps de guerre. Dans les nouveaux laboratoires, à l'étage H6, une section, protégée et isolée par des corridors internes servait à la production et aux essais sur le BCG. On y utilisait en plus un laboratoire de recherche pour les travaux toujours croissants sur ce problème.

Il est bon d'ajouter que les nouveaux laboratoires, situés dans une aile éclairée d'un seul côté, le côté sud, devaient être tous vitrés : la lumière se projetait donc jusqu'au large corridor opposé et sans fenêtre, duquel on pouvait observer l'intérieur des pièces.

En plus d'une section sur le BCG, il y avait une section sur la diphtérie et les vaccins de la typhoïde, et une autre sur l'immunologie chimique. L'étage H7 était libre et on verra ce qu'il en advint pendant la guerre. Quant à l'étage H8, il comprenait la section des anaérobies, de la tuberculose expérimentale et bientôt d'antibiothérapie et une autre de purification.

L'Institut put aussi, dès la reprise de la construction de l'Université en 1942, obtenir l'utilisation de l'aile ouest adjacente à H6. On y avait commencé la production du vaccin antivariolique chez les veaux. L'ascenseur n'étant pas encore disponible, on montait les veaux au sixième étage à force de bras. Sur le même étage, le laboratoire de travaux pratiques des élèves de médecine et l'amphithéâtre de cours théoriques où furent créées les Micro-Hebdo-Actualités, conférences hebdomadaires avec discussion par nos chercheurs et aussi par nombre de savants d'Amérique et d'Europe, lesquelles ont duré plus de cinquante ans. Par la suite, ces réunions eurent lieu à la grande bibliothèque de l'Institut, à l'extrême ouest de l'édifice, suivie des bureaux du docteur Gilbert, sous-directeur de l'École d'hygiène (fondée en 1945), du mien, de mes secrétaires, de monsieur Rosaire Hudon, le trésorier. La salle de cours pour les élèves de l'École se trouvait face à ces bureaux.

Il est bien évident que cette association Institut-Département-École d'hygiène avait du bon tant que les institutions demeuraient modestes. Avec leur développement, et surtout quand l'Université, vers les 1960-1970, prit beaucoup d'essor, il fallut bien trouver d'autres locaux. On a fonctionné ainsi pendant plus de vingt ans. L'association des trois institutions ne pouvait qu'être profitable du point de vue économique. L'Institut disposait de sommes relativement considérables et n'hésitait pas à s'associer, pour la recherche, des membres des autres partenaires et à prêter son personnel pour l'enseignement. On a voulu insinuer en certains milieux qu'il exploitait les bienfaits de l'Université. C'est faux. On n'a qu'à examiner les chiffres des budgets du temps et le nombre de personnes affectées à l'enseignement pour se rendre compte que nous avons fait profiter tous nos collègues de nos possibilités. La quantité de publications conjointes témoigne de l'importance de l'apport de l'Institut à la conduite des recherches et à leur financement dans le milieu universitaire, alors très dépourvu. De plus, nous avons profité considérablement du nom de l'Université de Montréal et de son hospitalité dès le début et pendant plus de vingt ans.

L'Institut n'a jamais éprouvé que de bons sentiments à l'égard de l'Université de Montréal. S'il a quitté l'Université, c'est à la demande de cette dernière, son besoin d'espace s'étant accru à cause de son développement entre les années 1960-1970. Elle était représentée par le recteur Mgr Irénée Lussier.

L'Institut avait essayé à deux reprises de soumettre un mémoire à l'Université en vue de rechercher une solution qui l'unirait de façon convenable à cette dernière. Il n'a pas reçu de réponse. Il semble que l'Université de Montréal ne pouvait pas trouver de solution pratique en faveur de l'Institut. Car il s'agissait, bien entendu, de l'aspect production et commerce dont plusieurs semblaient se scandaliser.

L'Institut est donc installé chez lui, il paie le loyer et les services à l'Université. Il est le premier à occuper l'immeuble selon des plans compatibles avec ceux qui suivront bientôt pour le reste de la bâtisse. En 1941, il semble bien qu'il contribue ainsi à fixer définitivement le sort de cette grande construction dont même les gouvernements avaient hésité à reconnaître qu'elle servirait un jour d'université.

Les premiers artisans de l'Institut

On a parlé précédemment des premiers élèves qui vinrent de la Faculté des sciences pour étudier au Département de bactériologie de la Faculté de médecine. Ils désiraient obtenir un enseignement équivalent à celui d'un certificat, tel que défini à la Faculté des sciences, pour compléter leur licence ès sciences faite de trois certificats en des matières différentes. Ce fut l'une des raisons qui m'incitèrent à demander à la Faculté de médecine de fonder le certificat de bactériologie qui eut beaucoup de vogue en ces années et préluda à la fondation de la maîtrise ès sciences et du Ph.D. en bactériologie.

Il est raisonnable de conclure que Fredette, Forté, Tassé et Panisset furent avec moi à l'origine de l'Institut (même si leur nom n'était pas déjà porté au budget de l'Institut), s'y intéressèrent avant sa fondation officielle et, à toutes fins pratiques, poursuivirent leur service tous ensemble vers la pleine réalisation de l'œuvre, le jour de l'incorporation, c'est-à-dire le 31 mars 1938.

Cette équipe, attachée à l'Institut par toutes ses fibres, en devint, par sa persévérance, sa compétence, l'artisan de ses succès du début et durant les quelques décennies qui suivirent.

Les premiers scientifiques de l'Institut

Victorien Fredette

Monsieur Fredette possédait un physique agréable. Son humeur reflétait la jovialité de son caractère. Ses petites colères duraient peu. Il excellait dans les histoires drolatiques. Bourreau de travail, il a accompli une œuvre scientifique considérable touchant divers aspects de sa discipline. Il maniait la langue anglaise aussi aisément que la langue française. Il apprit l'allemand et devint bientôt professeur en cette langue pour ses collègues, dont moi-même. Il lisait beaucoup. Sa mémoire phénoménale le trompait sur le plan du calendrier, c'est-à-dire des dates, là où je lui damais le pion. Dans l'expérimentation de la tuberculose, le chronométrage compte, car il peut s'écouler beaucoup de temps entre la mise en marche d'une expérience chez les animaux et le moment de sa terminaison par des autopsies ou autrement. Fredette avait tendance à passer outre, peut-être se fiait-il sur l'instinct de son maître et bientôt de son collègue.

Fredette, doué des plus belles qualités d'expérimentateur, à la fois dans la conception et dans la réalisation des expériences, maniait la technique en maître, comme une seconde nature. Il devint pour moi un collègue précieux. Ensemble, et au début de l'Institut, nous fréquentions la bibliothèque médicale de la Faculté de médecine de l'Université McGill pendant des soirées entières jusqu'à l'heure de la fermeture. Nous avons établi des bibliographies — pensons par exemple à celles du phénomène de Koch et de l'hypersensibilité — qui contiennent des centaines et des centaines de titres et de références; nous avons publié les premiers travaux au Canada sur l'innocuité et l'efficacité du BCG chez les animaux, travaux présentés d'abord à l'Associate Committee on Tuberculosis Research on BCG du Conseil national de recherches.

De 1934 à 1947, nos publications ont servi à rétablir dans notre pays la confiance envers le BCG après le drame de Lübeck survenu en 1930. Les écrits de Fredette, publiés ou non publiés, ont été condensés et reliés. Au cours de la guerre, nous entreprîmes en plus des recherches sur la gangrène gazeuse que Fredette poursuivit seul par la suite. Il avait réussi auparavant à bâtir sa thèse de doctorat, sous ma direction, sur le facteur déchaînant, thèse présentée à la Sorbonne qui lui valut le titre de docteur (doctorat d'État) de l'Université de Paris. Cette thèse contient les principes qui ont guidé son expérimentation jusqu'à la fin de sa vie. Il devint un expert dans les anaérobies. Après des études sérieuses chez Prévôt à l'Institut Pasteur, il créa un département important sur les anaérobies à l'Institut. En 1967, il y organisa un congrès international des spécialistes en anaérobiose qui vinrent pour la plupart passer plusieurs jours à discuter de leurs problèmes à l'Institut même. Les résultats en furent publiés dans un volume. Il faut ajouter aussi que Fredette ne se contentait pas d'expérimentation superficielle. Il répétait jusqu'à dix fois l'expérience avant d'être convaincu de la justesse des conclusions.

Non seulement s'est-il révélé expérimentateur chevronné, mais il fut un professeur couru que les élèves aimaient et un directeur de thèse également estimé. Il garda son poste de professeur à la Faculté de médecine jusqu'à la fin de ses jours.

Fredette, malgré certains ennuis, a toujours donné un exemple de sérénité. Il a voué sa vie à l'Institut. Sa perte fut vivement ressentie quand elle survint soudainement en 1975. En sa mémoire, l'Institut a créé la Conférence Victorien-Fredette présentée annuellement.

Fredette avait épousé une femme charmante, Berthe Latourelle. Ils étaient très dévoués l'un envers l'autre. Ils eurent deux fils. Madame Fredette survit à son époux. Elle garde toujours sa gentillesse et sa bonne humeur.

Lionel Forté

Monsieur Lionel Forté, lui aussi, était pharmacien. J'avais eu la chance de me l'associer en 1934 comme assistant dans mes laboratoires de l'hôpital Saint-Luc et de le prendre ensuite comme élève en bactériologie l'après-midi, à l'Université de Montréal. Il obtint son certificat de bactériologie, sa licence et sa maîtrise ès sciences à la Faculté des sciences de l'Université. Forté jouissait d'une humeur exceptionnelle. Il devint bientôt évident qu'il transcendait dans l'ordre technique, comparable en cela à Roux, de l'Institut Pasteur. Rien qu'à la manière dont il tenait sa pipette, on reconnaissait le parfait technicien. Nous avons présenté un travail de tuberculose expérimentale chez les cobayes au Congrès international de New York en 1939, le premier congrès international auquel aient participé des bactériologistes du Québec. Je faisais partie de l'organisation canadienne de ce congrès.

Grâce à sa précision et à son habileté, Forté réussit d'abord la préparation très difficile de l'anatoxine diphtérique et du vaccin de la coqueluche et prit ma place pour la préparation du BCG. Avec ses grandes qualités et son souci de l'exactitude, il était tout désigné pour devenir le contrôleur des produits biologiques, poste qu'il a occupé pendant des années à la grande satisfaction de l'Institut et du ministère de la Santé à Ottawa. Je considère comme un record le fait que, en quarante ans, on n'ait jamais subi d'ennuis quant à la pureté des produits et à leur stérilité, grâce à sa vigilance et à son expertise. Les assistants qu'il a formés sont restés marqués par cette formation disciplinaire, je pense en particulier à monsieur René Leclerc, qui est devenu lui aussi un homme de confiance à cause de sa technique éprouvée. Je pense également à monsieur J.-C. Paquette, qui a succédé à monsieur Forté dans la préparation du BCG et l'entretien de la souche.

Forté a perdu sa première épouse, Olinde Taillon. Ils eurent trois enfants : deux fils et une fille. Il s'est remarié à Suzanne Joyal dont il eut un fils et une fille. Sa femme a des qualités exquises. Elle a su relever le courage de son cher époux et l'introduire à une vie nouvelle. Elle est mère et grand-mère bien-aimée.

Maurice Panisset

Le docteur Maurice Panisset, vétérinaire, professeur de bactériologie à l'École vétérinaire de la Trappe d'Oka, apportait à mon équipe des connaissances très étendues sur la microbiologie humaine et vétérinaire. De plus, il avait l'art de se faire des amitiés parmi les personnalités scientifiques dans toutes les parties du monde. Il était apprécié comme professeur et conférencier. Ses connaissances sur les maladies des animaux et sur la tuberculose expérimentale étaient très étendues. Il s'était intégré sincèrement dans l'équipe et y est resté jusqu'à ma démission comme doyen de l'École d'hygiène de l'Université de Montréal alors qu'il m'a remplacé à ce poste. À la suite de l'extension des trois unités, celle du Département de bactériologie de l'Université de Montréal, de l'École d'hygiène et de l'Institut, une nouvelle répartition des charges de direction s'imposait.

J'ai voyagé quelquefois avec le docteur Panisset : un compagnon de voyage exceptionnel et des plus intéressants. Ses relations avec un grand nombre de savants en faisaient un collègue des plus précieux. Ses idées originales donnèrent lieu à plusieurs projets de recherche et à plusieurs publications.

Madame Panisset, née Andrée Lavergne, survit à son époux. Elle est un modèle de mère de famille. Son caractère calme et effacé en faisait une épouse toute désignée pour Panisset, d'un naturel plutôt vif. Ils ont été gratifiés de trois filles et de deux fils qui brillent aujourd'hui, chacun et chacune dans leur domaine.

Jean Tassé

Monsieur Jean Tassé, arrivé quelques mois avant la fondation de l'Institut en 1938, venait d'obtenir sa licence ès sciences chimiques à la Faculté des sciences de l'Université de Montréal. Je pensais me l'adjoindre comme économe et assistant. Le certificat de bactériologie lui fut décerné, ainsi qu'à ses autres collègues, et, plus tard, la maîtrise ès sciences de la même université. Mais monsieur Tassé s'est rapidement révélé d'une extraordinaire habileté dans l'ingénierie des techniques et des instruments scientifiques et dans la construction et l'aménagement de laboratoires. En somme, lorsqu'il s'est agi de passer du laboratoire expérimental à une application plus développée ou industrielle, ou encore à une utilisation sur grande échelle, que ce soit pour le diagnostic ou pour la production, monsieur Tassé voyait loin et ne se trompait guère. Le domaine du laboratoire n'avait rien d'inconnu pour lui. Il a grandement contribué au développement de l'Institut du côté technique et matériel.

Madame Tassé, née Jacqueline Fortier, fait le bonheur de son mari et de ses deux filles. Cette dame, d'apparence toute jeune encore, ne perd jamais le sourire. Ce couple est toujours en pleine vie.

Adrien-G. Borduas

Monsieur Adrien-Gaillard Borduas était étudiant quand l'Institut fut fondé. Cependant, comme il devait gagner ses cours, l'Institut lui a offert un travail relatif aux soins des animaux du BCG qu'il accomplit à la perfection. En outre, l'Institut comptait sur lui pour développer la chimie immunologique. Il s'agissait alors d'une discipline complètement nouvelle et promise au développement. Monsieur Borduas fit des études non seulement à l'Université de Montréal, mais à l'Université McGill, à Harvard, à Berkeley, en Californie et, finalement, à l'Institut Pasteur. Il fut un fidèle collaborateur dans les matières d'enseignement, de formation d'étudiants à la maîtrise et au doctorat, dans la mise au point de techniques difficiles comme celles du facteur 8 du plasma sanguin, de la gramicidine et de la pénicilline. Une conscience scientifique très sûre le caractérisait. Elle l'empêchait souvent d'aller vite, mais il était certain de ne pas se tromper. Il nous servait de conseiller scientifique dans le domaine de la physico-chimie et son apport fut des plus précieux dans le développement de l'Institut.

Madame Borduas, née Marcelle Turgeon, lui survit, ainsi qu'un fils et une fille. J'ai gardé d'elle le souvenir d'une femme remplie de charme et qui a su parfaitement s'accommoder au caractère taciturne de son mari.

Paul Marois

Plus tard, une deuxième génération de collègues se sont ajoutée à ceux que nous venons de nommer. Il s'agit d'abord du docteur Paul Marois, élève et collègue du professeur Maurice Panisset, à l'École vétérinaire et à l'Institut. L'un des premiers problèmes sérieux de sa carrière à l'Institut fut celle du soin des singes. On n'a pas idée du problème que posait l'arrivée soudaine de 1 600 singes macaques pour les besoins du vaccin de la poliomyélite. Personne au monde n'avait eu l'expérience de manipuler pareille quantité de singes à la fois. Il fallut réduire les pertes, conditionner la nourriture et la vie de ces animaux. Marois et ses collègues vétérinaires furent des héros; en un temps record, ils ont trouvé les solutions et ont évité des désastres à l'Institut. On pourrait dire beaucoup plus, relativement à l'œuvre de Marois et de ses collègues. Mentionnons seulement qu'ils réussirent à éliminer les maladies intercurrentes chez les poules, les cobayes et les lapins, maladies très ennuyeuses, particulièrement chez ces deux derniers, dans l'expérimentation antituberculeuse. Une perte importante d'animaux par maladies intercurrentes rendait difficile l'analyse statistique des résultats. Marois et ses collègues ont accompli beaucoup d'autres exploits.

J'avais une secrétaire dévouée et attrayante : Madeleine Bourdeau. De nombreux visiteurs fréquentaient mon antichambre. L'un d'eux était mon collègue Paul Marois. Ils se sont mariés, eurent six enfants, quatre filles et deux fils. Ils sont grands-parents aujourd'hui. Nous sommes restés en relations amicales depuis toujours. Madame Marois n'a pas perdu les qualités qui la distinguaient. Ils forment une famille modèle.

Vytautas Pavilanis

Le docteur Vytautas Pavilanis partit un jour de sa lointaine Lituanie avant la guerre, devint médecin d'hôpitaux en Allemagne pendant la guerre, fut victime dans sa famille des troubles qui ravagèrent son pays, aboutit à l'Institut Pasteur de Paris où il étudia la virologie sous le maître Pierre Lépine, qui le choisit et lui conseilla l'Institut de Montréal où la création d'un tel service était envisagée. Monsieur Pavilanis arriva vers les 1947 et on lui doit l'organisation de ce centre devenu l'un des plus importants de l'Institut. Pavilanis eut à régler les plus grands problèmes qui se présentèrent à cette date en virologie. D'abord, la culture des virus, c'est-à-dire l'application de la découverte d'Enders; ensuite, des recherches sur l'épidémiologie de la poliomyélite, commencées même avant la connaissance de la culture et des types de virus. Puis, la fabrication du vaccin contre la poliomyélite, contre la grippe, le développement du laboratoire de diagnostic des maladies à virus pour tout le

Québec, une nouveauté qui n'existait alors qu'à un endroit au Canada, soit en Ontario.

Il est indéniable que, comme mes autres collègues, Pavilanis était pourvu de qualités extraordinaires, scientifiques et techniques, d'un esprit d'équipe qui constitue force et persévérance et explique les succès et les grandes réalisations depuis plus de cinquante ans à l'Institut.

Madame Pavilanis, née Irène Stencelis, a subi de nombreuses épreuves dans sa famille, en Lituanie, par suite de la guerre. Elle s'est échappée et s'est retrouvée à Paris. Le docteur Pavilanis l'a rencontrée et épousée. Il travaillait alors à l'Institut Pasteur. Ils forment un couple admirable, se sont adaptés rapidement au Canada et à la vie montréalaise. Ils ont élevé trois filles et un fils qui font le bonheur de leurs parents.

Jeannine Beaudoin

Elle s'est identifiée à l'Institut dès ses débuts et pendant trente-sept ans, elle y a travaillé comme sténodactylo et secrétaire. Elle en a connu et vécu les stades successifs. Elle lui a tout donné, moins ce qu'elle a toujours réservé, et à bon droit, à sa famille, en particulier, à sa mère invalide et à sa sœur, artiste renommée. C'est aux personnes de sa compétence que l'Institut doit sa présente respectabilité.

Elle devint chef de cabinet du directeur et secrétaire d'assemblée, secrétaire-archiviste, secrétaire général et finalement, registraire et directeur des archives. Ses qualités professionnelles, personnelles, sa bonne humeur, ses relations cordiales avec ses collègues et l'ensemble du personnel, sans compter ses qualités de discrétion et d'adaptation à de nouvelles responsabilités, nous la font considérer comme l'une des pionnières de l'œuvre de l'Institut.

Rosaire Hudon

Il a compté trente-trois ans de service à l'Institut. Il prit sa retraite en 1973. Il est décédé en 1989. Né à Hébertville, au Lac-Saint-Jean, d'une famille de vingt-deux enfants, dont onze sont restés vivants, il a travaillé dans un bureau d'avocats, comme comptable pour des fiduciaires, comme enquêteur spécial au bureau de l'Auditeur de la province, comme assistant-directeur au bureau d'emploi de l'Aluminium Company à Arvida et fut recommandé à l'Institut de microbiologie et d'hygiène en 1941 par Stuart McNicholl alors administrateur de l'Université de Montréal. Jamais il n'a été pris en défaut par nos vérificateurs. Nous rendions compte à la « cenne » de nos dépenses de diverses sortes et de nos revenus. Il était secondé par un comptable d'expérience, monsieur Roy, trop tôt ravi au début de sa retraite.

Comme je le disais : « Nous avons fait un beau et long voyage. » Ce n'est qu'avec de la sagesse et de la prévoyance que l'on voyage bien, c'est La Fontaine qui l'a dit.

Les administrateurs

Il n'est pas permis de clore ce chapitre sans parler des hommes d'affaires et des administrateurs de l'Institut qui, bénévolement, ont persisté, souvent dans les plus grandes difficultés, à mener la barque de l'Institut à bon port. Ils avaient non seulement à décider de matières financières, mais aussi de matières techniques. Car enfin, ils ne pouvaient s'engager dans les dépenses qu'exigeait le développement de l'Institut sans comprendre les pourquoi. En un mot, il ne fallait pas s'aventurer dans des impasses. Ils ont fait les démarches voulues auprès des intéressés et ont soutenu le directeur.

Les premiers présidents, messieurs Armand Dupuis et Alban Janin, n'ont pas eu le temps de pousser bien loin leur détermination de faire de l'Institut un succès. Un membre en particulier, le notaire René Morin, fut associé longtemps à l'Institut, jusqu'à sa mort. Son calme et sa grande connaissance de la finance nous ont été d'un apport précieux, sans compter son jugement solide et serein.

Le président à qui l'Institut est particulièrement redevable est certainement l'honorable Édouard Asselin qui se dévoua envers l'Institut pendant vingt-sept ans et lui rendit d'énormes services. Sous sa responsabilité, l'Institut prit un développement extraordinaire. Il ne craignait rien. Le directeur le connaissait bien et savait que lorsqu'il posait une question, cela voulait dire beaucoup plus que la question elle-même. Il fallait que tout fût clair. Il savait concilier les différents avis de ses collègues. L'Institut lui devra d'avoir atteint sa période de maturité en accroissant ses moyens et son œuvre.

Monsieur Eugène Doucet, s'est vraiment donné à l'œuvre. Il dirigeait une imprimerie très importante et son rôle dans la naissance et le développement de l'Union nationale le tenait près de monsieur Duplessis. Il n'a rien ménagé auprès de ce dernier pour l'inciter à accepter l'idée de la fondation d'un tel organisme et d'une première subvention de départ. Il est resté fidèle à l'Institut même quand ce dernier, quelque temps après, vit ses anciens administrateurs éliminés. Sur invitation, il revint et continua pendant plusieurs années à y rendre des services sans condition. Sa mémoire est impérissable.

Plus récemment, notre institution a eu l'honneur et la chance de compter comme présidents : messieurs André Charron, de Lévesque, Beaubien Inc.,

Camille A. Dagenais, de la SNC, et Guy Dufresne, de Consolidated Bathurst Inc., hommes des plus réputés de la finance à Montréal et au Canada. Eux aussi l'ont pris à cœur et l'ont fait monter au plus haut degré par l'apport de leur jugement et de leur expérience d'hommes d'affaires renommés.

Variation des structures de l'Institut. Un nouveau directeur

De 1938 à 1942, l'Institut de microbiologie et d'hygiène de Montréal se présentait comme une société sans but lucratif fondée selon la troisième partie de la *Loi des compagnies* de la province de Québec. En 1942, il prit le nom d'Institut de microbiologie et d'hygiène de l'Université de Montréal et fut incorporé selon une loi spéciale du Parlement provincial. Sans entrer dans le détail, il se trouvait lié jusqu'à un certain point avec la Société d'administration de l'Université de Montréal et non pas avec l'Université directement. Cette société avait certains pouvoirs de nomination des administrateurs et de contrôle du budget, mais non pas du bilan! Quand la Société d'administration fut dissoute, l'Institut se trouva, pour ainsi dire, orphelin. En 1972, fut recréé l'Institut de microbiologie et d'hygiène de Montréal. Mais, dans les années qui suivirent, il devint, sous la pression du gouvernement, la huitième constituante de l'Université du Québec selon la loi de cette université.

Les activités de l'Institut se développaient dans de grands services : anaérobies, immunochimie, virologie, épidémiologie et médecine préventive, médecine comparée. Relevant de ces services, divers laboratoires spécialisés conduisaient des travaux de recherche ou produisaient des services pratiques : cancérologie, immunodiagnostic, histocompatibilité, tuberculose expérimentale, physiopathologie et lèpre expérimentale, histologie, microbiologie alimentaire, microbiologie du bois, microscopie électronique, BCG, culture de tissus et milieux de culture, produits biologiques, etc.

L'Institut, en 1974, avait atteint une maturité de plus en plus reconnue. De nouveaux développements s'annonçaient; la science ne cessait de progresser, la microbiologie en particulier. Des voies nouvelles s'ouvraient ou s'élargissaient. Il devait s'y engager.

Le docteur Aurèle Beaulnes. Son œuvre

J'étais à la barre depuis 1938. J'avais soixante-dix ans. Comme je voulais démissionner à soixante-cinq ans, on m'a demandé de rester pour guider le passage de l'Institut dans l'Université du Québec. J'y réussis et lorsque tout fut accompli, je résiliai mon contrat et remis ma démission, gardant le titre de conseiller du nouveau directeur.

Mais qui allait être ce nouveau directeur? En quittant, j'avais exprimé clairement au conseil d'administration que je me détachais complètement de toute administration et que je terminerais mon contrat en travaillant à demi-temps au classement des archives scientifiques et aux relations publiques de l'Institut et peut-être à la rédaction de mes mémoires. Qui donc chausserait mes bottes?

L'administration et l'Université du Québec convinrent que le nouveau directeur devait être reconnu pour son œuvre scientifique, pour ses talents d'organisateur et d'administrateur. Sa spécialité ne devait pas être non plus trop éloignée de la microbiologie.

On jeta les yeux sur le docteur Aurèle Beaulnes, médecin, pionnier de la pharmacologie au Québec et au Canada, ayant fréquenté les écoles les plus renommées d'Amérique et d'Europe, ayant implanté cette science dans diverses universités de la province de Québec et à Ottawa. Sa contribution scientifique consistait déjà dans la publication d'au moins 50 articles originaux, sans compter près de 100 communications de même nature. Il avait dirigé une dizaine de thèses de doctorat et de maîtrise.

Il s'était ensuite tourné (1967-1968) vers l'administration de la recherche dans les grandes agences canadiennes de recherche, les fondations privées, ainsi que dans la rédaction de journaux scientifiques.

En 1971, il crée, à la demande des autorités fédérales, une nouvelle structure administrative, soit le ministère d'État aux Sciences et à la Technologie qu'il met sur pied à titre de sous-ministre.

Le docteur Beaulnes est donc un créateur et un rénovateur. En 1974, il est nommé à la direction. Sous son impulsion, le budget de l'Institut a progressé jusqu'à doubler en 1986, pour atteindre les 26 millions de dollars. Le personnel est passé de quelque 300 à plus de 500 personnes.

Il a aussi procédé à la réorganisation scientifique et administrative et orienté davantage la recherche vers la biotechnologie moderne ayant doublé le rendement de la recherche en quelques années. En effet, le nombre de publications originales atteint annuellement la centaine. Il a créé deux enseignements des deuxième et troisième cycles en virologie et en microbiologie appliquée, parmi les seuls du genre au Canada, ce qui confère une originalité remarquable à l'enseignement de l'IAF.

Désormais, la poursuite simultanée de ces orientations s'effectuera dans six centres de recherche : bactériologie (microbiologie appliquée), virologie, immunologie, épidémiologie et médecine préventive, médecine comparée, sciences appliquées à l'alimentation. Chaque centre est administré par un directeur choisi pour son œuvre scientifique et ses capacités administratives.

Une certaine liaison existait aussi entre le Centre d'irradiation et l'Énergie atomique du Canada Ltée qui en a assumé une partie des coûts de construction et d'opération. Ce centre à but non lucratif, dirigé par monsieur Marcel Gagnon, Ph.D., O.Q., est lui-même lié par le truchement de l'Institut à une subsidiaire à but lucratif, appelée IAF Biopreserv inc. dans laquelle l'Institut était à 50 pour cent avec la maison Lavalin[3] et dont l'objectif est de mettre à profit les découvertes provenant des laboratoires du Centre d'irradiation.

En 1978, l'Institut avait établi la Fondation Armand-Frappier, destinée à recueillir des donations en faveur de la recherche à l'IAF. De 1983 à 1987 inclusivement, les contributions annuelles de la Fondation ont été de :

53 270 $; 136 318 $; 184 688 $; 177 471 $; 217 558 $.

L'état des activités de l'IAF en 1986

Outre ces quelques mots exposant les réalisations du nouveau directeur, le docteur Aurèle Beaulnes, j'aimerais faire le point sur l'Institut tel qu'il est aujourd'hui.

Les vingt-quatre édifices de l'Institut couvrent une superficie totale de plus de 350 000 pieds carrés. Plus de cinq cents personnes y travaillent à temps complet et comptent, entre autres, quatre-vingt-dix scientifiques ou professionnels, autant de techniciens et techniciennes diplômés et plus de cent étudiants du niveau gradué, quinze stagiaires de recherche ou étudiants postscolaires.

Pour l'année 1985-1986, d'après le Rapport annuel, le budget de fonctionnement de l'IAF s'élève à plus de 22 millions de dollars. Ce budget provient de trois sources :

a) le ministère de l'Éducation du Québec;
b) les Conseils, Fondations et Programmes d'aide à la recherche des secteurs publics et privés;
c) la production de biens et services divers. L'IAF doit trouver lui-même 55 pour cent de ses revenus, ce qui constitue en soi une grande originalité.

L'avantage de la production n'est pas seulement d'apporter un certain surplus utilisable par l'Institut à ces fins, mais aussi d'offrir à une bonne partie de ses chercheurs des problèmes de médecine préventive ou de nature in-

---

3. *SNC-Lavalin depuis 1991.*

dustrielle. Ne disait-on pas de Pasteur qu'il allait chercher ses problèmes dans le fond des cuves de fermentation! Pourquoi se scandaliser de ce que les chercheurs trouvent et résolvent des problèmes de recherche dans la production des vaccins et des antitoxines ou autres produits biologiques qui sont perpétuellement sujets à changer et à être perfectionnés? Il ne faut pas l'oublier, bientôt le mode de préparation des vaccins actuels changera radicalement. On se dirige vers les vaccins de nature chimique. Et c'est là que la recherche est importante.

La recherche a, depuis les débuts de l'Institut, produit plus de 1 700 publications, sans compter plusieurs volumes, des dizaines de brevets et quelques films. Le spectre des intérêts de l'institution dans la recherche s'est beaucoup élargi depuis les dernières années. Il dirige au-delà de cent projets de recherche, regroupés en programmes multidisciplinaires et orientés vers divers aspects de la médecine préventive, humaine ou vétérinaire, tant infectieuse (nouveaux vaccins bactériens et viraux, épidémiologie et pathogénèse des infections virales, etc.) que non infectieuse (cancers, maladies chroniques, etc.), vers certains secteurs de pointe du diagnostic viral et de la thérapeutique et vers l'exploitation économique de certaines ressources naturelles.

L'Institut a fait des pas de géant dans l'enseignement des deuxième et troisième cycles. Depuis son entrée dans l'Université du Québec, il a obtenu le droit de dispenser un cours de maîtrise et de doctorat en virologie. Il vient récemment d'offrir aussi un cours de maîtrise en microbiologie appliquée qui sera suivi par la possibilité d'obtenir le doctorat. Il reçoit toujours des étudiants des deuxième et troisième cycles d'autres universités dans ses laboratoires où ils accomplissent leurs travaux de thèses sous la direction de professeurs approuvés par ces universités : Université de Montréal, Université de Sherbrooke, Université du Québec, Université McGill. Les diplômes sont délivrés par les universités respectives.

Madame Louise B. Vaillancourt, présidente de la Fondation Armand-Frappier

Ce n'est pas d'hier que j'ai voulu associer les hommes et les femmes de recherche aux hommes et aux femmes d'affaires. Dès la fondation de l'Institut de microbiologie et d'hygiène (devenu en 1975 Institut Armand-Frappier), je réunissais chercheurs, universitaires, hommes d'affaires, journalistes, dont le plus grand nombre me sont restés associés jusqu'à la fin de leurs jours. Dans le temps, on disait « hommes d'affaires ». Mais j'avais aussi eu la chance de m'associer à des « femmes d'affaires » dans une œuvre, la « Clinique BCG de Montréal » dont la fondation et la direction revenaient à des femmes de grand sens social mais aussi connaissant l'art de garder les pieds sur terre, c'est-à-dire l'art des affaires.

C'est donc à cette Clinique, dirigée par madame Simone David-Raymond, que j'eus le grand honneur de faire la connaissance de madame Louise Vaillancourt, une de ces femmes remarquables faisant alors partie comme moi du conseil d'administration.

C'est à compter de ce moment, il y a déjà plus de trente ans, que Louise Vaillancourt entra dans une carrière fulgurante au sein de conseils d'administration parmi les plus prestigieux du Canada : Bell Canada, Banque Nationale, Carling O'Keefe, Woolworth, Conseils des provinces unies, sans compter le poste de gouverneur public de la Bourse de Montréal. Ces tâches ne suffisaient pas encore à combler son besoin dévorant d'action. Son rêve la portait vers les œuvres sociales, là où son cœur et son expérience des affaires trouvaient satisfaction à rendre service aux enfants de l'hôpital Marie-Enfant, mais aussi à des œuvres en faveur de la famille, comme l'Institut Vanier, à des œuvres universitaires, car elle fut gouverneur de l'Université du Québec pendant quelques années.

Elle a dit déjà : « Au sein du milieu des affaires, mes réactions sont souvent d'ordre social. Quand je suis assise du côté des institutions, je parle chiffres. Pour ramener les rêves au plan de la réalité, tout simplement. » Puisqu'elle me connaissait depuis longtemps comme administrateur et scientifique, elle n'hésita pas à accepter un poste au conseil d'administration de l'Institut Armand-Frappier. Quand on établit la Fondation Armand-Frappier, son dévouement la porta à en assumer la présidence. Pendant plus de dix ans, elle se donna corps et âme, d'année en année, aux campagnes de souscription de la Fondation en faveur de la recherche à l'Institut.

On constate ainsi les dimensions exceptionnelles de son sens social et de sa volonté sans limite d'aider les autres dans les domaines diversifiés des soins médicaux à l'enfance et à l'adolescence, du bien-être de la famille et du mouvement technologique très avancé en microbiologie à l'IAF.

On ne saurait que s'incliner devant une carrière aussi altruiste ni trop remercier son mari, monsieur Paul Vaillancourt, qui, jusqu'à sa mort en 1990, l'a soutenue et encouragée.

Me Pierre-Yves Châtillon, gendre de madame Vaillancourt, l'a remplacée à la présidence de la Fondation.

Chapitre cinquième

La recherche biomédicale

L'Institut de microbiologie et d'hygiène, devenu l'Institut Armand-Frappier (IAF) en 1975, a toujours présenté dans les trois ou quatre chartes qui ont jalonné ses cinquante ans d'existence, les mêmes objectifs dans l'ordre d'importance suivant : la recherche orientée ou appliquée dans les domaines de la microbiologie biomédicale, industrielle et écologique, faire servir son personnel et ses laboratoires à l'enseignement supérieur de cet aspect de la microbiologie (2e et 3e cycles), établir certains services à la collectivité dans les domaines déjà mentionnés et enfin, développer la fabrication de produits biologiques dont les profits de la vente doivent retourner au soutien de la recherche.

Avant 1972, l'Institut était divisé en département de recherche et en services. Après cette date, les chercheurs furent regroupés en six centres; un pour chacune des disciplines suivantes : bactériologie, virologie, immunologie, épidémiologie et médecine préventive, médecine comparée et enfin, sciences appliquées à l'Alimentation (CRESALA).

Au cours des prochains chapitres, je rapporterai les réalisations de l'IAF dans chacun de ces domaines.

Il ne serait pas possible de rappeler dans ce sous-chapitre tous les résultats scientifiques et les découvertes qui ont couronné les recherches multiples entreprises à l'Institut depuis cinq décennies et qui ont donné lieu à plus de 1 700 publications originales dans les journaux médicaux et scientifiques renommés.

Utilisant une terminologie plutôt profane, j'en exposerai simplement les résultats et les conséquences pratiques surtout pour la médecine préventive. Je n'insisterai pas sur le détail des mises au point techniques qu'ont exigées les nouvelles découvertes et l'étude des nouveaux produits : la culture des virus, les vaccins Salk et Sabin, le vaccin antigrippal, les développements et la culture des tissus, les cultures en profondeur ou dans les fermenteurs, l'utilisation des radioisotopes, le microscope électronique et les centaines d'autres problèmes de mise au point qui sollicitèrent l'attention et la patience de nos chercheurs.

Recherches en bactériologie

Dans les années 1930-1938, il était difficile de prévoir que la bactériologie, avec à peine cinquante ans d'existence et présentant une explication de la nature des plus originales, donnerait naissance à la virologie, l'immunologie, l'immunochimie, la génétique moderne et à d'autres sciences connexes, comme l'enzymologie, la cancérologie, parce que ces dernières n'existaient qu'à l'état embryonnaire. En outre, il n'était pas question de parenté entre ce que l'on croyait des espèces, entités tout à fait distinctes, car la spécificité régnait en maître. La microbiologie a résulté de la complémentarité de toutes ces disciplines, dont l'autonomie stricte s'avère des plus relatives et n'est pas désirable au point de vue scientifique.

Rien de surprenant à ce que les *premiers* travaux de l'Institut, ceux qui ont porté sur la tuberculose en particulier, sur la gangrène gazeuse, sur les anaérobies dans la nature, de même que ceux qui portèrent sur les facteurs de surface chez les bactéries, sur leur rôle pro-infectieux et quelquefois immunisant, aient été orientés dans le sens selon lequel on concevait alors la bactériologie, la prévention spécifique.

Mais bientôt, et surtout après la guerre, sous l'effet de la recherche, la bactériologie a commencé à se diversifier. La direction des recherches devait tenir compte de l'apparition de l'ère des antibiotiques. Il fallait, pour ainsi dire, prédire l'avenir. C'est ce que l'Institut a fait quand il a donné de l'importance aux travaux sur la virologie, l'immunologie, la médecine préventive et l'épidémiologie, de même qu'à la bactériologie vétérinaire qui se développait dans le même sens que la bactériologie humaine et donnait lieu aux mêmes spécialisations.

BCG et tuberculose expérimentale

Dès le début de 1933, notre premier devoir à mes collègues et à moi-même exigeait de faire la preuve de l'innocuité de la souche du BCG que j'avais apportée de l'Institut Pasteur de Paris, ainsi que de son efficacité chez l'animal d'expérimentation. Nous devions rendre compte de nos travaux à l'Associate Committee on Tuberculosis Research du Conseil national de recherches du Canada, comité qui avait été formé en 1924-1925, et auquel on m'avait invité à faire partie en 1934, pour étudier la valeur du BCG, particulièrement chez l'homme. Ce comité avait utilisé et recommandait toujours le vaccin produit à l'Université de Montréal pour les essais envisagés. Les résultats des premiers travaux de notre équipe sont contenus dans les Rapports de ce Comité, mais ils ont été condensés et publiés dans des journaux médicaux et scientifiques. Ils ont rassuré la profession médicale, toujours inquiète depuis la fameuse affaire de Lübeck.

Mon équipe entreprit une étude expérimentale et systématique du BCG et des méthodes de vaccination. Pour faire des essais comparatifs de tous les modes d'injection de vaccin ou des doses d'épreuve de l'allergie, le cobaye, le lapin et la souris furent utilisés. Au cours des années on étudia les relations entre l'allergie et la résistance chez l'animal de laboratoire. On montra que, chez les animaux vaccinés ou infectés, le contrôle de l'allergie au moyen de doses décroissantes de tuberculine en est une mesure fine et rationnelle, mais que l'utilisation par voie de scarification du BCG tué (60 mg de concentration) est une mesure de l'allergie totale, tuberculinique et infratuberculinique.

Cuti-réaction au BCG

Au premier congrès du BCG, à l'Institut Pasteur, en 1948, le docteur Guy et moi-même présentions une sorte d'épreuve tenant de la réaction tuberculinique et du phénomène de Koch, au moyen d'une concentration de BCG tué (60 mg) en utilisant la voie des scarifications. Déjà après 24 heures, la réaction locale indiquait non seulement une hypersensibilité tuberculinique, mais en même temps une hypersensibilité infratuberculinique et une hypersensibilité au bacille lui-même par une réaction tenant localement, du moins, du phénomène de Koch. Cette réaction évitait le recours à l'injection de tuberculine à laquelle elle fut substituée dans la province de Québec et à Terre-Neuve et dans certaines autres parties du pays. Elle était plus sensible que la réaction tuberculinique et son seuil fut fixé à 2 mm. Il s'ensuit que les vaccinés sélectionnés par cette réaction sont indemnes de toute sensibilité au bacille tuberculeux. Les sujets sélectionnés pour la vaccination, par cette méthode, sont donc relativement moins nombreux que ceux que l'on aurait choisis en utilisant la réaction à la tuberculine (5 TU 5 mm de diamètre).

Les résultats obtenus chez ces groupes et pendant cette période, lorsqu'on les compare à ceux d'autres pays où l'on s'est contenté d'une seule injection de tuberculine à 5 TU comme test éliminatoire (5 ou 8 mm de diamètre) doivent être interprétés en conséquence. Chez nos sujets testés et vaccinés, l'allergie est due *exclusivement* au BCG.

Les recherches à l'Institut ont aussi porté sur la chimie du bacille tuberculeux et du BCG. On a cherché l'antigénicité de divers extraits, sans compter celle des bacilles morts, bien entendu. On n'a jamais montré par des essais comparatifs que tels extraits produisent chez l'animal un niveau d'hypersensibilité et de protection comparable en durée à celui que produit le BCG vivant.

On a aussi réussi à l'Institut par le moyen d'épreuves standardisées *in vitro* et *in vivo* à caractériser les souches-filles du BCG les plus utilisées dans le monde. L'Institut a fait de grands travaux relatifs à la standardisation de l'entretien de la souche du BCG et de la teneur en bacilles du vaccin. On s'est surtout efforcé de standardiser les techniques. On a publié des travaux importants sur la stabilité de la souche Montréal du BCG.

L'Institut fut l'un des premiers au Canada à introduire l'utilisation des radioisotopes pour fins de recherche et à installer un laboratoire organisé de façon à éviter une double contamination, celle par le bacille tuberculeux et celle par les radioisotopes. Ainsi, dans des essais de tuberculose expérimentale, chez le cobaye neuf ou vacciné, on a pu suivre au moyen de comptages bactériens et comparativement à des comptages de radioisotopes, le cheminement proportionnel du BCG et du bacille tuberculeux ou de leurs composants. On a donc pu suivre les bacilles ou leurs composants jusque dans le foie, la rate, la moëlle osseuse et divers organes du corps animal.

BCG et cancer

Pendant des années, l'Institut a maintenu un laboratoire sur la leucémie spontanée de la souris et divers facteurs préventifs de cette maladie.

Monsieur Paul Lemonde de l'IAF publie dans *Proceedings of the Society of Experimental Biology and Medicine,* le premier travail expérimental où il est montré pour la première fois, de manière significative que le BCG réduit la mortalité par 50 % de la leucémie spontanée de la souris et augmente la durée de vie des souris atteintes de la maladie. En présence de tels résultats, il devenait intéressant de chercher si un tel effet pouvait être trouvé chez l'homme. Grâce au Fichier du BCG, le docteur Lise Frappier-Davignon a pu établir la population des vaccinés et déterminer parmi les morts par leucémie lesquels avaient reçu le vaccin BCG. Les résultats sont rapportés dans l'annexe.

Immunothérapie des tumeurs au moyen du BCG

On a comparé les diverses souches de BCG connues et utilisées quant à leurs effets dans l'immunothérapie des tumeurs transplantables et expérimentables. La souche de l'Institut s'est révélée aussi efficace, sinon plus, que la plupart des autres. Chez l'homme, des essais ont été faits dans certains cancers, particulièrement ceux de la peau, du poumon, en utilisant dans ce dernier cas la voie buccale, mais ils ont été négatifs et pratiquement abandonnés. Seule l'application locale contre certains cancers de la vessie continue à être employée avec succès.

BCG et lèpre murine expérimentale

On a souvent dit que toute découverte dans le champ de la tuberculose expérimentale aurait aussi des rebondissements dans le champ de l'infection en général. On peut ajouter qu'aujourd'hui, cette influence se manifestera probablement du point de vue immunologique. C'est justement ce qui est en train de se produire dans les recherches qui se poursuivent à l'Institut sur les infections apparentées à la tuberculose telles que la lèpre murine.

Depuis longtemps, les chercheurs de l'Institut avaient fait des essais de toute espèce pour cultiver le bacille de la lèpre murine et le bacille de la lèpre humaine. Ces chercheurs ont récemment réussi la culture *in vitro* du bacille de la lèpre murine. Avec la même technique, ils espèrent parvenir à la culture du bacille de la lèpre humaine, du moins de ce que l'on croit être l'agent bacillaire de la lèpre humaine.

Mais c'est dans le domaine de l'immunologie que nos chercheurs léprologues fondent surtout leurs espoirs. Ils étudient présentement les mécanismes responsables de la dépression de l'immunité cellulaire qui survient au cours de l'évolution de la maladie lépreuse. Si l'on parvenait à prévenir cette immunodéficience, tout comme celle observée dans le sida, les personnes atteintes pourraient alors lutter plus efficacement contre ces maladies. Les chercheurs de l'Institut ont comparé la capacité de *M. lepræmurium* et du BCG d'induire la production de l'interleukine 2 (un facteur de croissance des lymphocytes T. responsables de l'immunité cellulaire) dans des cultures de cellules provenant de la rate de souris de race pure. Les résultats démontrent clairement que la capacité de *M. lepræmurium* d'induire ce facteur de croissance est de beaucoup inférieure à celle du BCG. Par contre, la capacité de *M. lepræmurium* lorsque cultivé en laboratoire d'induire l'interleukine 2 est tout à fait comparable à celle du BCG. Ces résultats semblent reliés à une autre observation à l'effet que la virulence de *M. lepræmurium* cultivé *in vitro* est fortement diminuée par rapport à celle de *M. lepræmurium* isolé des organes des souris lépreuses. Ainsi, une explication possible de la baisse de virulence de M. *lepræmurium* serait que, lors de leur culture in vitro, ces bacilles acquièrent des antigènes leur permettant d'induire une immunité cellulaire plus efficace et plus durable.

Études épidémiologiques

Nos chercheurs ont fait une enquête sur la tuberculose dans les plus grands hôpitaux pour maladies mentales de la province de Québec, y démontrant la prévalence de la maladie et de la positivité à la tuberculine ainsi que les résultats des examens aux rayons X chez un total d'environ 7 000 patients et employés. Le taux de l'allergie chez les premiers était de 95 % et de 88,7 % pour les derniers, taux plus élevé chez les patients que chez les patientes. Le taux d'activité de la tuberculose chez les patients était de 5,1 % et de 2,3 % chez les employés. En dix mois, 40 % des patients devenaient positifs à la tuberculine. Le taux de tuberculose active chez les patients au moment de l'admission était plus élevé que dans la population en général (4,9 % contre 0,4 %). Chez les employés, la prévalence de la tuberculose augmentait avec la longueur de la période d'emploi. On a institué des mesures de contrôle et de prévention de la tuberculose dans ces hôpitaux, y inclus la vaccination par le BCG.

Les résultats des études d'évaluation des effets du BCG sur la mortalité par méningite chez l'enfant et sur la mortalité par tuberculose pulmonaire dans la province de Québec sont rapportés dans l'annexe.

En suivant les courbes de nouveaux cas de tuberculose chez les nouveau-nés et les jeunes enfants, on a constaté que, sous l'effet de la vaccination par le BCG, ces courbes avaient été abaissées au-dessous de celles de la province voisine, l'Ontario. Mais depuis l'arrêt de la vaccination en 1975, ces courbes ont remonté au-dessus de celles de l'Ontario.

L'intérêt du BCG en Amérique du Nord est tombé avec la découverte de la streptomycine et des antibiotiques contre la tuberculose. On continue la vaccination dans d'autres pays. Il n'est pas prouvé qu'il y ait possibilité de se débarrasser complètement de la tuberculose dans certaines parties de l'Amérique du Nord par le seul moyen des antibiotiques. Peut-être faudra-t-il, en certains milieux, recourir à la vaccination un jour ou l'autre.

Facteurs pro-infectieux dans gangrène gazeuse

C'est au commencement de la guerre 1939-1945 que, à l'Institut, on s'est préoccupé de la gangrène gazeuse après des discussions qui avaient eu lieu dans les comités sur la recherche du Conseil de la Défense nationale. On eut bientôt la surprise à l'Institut de découvrir que, dans les cultures liquides jeunes de *Welchia perfringens,* un des agents particuliers de la gangrène gazeuse (très redoutée chez les soldats blessés sur le champ de bataille), on pouvait isoler une substance soluble non toxique capable d'agir comme agent pro-infectieux lorsque mise en présence d'un nombre relativement petit d'agents virulents de *Clostridium perfringens,* nombre incapable par lui-même de déclencher la gangrène gazeuse. On appela cette substance « facteur déchaînant ». Non seulement n'était-elle pas toxique chez l'animal, mais elle présentait aussi un pouvoir antigénique chez divers animaux susceptibles et prévenait le développement de la gangrène gazeuse. Ces travaux ont duré des années. On a cherché par tous les moyens à déceler quelque agent toxique dans ce facteur qui eut pu expliquer cette action pro-infectieuse, mais en vain.

Quoique chimiquement on ait mis en évidence certains facteurs ordinairement reliés à la toxicité mais contenus en quantité infime dans le filtrat de la culture, on n'a jamais pu montrer que cette prétendue toxicité se manifestait chez l'animal, même à forte dose. On en a fabriqué un antisérum qui, sans être antitoxique, donnait des résultats positifs. Il s'opposait à la prolifération des bacilles *in vivo.*

Il en fut de ce facteur comme de la vaccination par le BCG. La découverte des antibiotiques réduisit l'importance de ces découvertes.

Dans d'autres infections microbiennes

Certaines équipes de recherche de l'Institut, sous ma direction immédiate, se hâtèrent donc de détecter dans les jeunes cultures liquides d'autres agents pathogènes, des facteurs semblables au « facteur déchaînant ». Il était question de plus en plus dans la littérature d'agents pro-infectieux favorisant l'infection. D'abord, on fit des recherches avec les cultures jeunes du bacille typhique et il fut facile, jusqu'à un certain point, de démontrer que la partie fluide de la culture contenait un agent de cette nature. De même en fut-il de certains colibacilles pathogènes qui faisaient des ravages dans les concentrations prolongées de nouveau-nés dans certains hôpitaux. Là aussi, on a montré que les jeunes cultures liquides contenaient certains agents pro-infectieux et immunisants. On en a trouvé également dans les cultures de *K. pneumoniæ,* de *H. influenzæ* et *Ps. æruginosa.*

Le cas du staphylocoque

Comme on travaillait sur le rôle des acides nucléiques du staphylocoque dans la virulence, on a en même temps recherché si ce microbe ne produirait pas de substance pro-infectieuse non toxique. Peine perdue. On a travaillé pendant ce temps sur le traitement des staphylococcies par la gammaglobuline humaine, là où on obtint des succès intéressants.

On a aussi montré que, dans les garderies ou des endroits de concentration de bébés nouveau-nés, l'infection staphylococcique ne se répand que si les gens, les employés ou les infirmières ne prennent pas les précautions voulues de lavage de mains ou de changement de blouses ou n'emploient pas les techniques prouvées efficaces pour la prévention de toutes les infections. La meilleure méthode est encore celle qui consiste à disperser le plus rapidement possible les nouveau-nés.

D'après nos données, l'administration de l'antitoxine staphylococcique influence différemment l'infection staphylococcique expérimentale de la souris, selon la voie d'inoculation des bactéries. Dans le cas de l'inoculation intracérébrale, les souris vivantes protégées par l'antitoxine présentent dix fois plus de bactéries que les souris mourantes non protégées. Il n'en est pas ainsi en ce qui regarde l'évolution de l'infection locale pour d'autres voies d'infection. En outre, l'antitoxine semble provoquer en certaines circonstances l'arrêt de croissance de ces bactéries, soit à l'endroit de l'inoculation, soit dans les organes du système endothélial. Ce ne serait pas la toxine qui faciliterait l'implantation et la multiplication des staphylocoques dans les premiers moments de l'infection.

On a aussi cherché à relier l'hétérogénéité des cellules de staphylococques, mise en évidence sous l'influence des substances fluorescentes, au métabolisme et à la pathogénicité.

Le cas de *H. pertussis*

Dans l'hypothèse que nous avions faite relativement aux facteurs immédiats qui permettent aux bactéries de s'implanter dans les tissus, nous supposions que, au premier moment de leur déposition dans ces derniers, les bactéries sont souvent en phase latente et que leur multiplication ne saurait dépendre que d'une substance présente à leur surface et toujours prête à l'attaque. C'est dans ce contexte que nous avons abordé l'étude en particulier de l'agent de la coqueluche, *Hemophilus pertussis*.

La concentration bacillaire de *H. pertussis* dans le vaccin n'était pas encore fixée mais elle était relativement très élevée, ce qui préoccupait nos chercheurs. Aussi, ne furent-ils pas long à essayer de mettre en évidence dans la culture de *H. pertussis* une substance non toxique et immunisante au moyen de laquelle ils auraient peut-être la possibilité de remplacer les bacilles, sinon d'ajouter à leur antigénicité. L'*Hemophilus pertussis* s'est montré assez difficile. Quelques auteurs dans le monde travaillaient sur ce bacille mais on ne savait pas encore où se logeait véritablement la toxicité : dans le liquide de filtration, dans le liquide de centrifugation, ou encore dans les eaux de lavage ou dans les bacilles ou à leur surface après filtration, centrifugation et lavage.

Ces travaux qui nécessitèrent de longues études expérimentales *in vitro* et chez l'homme peuvent être résumées comme suit. Le filtrat des jeunes cultures liquides contient certaines substances toxiques, de même en est-il du centrifugat. Mais les eaux de lavage qui ont servi à laver trois fois les bacilles ne sont pas toxiques, bien que ces bacilles conservent une certaine toxicité. Ces eaux de lavage peuvent produire une réaction immunitaire spécifique chez l'animal et chez l'homme. De plus, elles peuvent voir leur effet augmenter par concentration après lyophilisation.

Nos expérimentateurs ont recherché chez le lapin, la souris et le singe les effets toxiques et dermonécrotiques de ces eaux de lavage, la production d'agglutinines à la suite de l'hyperimmunisation par ces eaux de lavage, l'effet protecteur et préventif et l'effet de prévention passive de l'antisérum correspondant. On obtenait environ 36 % de protection active et 75 % de protection passive, parmi les meilleurs résultats. Chez l'homme, ils ont comparé l'effet du vaccin total lui-même, ou celui du vaccin total additionné d'eaux de lavage concentrées 25 fois, les eaux de lavage concentrées elles-mêmes à 25 fois, enfin un groupe-témoin ne recevait que de l'eau salée tamponnée. La concentration des eaux de lavage se faisait par lyophilisation, après quoi on reprenait avec de l'eau salée tamponnée.

Les eaux de lavage ne produisaient aucune réaction. La protection active mesurée par le taux d'agglutination obtenue se comparait comme suit : 78 % pour le vaccin normal, 92 % pour le vaccin additionné d'eaux de lavage et 59 % pour les eaux de lavage. Quant à la protection passive, le vaccin additionné d'eaux de lavage dominait encore de façon comparable. Ces dernières épreuves étaient effectuées chez la souris.

Autres recherches

Le vaccin protéique B contre la méningite B

En association avec les chercheurs du Conseil national de recherches du Canada, on a travaillé à la constitution d'un vaccin protéique contre la méningite de type B qui serait couplé par la suite à des vaccins protéiques contre d'autres souches en particulier la souche Y et C.

La flore inhibitrice de N. gonorrheæ

Ces dernières années, on a émis l'hypothèse que certaines bactéries qui accompagnent Neisseria gonorrheæ dans le milieu de cette infection semblent jouer un rôle inhibant. Après avoir sélectionné les colonies les plus actives des espèces les plus concernées, on en a étudié des extraits qui se sont révélés intéressants.

Recherches en virologie

En 1945, il paraissait encore téméraire pour une jeune institution de recherche de s'engager dans la voie difficile, coûteuse et assez mystérieuse de la virologie. On ignorait comment cultiver les virus; on ne connaissait pas les types de différents virus, comme ceux de la grippe ou ceux de la poliomyélite.

J'avais connu avant la guerre un distingué savant lors du Congrès international de microbiologie tenu à New York en 1939. À cette occasion, j'avais invité les délégués de l'Institut Pasteur à dîner à l'Hôtel Waldorf-Astoria où se tenait le congrès et avait fait la connaissance du professeur Pierre Lépine, le directeur du Service de virologie de l'Institut Pasteur de Paris. Comme c'était le jour de la déclaration de la guerre, la délégation de Pasteur, comme celles d'autres européens, avait dû, pour ainsi dire, s'enfuir par des moyens de fortune.

Mais, après la guerre, j'eus l'honneur et le plaisir de recevoir la visite de ce savant dans mes laboratoires de l'hôpital Saint-Luc et de discuter avec lui de la possibilité de rapprochement des microbiologistes du Canada et de la France. Ce fut l'origine d'une invitation à venir enseigner la virologie, ou ce qui en était connu dans le temps, à l'École d'hygiène, à l'Institut et aux étudiants de la Faculté de médecine en microbiologie. En même temps, le professeur de virologie touchait aussi l'immunologie, une autre science encore à l'état embryonnaire. En 1947, cet enseignement débutait dans les universités.

Pendant dix années, Lépine vint à l'École d'hygiène et à l'Institut pour des séjours de trois mois par an.

L'Institut désirait donc ouvrir une section de virologie et une autre d'immunologie. Un premier candidat en virologie que nous avions envoyé étudier à l'Institut Pasteur nous fit défaut au retour. C'est alors que le professeur Lépine, qui avait reçu dans son laboratoire le docteur Vytautas Pavilanis, échappé de Lituanie, et qu'il avait formé depuis au-delà de deux ans dans cette science, nous le proposa pour établir un laboratoire, finalement devenu le Centre de recherche en virologie.

En peu d'années, cette création audacieuse devint l'une des plus belles et des plus fructueuses réalisations de l'Institut qui restera toujours reconnaissant au professeur Lépine (décédé en 1989) de l'aide initiale qu'il a apportée à l'Institut dans son rôle d'avant-garde en ce qui a trait à la recherche, aux services et à l'enseignement de la virologie.

Il est donc évident que l'Institut fut à l'origine, en 1947, et le premier au Québec, du mouvement vers le développement des connaissances en virologie.

L'Institut créa alors un laboratoire de microscopie électronique grâce à un don généreux de la Légion canadienne (*March of Dimes*). Ce fut l'un des premiers instruments du genre utilisé au Québec et au Canada pour des fins biologiques. Plus tard, l'Institut a ajouté deux autres microscopes électroniques de moyen et de fort grossissements, allant jusqu'à 200 000 fois. Ces instruments ont favorisé le diagnostic virologique rapide et les recherches sur l'ultrastructure de virus et de phages.

En plus d'aborder la tâche herculéenne d'instituer tout à la fois les nouvelles méthodes de culture des tissus et des virus et bientôt le premier service de diagnostic virologique dans la province de Québec (l'un des premiers au Canada), la mise au point de vaccins contre la grippe, la poliomyélite, les maladies respiratoires humaines et animales, nos équipes de virologie et d'épidémiologie attaquaient les problèmes fondamentaux prioritaires à l'époque.

On a ainsi contribué à la poursuite d'études épidémiologiques sur la poliomyélite à Montréal, à Roberval, à Saint-Augustin, région isolée du bas du golfe Saint-Laurent, en déterminant le taux d'anticorps chez des sujets d'âges différents. Il nous fut alors possible de montrer qu'une épidémie de polio du type 2 avait sévi à Saint-Augustin en 1939, même si on ne trouvait pas en 1950 de séquelles cliniques de paralysie infantile.

Influenza

Dans le contexte de la grippe expérimentale et l'essai de nouveaux vaccins chez l'animal et chez l'homme, il est impérieux de rappeler les travaux de Armand Boudreault, Ph.D. Il a travaillé tout au long de sa carrière sur les virus de la grippe. Il a mis au point un vaccin antigrippal atténué pour être pris par voie buccale. Il en a fait des essais expérimentaux et cliniques. Il a publié plus de cinquante articles dans les grands journaux scientifiques sur le sujet.

Des techniques d'atténuation du virus de l'influenza efficaces et applicables à un grand nombre de souches virales ont été mises au point.

Le vaccin a été purifié d'une grande partie des protéines de l'œuf (milieu de culture).

Les sous-unités hémagglutinantes et neuraminidasiques, une fois séparées, leurs interrelations antigéniques ont pu être étudiées. Des sérums monospécifiques ont été obtenus par injection au lapin de la neuranimidase isolée. La valeur du vaccin influenza a été évaluée par des essais cliniques à plusieurs reprises.

Actuellement les efforts de nos virologues sont axés vers le développement d'un vaccin ribosomal. Car les ribosomes de l'ARN viral sont antigéniques et confèrent une protection contre l'infection.

Rubéole

Les chercheurs se sont intéressés à la structure et à la composition chimique du virus de la rubéole en vue de la préparation d'un vaccin.

Dès 1970, nos virologues ont fait des études épidémiologiques sur cette maladie au Québec. Ils ont utilisé l'immunofluorescence des anticorps pour le diagnostic de cette infection.

Ils ont fait une étude chez plus de 10 000 cas de femmes enceintes pour rechercher le taux d'immunité naturelle contre le virus rubéolique. Sur 642 cas de contact soupçonné, chez celles présentant une immunité naturelle très faible, seulement trois cas de réinfection furent décelés. Chez les 917 sujets non en grossesse, possédant une immunité naturelle acquise, aucun cas de réinfection ne fut décelé.

Rougeole

Une souche de rougeole atténuée et très résistante au froid mise au point par M. Dubreuil, dont elle porte le nom, a servi à préparer un vaccin. Les essais chez l'homme de ce produit ont montré de très bons résultats.

On a recherché les conditions optimales de conservation du vaccin antirougeoleux après sa lyophilisation.

Herpès

Quelle est la relation entre l'hôte et le virus dans le cas des viroses persistantes alors que le virus finit par s'atténuer périodiquement et survivre à l'état latent dans l'organisme qui l'héberge, comme c'est le cas pour le virus de type herpès?

Le pouvoir oncogène *in vitro* des virus *Herpès hominis* types 1 et 2 est-il inactivé par un séjour prolongé à 37°C?

Les patients atteints de cancer relié à ces virus présentent-ils des anticorps ou antigènes spécifiques aux virus du groupe herpès?

L'étude de l'étiologie et de l'épidémiologie de la mononucléose infectieuse conduisit le docteur J. Joncas à émettre l'hypothèse, aujourd'hui confirmée, qu'il s'agit d'une manifestation post-infectieuse dont la pathogénèse, de nature immunologique, est influencée par une infection antécédente causée par des virus du groupe herpès.

Cytomégalovirus

Évaluation des méthodes de concentration du cytomégalovirus humain et recherche de l'incidence et de la signification de l'infection à cytomégalovirus chez les retardés mentaux.

Epstein-Barr

Recherches sur les anticorps contre le virus Epstein-Barr, sur les relations pouvant exister entre l'infection à ce virus et le développement éventuel du cancer du nasopharynx.

Hépatite A et B

Identification de l'agent ou des agents de l'hépatite A en vue d'établir des méthodes de laboratoire efficaces pour le diagnostic de l'infection.

Mise au point pour fins de diagnostic de techniques extrêmement sensibles pour la détection de l'hépatite virale du type B et recherche sur l'antigène de cet agent.

Le Centre de recherche en virologie a développé une nouvelle approche diagnostique des infections virales par dissection génétique à l'aide d'enzymes de restriction et la mise au point d'un appareil à électrophorèse miniaturisé facilitant l'exécution de ce nouveau procédé diagnostique. Le même Centre a développé un modèle de virus semi-artificiel, breveté sous le nom d'immunosome, en s'inspirant de la biotechnologie et du biomimétisme et applicable à la préparation de vaccins expérimentaux contre l'influenza et la rage. Ce dernier projet est mené conjointement avec l'Institut Pasteur de Paris dans le cadre d'un programme de collaboration agréé par les deux États concernés.

Association tripartite de recherches sur la synthèse et les essais d'agents chimiques, actifs principalement contre les virus du rhume

Cette recherche a duré plus d'une dizaine d'années et fut menée en association tripartite par les institutions suivantes : Canada Packers Limitée, quant à l'aspect chimique, l'Institut Armand-Frappier, quant à l'aspect biologique et le Conseil national de recherches du Canada comme agent de subvention partielle.

La recherche a d'abord porté sur la synthèse, dans les laboratoires de Canada Packers Limitée, de formules et de substances chimiques qu'on présumait antivirales, et sur les essais biologiques et pharmacologiques, à l'Institut Armand-Frappier, qui ont montré l'extrême activité *in vitro* de ces produits contre les agents du rhume. Avec seulement trois nanogrammes d'un prototype de ces substances, dont la toxicité est extrêmement faible, on pouvait prévenir la prolifération virale *in vitro*.

L'Institut a étudié à fond la toxicité et la pharmacologie de ce prototype et de quelques formules très voisines chez certains animaux. Après des années d'essais pour satisfaire à toutes les normes de sécurité relatives à leur emploi chez l'homme, on s'adressa au British Medical Research Council, en vue d'obtenir la collaboration de son « Unité de recherche sur le rhume » pour des essais chez l'homme, le seul être vivant susceptible de reproduire la maladie du rhume caractéristique. Les résultats de ces essais furent cependant limités par le fait que, la substance active n'étant pas soluble et étant administrée topiquement sur la muqueuse nasale, on obtenait une certaine réduction de la prolifération des virus chez les sujets traités mais, avec la concentration très élevée utilisée, il devenait difficile de dissocier les symptômes dus à l'irritabilité des symptômes dus à l'infection elle-même. Il faudrait reprendre ces expériences en utilisant une concentration beaucoup moins élevée. Il est probable que, vu la grande activité *in vitro* de ce prototype, son activité *in vivo* n'en serait guère diminuée.

Il s'agit donc d'agents très actifs *in vitro*, très peu toxiques, mais d'activité difficile à mesurer chez l'homme, du fait de leur solubilité incomplète et de leur métabolisation trop rapide dans l'organisme et, comme je viens de le mentionner, du fait de la difficulté de dissocier les symptômes causés par l'irritabilité de la substance de ceux causés par l'infection virale même réduite. Il faudrait travailler à la modification de la molécule en vue de la rendre encore plus soluble et d'atteindre une métabolisation optimale.

Les plus longues recherches ont porté sur la pharmacologie de ces substances. L'IAF a ainsi développé une précieuse expertise dans le domaine pharmacologique relative à de nouveaux médicaments antimicrobiens. Le coût total de cet important travail, mené en association tripartite, et sans compter des essais chez l'homme, est estimé à quelques millions de dollars et a donné lieu à l'obtention de 17 brevets.

Les activités actuelles du Centre de recherche en virologie peuvent être regroupées selon trois grands objectifs : le développement de *nouveaux vaccins viraux* (naturels ou synthétiques), le développement *d'outils de recherche et de diagnostic moléculaire* et l'*écovirologie*, c'est-à-dire l'étude virologique de l'air, de l'eau, ou des milieux d'élevage incluant le domaine de la lutte biologique contre les insectes nuisibles. Ces développements reposent obligatoirement sur les connaissances acquises par la biologie moléculaire et l'immunologie virale, ainsi que sur la mise au point de nouveaux outils biotechnologiques : fusions cellulaires et développement d'hybridomes pour la production d'anticorps ou d'antigènes en forte concentration, ingénierie génétique et enzymatique, réalisation de trousses diagnostiques, synthèse de peptides, ou biosynthèse de protéines, etc.

Avec le développement des biotechnologies, il devient possible d'envisager une série de vaccins utilisant uniquement les antigènes de surface des virus infectieux au lieu d'utiliser des virus inactivés ou atténués, susceptibles de comporter des fractions biochimiques sans effet immunisant mais potentiellement dommageable. Le développement de ces vaccins passe premièrement par une étude fondamentale permettant de caractériser les sites antigéniques des protéines virales et de déterminer le code génétique présidant à leur synthèse. Une étude immunovirologique permettra ensuite d'évaluer la capacité de chacun de ces antigènes dans le développement de réactions de défense immunitaire, la compétition possible entre plusieurs antigènes (conduisant à un effet protecteur amoindri) ainsi que l'étude du support sur lequel devront être attachées ces protéines dans un éventuel vaccin synthétique. Pour l'instant, le Centre mène des recherches de ce type pour le développement de tels vaccins contre la rubéole, la rage, l'influenza (la grippe), le virus respiratoire syncytial, l'ectromélie (une maladie qui affecte notamment la souris de laboratoire), les coronavirus, le virus de la poliomyélite et les virus du type *herpès*.

Le Centre de recherche en virologie regroupe l'une des plus importantes masses de virologues au Québec et au Canada. Il constitue un des plus actifs foyers de recherche et d'enseignement au sein de l'Institut.

Recherches en immunologie

Au chapitre IV, on raconte comment, au moment de la fondation de l'Institut en 1938, un jeune étudiant, Adrien-G. Borduas, sans le sou, s'est offert pour avoir soin des animaux du BCG dans ses temps libres, travail qu'il accomplit à la perfection. Comme il s'agissait d'un étudiant très brillant, versé surtout du côté des sciences exactes, mais aussi intéressé à leurs applications à la microbiologie, l'Institut comptait sur lui pour développer la chimie immunologique, discipline complètement nouvelle et promise au plus grand développement. Il dirigea son équipe pendant quelque trente-cinq ans. À cette époque, tous et chacun dans l'Institut devaient mettre la main à la pâte. Monsieur Borduas et ses collègues durent accomplir la mise au point de techniques difficiles, comme celle du facteur 8 du plasma sanguin, celles de la gramicidine et de la pénicilline.

Il fut un fidèle collaborateur dans les matières d'enseignement, de formation d'étudiants à la maîtrise et au doctorat.

Il s'ingénia à trouver des substituts du plasma sanguin humain et à préparer, à partir du plasma bovin, une protéine artificielle encore moins spécifiquement antigénique que les produits analogues déjà proposés, en modifiant les conditions expérimentales de la réaction de la formaldéhyde sur ce plasma bovin normal. Les propriétés physico-chimiques, immunologiques et pharmacologiques de cette protéine artificielle ont permis de la classer parmi les substituts sanguins dont il serait possible de considérer sérieusement l'emploi. Elle ne contient plus de traces de spécificité bovine. Monsieur Borduas a aussi apporté son savoir immunologique à la purification des différents antisérums produits par l'Institut à cette date.

Son décès a jeté ses collègues dans la consternation.

Études sur la résistance naturelle

Dès les années 50, une équipe de chercheurs s'est engagée sur l'aspect physiopathologique de la résistance naturelle. Elle a abordé trois problèmes clé de l'inflammation : les médiateurs chimiques de l'inflammation; les effets des médiateurs sur les tissus, aux niveaux cellulaire, subcellulaire et moléculaire; les moyens pharmacologiques d'inhiber les processus inflammatoires aigus, retardés et chroniques. L'inflammation est-elle un processus de défense? Est-il nécessaire d'inhiber l'inflammation? L'inhibition de l'inflammation affecte-t-elle le mécanisme de défense? Les recherches ont été concentrées sur la pathologie de la microcirculation, sur l'endothélium vasculaire dont les cellules sont des indicateurs immédiats de toute agression. On a établi que le destin de l'inflammation dépend d'un équilibre des médiateurs pro- et anti-inflammatoires : histamine, sérotonine versus catécholamine. Le groupe a montré que les antihistaminiques, les tranquillisants ainsi que la sérotonine interviennent *in vitro* mais non pas *in vivo* dans la polymérisation du fibrinogène monomère. Ce même groupe a aussi montré que les antihistaminiques agissent en l'absence d'histamine.

Nos immunologistes ont travaillé sur la régulation génétique de la résistance hybride contre les myélomes de souris et aussi ils ont étudié les cellules NK (*Natural Killer cells*) et l'immuno-stimulation. Ils ont étudié la résistance et la susceptibilité des souris au virus de l'hépatite MHV$_3$. Ils ont mesuré la modulation de l'activité cytotoxique naturelle par le BCG, de même que la modulation de l'activité cytotoxique naturelle par le vaccin antibrucellique IAF. Ils ont montré que l'inoculation de *Mycobacterium lepræmurium* est responsable de la parution d'une population hétérogène de cellules suppressives dont les cibles d'action sont relativement spécifiques.

Thymus : rôle dans diverses affections, cancer et sida

L'étude de thymus obtenus lors de l'autopsie de vingt victimes du sida a fait ressortir une destruction thymique majeure dans tous les cas. On a alors essayé la transplantation de thymus normaux qui fut bien tolérée. Quatre sur sept patients survivants sont en bon état général sans développement de nouvelles infections. Mais cette approche thérapeutique, apparemment prometteuse, ne suffit pas.

Au chapitre de l'ontogenèse de l'hormone thymique, il semble possible que certaines maladies à caractère immunologique, plus fréquentes chez les sujets âgés, pourraient être traitées par l'hormone thymique.

Les travaux du Centre de recherche en immunologie ont montré que le thymus intact n'était pas nécessaire pour que survienne le déclenchement de la leucémie à lymphocytes T sous l'effet de la présence d'un virus, à condition que la fraction membraneuse du stroma thymique soit présente.

Sclérose en plaques

Dans la sclérose en plaques, on a confirmé qu'une baisse du taux sérique de certains anticorps microbiens est observée de même qu'une incidence accrue d'infections répétées des voies respiratoires supérieures au cours de l'enfance mettant probablement en cause des facteurs génétiques.

On a aussi remarqué qu'une baisse des anticorps circulants contre certains antigènes microbiens communément rencontrés dans la nature est observée dans les liquides céphalorachidiens des patients de sclérose en plaques. Cette baisse est plus marquée dans la phase aiguë de la maladie. De tels déficits en anticorps spécifiques ne sont observables qu'aux premiers signes neurologiques de la maladie de la sclérose en plaques.

Les travaux dans ce domaine portent maintenant essentiellement sur l'étude de la réponse immunitaire normale ainsi que sur les mécanismes pathologiques qui peuvent entraîner une immunité inefficace ou, au contraire, dirigée contre l'hôte. Depuis quelques années, la poursuite de ce double but se fait dans le cadre de deux programmes principaux de recherche : la péri natologie et l'immunocancérologie, auxquelles il faut ajouter la recherche clinique proprement dite.

Recherches en épidémiologie

À titre de responsable des divers essais cliniques menés pour le compte de l'Institut, le Centre en épidémiologie et médecine préventive a effectué au cours des années les premiers essais du vaccin protéique contre la méningite à méningocoque de type B en cours de développement au Centre de recherche en bactériologie. Il en a fait également des essais cliniques à Cuba. Il a publié les résultats de tous les essais effectués au Québec et en Afrique sur le vaccin rougeoleux de l'Institut, dit le vaccin Robert Dubreuil, depuis le développement de ce vaccin.

Pollution atmosphérique

Parallèlement aux travaux sur la tuberculose et le BCG, cités plus haut, les chercheurs ont poursuivi des études sur les effets de la pollution de l'air chez l'homme.

La pollution atmosphérique, l'exposition professionnelle et les habitudes du tabac ont-elles un effet sur les infections pulmonaires obstructives ? L'usage du tabac multiplie par un facteur de l'ordre de grandeur de *trois* la fréquence des troubles respiratoires. L'effet combiné du tabac et de l'exposition professionnelle semble supérieur à celui d'une simple addition.

La pollution atmosphérique joue aussi un rôle sur la mortalité par cancer du poumon et par cancer de l'intestin, car on a démontré que, dans l'île de Montréal, il existe une association entre un degré très élevé de pollution atmosphérique et un excès de mortalité par cancer du poumon, tant chez l'homme que chez la femme. Cette association se retrouve aussi dans le cancer de l'intestin.

Mise à part la pollution atmosphérique, ni les habitudes de tabac, ni l'occupation exercée au cours de l'existence, ni les conditions socio-économiques défavorables liées à un degré élevé de pollution n'ont pu expliquer ces excès de mortalité.

Les effets du milieu de travail sur la santé du travailleur

Effets chroniques des insecticides

Les pomiculteurs, d'une part, et les personnes vivant dans le même milieu, d'autre part, ont été comparés à d'autres personnes n'ayant aucun contact avec les insecticides. Une plus grande fréquence de leucopénie et de signes neurologiques a été trouvée chez le premier et même chez le deuxième groupe par rapport au groupe témoin non exposé; ce qui permet d'assumer que l'exposition aux insecticides a quelque effet chronique chez l'homme. Il y a parallélisme entre la durée de l'exposition aux insecticides et le nombre de sujets affectés.

Études sur les cancérigènes en milieu de travail

La plus ambitieuse des recherches menées au Centre est sans doute l'étude systématique (cas-témoins) entreprise en 1979 pour découvrir les cancérigènes professionnels.

Il s'agit d'une nouvelle méthode épidémiologique pour investiguer les associations possibles entre le cancer et les expositions à différents produits dans le milieu de travail. Tous les patients de sexe masculin de la région montréalaise diagnostiqués comme ayant un cancer ont été interrogés, par un interviewer spécialement formé, sur tous les emplois et les industries où ils ont travaillé. On procède de la même façon pour un groupe témoin sélectionné dans la population générale. Les chimistes et les hygiénistes industriels transforment l'histoire occupationnelle en une liste de produits chimiques auxquels le sujet peut avoir été exposé dans chacun de ses emplois. Près de 4 000 personnes ont été interviewées réparties entre 14 sites de cancer et chacune des 275 expositions chimiques de la liste de référence. À ce jour, nos principaux résultats sont : un risque élevé pour le cancer du poumon chez les personnes exposées au nickel et à la poussière de bois et un risque accru de cancer de la vessie et colo-rectal chez les personnes exposées à des fibres synthétiques.

Cette étude fournit des possibilités pour faire progresser la méthodologie épidémiologique et biostatistique.

Étude de cohorte rétrospective dans l'industrie de la fourrure montréalaise. Ces travailleurs, comparativement à la population de référence, n'ont démontré aucun excès de mortalité pour l'ensemble des tumeurs malignes et les sites de cancer envisagés à priori, soit la vessie, le poumon et l'estomac.

Un groupe de chercheurs du Centre de recherche en épidémiologie et en médecine préventive de l'Institut a collaboré de très près avec l'Institut de recherche sur la santé et la sécurité au travail (IRSST) du Québec qui lui a accordé le statut d'équipe associée, pour une certaine période.

Recherches en collaboration avec d'autres centres

Diabète

Une première étude en collaboration avec les diabétologues de l'Hôpital pour enfants de Montréal a porté sur l'incidence du diabète juvénile à Montréal par rapport au statut socio-économique et à certains facteurs ethniques. Les premiers résultats ne permettent pas de soutenir qu'il existe une telle relation.

Chapitre sixième

La recherche paramédicale

Le projet que j'avais adressé à la Société d'administration de l'Université de Montréal et au ministère de la Santé du Québec, ainsi qu'à certains hommes d'affaires de Montréal et hommes politiques, pour l'acceptation du principe de la fondation d'un institut de microbiologie dans la province de Québec, mentionnait clairement, dès la première page, que la fondation d'un tel institut était une nécessité économique, à la fois pour l'hygiène et pour l'industrie. Il y était dit « que le domaine industriel motive tout aussi bien la fondation d'un institut de ce genre que le domaine médical : de nos jours, l'industrie met en pratique les découvertes microbiologiques : industries alimentaires, pharmaceutiques, distilleries, tanneries, etc. À certains moments, les industries ont recours aux microbiologistes, soit pour effectuer des recherches de développement qui rapportent au centuple, soit pour faire le contrôle des produits initial et final, de manière à garantir leur pureté et leur efficacité. Et le besoin d'un guide scientifique est d'autant plus nécessaire que le pays est plus jeune, les industriels moins expérimentés et qu'il faille de plus grands efforts pour développer une industrie nationale et lui faire soutenir la compétition étrangère. »

Il est donc bien évident que, même avant la fondation de l'Institut et, plus précisément, au moment de sa création officielle par les autorités gouvernementales, les recherches dans le domaine industriel faisaient partie des préoccupations et des objectifs propres et prioritaires de l'Institut.

Ainsi, l'Institut Armand-Frappier a suivi le même développement que l'Institut Pasteur de Paris. Ce dernier envisageait la recherche en microbiologie et ses applications médicales et non médicales comme un tout. Le premier véritable microbiologiste, Pasteur, n'avait-il pas commencé et continué ses travaux célèbres en collaboration avec l'industrie, celles de la bière, des fermentations et de la vinification? Après avoir bien établi les recherches et la production quant aux vaccins et autres substances utilisées en médecine, l'Institut Pasteur a construit des laboratoires de recherche sur les fermentations, la microbiologie du sol, l'entomologie appliquée à l'agriculture, la chimie thérapeutique, les problèmes pharmacologiques relatifs aux produits antibactériens et anti-infectieux et, finalement, les laboratoires de biologie moléculaire et de génie génétique, domaines pour lesquels, à deux reprises, des chercheurs de l'Institut Pasteur se sont vu décerner le prix Nobel. Au cours même de son élan dans le domaine de la recherche sur les infections et les substances anti-infectieuses, et progressivement, l'Institut Pasteur avait donné une priorité non équivoque aux aspects non médicaux de la microbiologie.

De même, l'Institut Armand-Frappier a toujours considéré que cet aspect non médical de la microbiologie faisait partie de l'orientation inhérente à une institution de ce genre.

Médecine comparée

Recherches sur les maladies virales du cheptel

Dès le début de l'Institut, un des cofondateurs, le docteur vétérinaire Maurice Panisset[1], apportant le point de vue de la bactériologie vétérinaire, faisait parcourir à cette dernière des chemins convergents avec la bactériologie humaine, tant dans son essentiel que dans son originalité. Très tôt, l'Institut nouvellement fondé a poursuivi ses objectifs de traiter la bactériologie, non pas comme une science biomédicale, mais comme une science de grand rayonnement, vouée aux réalisations les plus spectaculaires dans les milieux humain, vétérinaire, industriel et environnemental.

Il a toujours maintenu comme essentiel et répondant à un besoin, un service vétérinaire spécialisé en épidémiologie, virologie vétérinaire et diagnostic virologique (42 000 spécimens analysés en 1986), et médecine préventive vétérinaire des zoonoses. Il a maintenu à la tête de ce service, qui est devenu Centre de médecine comparée et l'un des six Centres de l'IAF, des vétérinaires de très haute réputation locale et internationale. Le ministère

---

1. Voir S. SONEA et M. PANISSET, *Introduction à la nouvelle bactériologie*, Presses de l'Université de Montréal et Masson, Paris, 1980.

de l'Agriculture de la province de Québec y subventionne des recherches et concourt à son entretien. Ce Centre a participé à la limitation des épizoonoses, surtout d'origine virale.

Les recherches de l'IAF sur certaines infections vétérinaires, particulièrement les maladies respiratoires porcines et certaines infections bovines à adénovirus, à coronavirus et à rotavirus prennent de plus en plus d'ampleur.

Pneumonie enzootique du porc

Une étude en vue de connaître l'étendue de la pneumonie enzootique du porc au Québec et pour identifier les divers facteurs environnementaux et les agents responsables de la maladie est présentement en cours. Cette maladie respiratoire occasionne de très importantes pertes économiques. Elle est associée à un agent microbien nommé mycoplasme.

Les résultats de ce travail démontrent que la majorité des troupeaux du commerce présente des signes cliniques et nécropsiques de cette infection.

Diarrhée néonatale des bovins

On sait aussi que la diarrhée néonatale est très répandue tant chez l'homme que chez les animaux. Cette maladie est difficile à prévenir et à traiter. Elle est surtout associée à un rotavirus délicat de culture selon les techniques conventionnelles.

La réalisation par les chercheurs d'un modèle expérimental chez la souris permet d'étudier la pathogénie de cette maladie.

Il est permis dès lors d'espérer le développement de moyens préventifs et/ou curatifs pour lutter contre cette infection.

En outre, les travaux exécutés ont développé une technique de dépistage des anticorps dirigés contre les rotavirus bovins. Une autre technique a été mise au point pour la détection et l'identification de ces virus à partir des selles.

Ténosynovite infectieuse des volailles

Une épreuve simple de double diffusion en gélose a été développée à l'Institut pour le diagnostic rapide de cette maladie inflammatoire qui affecte les articulations des volailles. Cette technique est maintenant utilisée dans tous les laboratoires vétérinaires régionaux du Québec.

Hépatite virale

Jusqu'à maintenant, le typage des souches d'adénovirus aviaire était difficile à réaliser. Une microméthode de séroneutralisation fut mise au point par nos vétérinaires et permet d'améliorer sensiblement le typage de ces virus tout en diminuant les coûts de réalisation de ces analyses.

Hépatite canine

Une méthode fut mise au point et est maintenant utilisée pour la détection et l'identification des adénovirus responsables de cette maladie. Elle permet un diagnostic rapide et plus sûr.

Rhino-trachéite infectieuse bovine

La technique ÉLISA fut appliquée pour la première fois au dépistage des anticorps associés aux agents de cette maladie respiratoire, source d'un grand nombre d'avortements et de pertes considérables, et à plusieurs autres infections animales de nature virale.

Étude de la vaccination des volailles par voie aérienne

L'IAF, en collaboration avec l'École polytechnique, éprouve l'efficacité d'une chambre de vaccination par aérosol de plusieurs milliers de poulets contre la maladie de Marek. Cette infection qui affecte les jeunes poulets est fort contagieuse et peut atteindre un très haut pourcentage d'individus dans les troupeaux d'élevage pour consommation. Quand on pense que le Québec, à lui seul, produit 80 millions de poulets par année et qu'il est nécessaire de les vacciner (actuellement un par un), on imagine assez facilement l'importance du développement d'une méthode de vaccination massive, en vue de réduire le prix du vaccin. La chambre de vaccination fait l'objet d'un dépôt de brevet.

Contrôle biologique des insectes dans l'agriculture

Virologie des invertébrés et écologie virale

Conscientes de l'importance du rôle qu'est appelée à jouer dans l'agriculture la lutte biologique consistant à substituer à l'emploi des pesticides non biodégradables, des procédés naturels d'interférence chez les insectes nuisibles, les équipes de l'Institut poursuivent des travaux visant à démontrer le potentiel d'utilisation des virus des polyédroses cytoplasmiques et nucléaires dans la lutte contre certains parasites des plantes. Ces travaux peuvent aussi avoir une importance dans la lutte contre la pollution de l'environnement.

Nos chercheurs ont réussi à cultiver un virus d'invertébrés dans des cellules de vertébrés, ce qui constitue une première.

Recherches agro-alimentaires

Recherches sur le staphylocoque

Partie pratique sur la caractérisation de la virulence et de la toxinogénicité. Étude à long terme (collaboration de l'IAF avec le Département de microbiologie et d'immunologie de l'Université de Montréal)

Les résultats de cette étude peuvent servir à la caractérisation de ces agents dans les produits agro-alimentaires.

Cette étude qui a duré une vingtaine d'années (1954-1974) a une portée fondamentale et pratique. La partie qui concerne la détermination de la virulence, par voies biologique et physicochimique, peut avoir une portée certaine sur les techniques de détermination de la virulence et de la toxinogénicité des souches de staphylocoques provenant de contaminations alimentaires (contrôle de qualité, expertises). De même, ces travaux peuvent-ils avoir une portée sur le traitement par les antibiotiques, par l'antitoxine et par la gammaglobuline des personnes infectées ou intoxiquées par les aliments.

Il est certain qu'on ne saurait séparer l'impact médical de ces travaux de leur impact sur la détection des staphylocoques dans les aliments et sur la caractérisation de ces agents pour fins de diagnostic et de traitement, et également pour fins de responsabilité possible vis-à-vis de la loi. L'expertise de ces équipes de l'Institut, travaillant conjointement avec celles du Département de microbiologie et d'immunologie de la Faculté de médecine de l'Université de Montréal, a été mise à profit un grand nombre de fois.

Les antioxydants phénoliques dans l'industrie agro-alimentaire: leurs effets sur la croissance microbienne

Les antioxydants sont parmi les additifs utilisés le plus largement dans l'industrie alimentaire. Ces composés permettent de conserver la qualité des produits alimentaires en prévenant le rancissement causé par l'oxydation des lipides. En outre, il a aussi été démontré dans quelques laboratoires, y compris le nôtre, que certains antioxydants, comme le BHA (butyl hydroxy anisol) du genre phénol peuvent inhiber la croissance microbienne. Cette observation peut conduire à une application pratique d'importance.

En effet, on pourrait ajouter au rôle déjà connu des agents antioxydants des lipides celui de préservatif des aliments des contaminations microbiennes. À ce sujet, nous avons étudié le mécanisme d'action du BHA sur la croissance de *Staphylococcus aureus,* une espèce bactérienne responsable de plusieurs intoxications alimentaires. Nous avons ainsi démontré que le BHA agit principalement au niveau de la membrane cytoplasmique de cellules en phase active de croissance, causant la lyse des cellules. Les résultats de cette étude nous permettent de développer les stratégies les plus appropriées pour accroître l'efficacité de l'action bactéricide du BHA.

Intégration du groupe CRESALA (Centre de recherche en sciences appliquées à l'alimentation) dans l'IAF

En 1982, le groupe CRESALA, (sous la direction du docteur Marcel Gagnon) a été transféré de l'UQAM à l'IAF et est devenu une nouvelle unité administrative. De ce fait, l'IAF étend davantage son œuvre non médicale et amplifie sa collaboration à l'industrie.

Centre de recherche en sciences appliquées à l'alimentation

Le centre CRESALA a développé un catalasimètre (fabriqué à Montréal par la Société Bioselectronic et distribué partout en Amérique du Nord) qui permet aux éleveurs de détecter en quelques minutes les infections du bétail (les mammites, en l'occurrence) et d'éviter ainsi la contamination de l'ensemble de leur production par le lait des animaux malades. Cet instrument pourrait trouver de multiples applications dans l'industrie bioalimentaire aussi bien qu'en médecine. Dans ce dernier cas, pour détecter des infections urinaires et sanguines et diminuer d'autant les épreuves de laboratoire réclamées à la suite de diagnostics erronés.

Le CRESALA a aussi travaillé avec le Centre en immunologie de l'Institut pour développer une trousse antigénique permettant de déceler la présence des protéines du lait de vache, mélangé frauduleusement avec du lait de chèvre. En plus d'orienter une partie de ses projets de recherche en fonction directe des besoins de l'industrie bioalimentaire québécoise (traitement des produits laitiers, sous-produits de la pomme, du bleuet et du sirop d'érable, traitement des produits de la mer et sous-produits des poissonneries, etc.) le CRESALA travaille à un projet de Centre d'expertise au service de la petite et moyenne entreprise dans ce secteur. Il est présentement associé de façon confidentielle à une douzaine de recherches industrielles.

Au niveau international, il a signé une entente-cadre de collaboration et de formation de personnel avec l'Institut de technologie alimentaire du Sénégal et il agit à titre de conseiller permanent auprès du Centre ivoirien de recherche et de développement technologique.

Irradiation des aliments

Le CRESALA, l'Institut Armand-Frappier et l'Énergie atomique du Canada ont créé une société appelée « Centre international d'irradiation ». Elle a pour but de promouvoir et de démontrer, sur une échelle semi-industrielle, la technique d'irradiation des aliments et son contrôle, en vue d'aider les grandes et moyennes, et même les petites entreprises, à se prévaloir de cette nouvelle technique de conservation des aliments.

Des laboratoires au coût de plusieurs millions sont déjà construits sur les terrains de l'IAF. Une vingtaine d'experts, choisis avec soin, en assurent le fonctionnement. Le plus grand avenir est réservé à cette nouvelle méthode.

Le financement en est assuré, non seulement par l'Énergie atomique du Canada, mais également par le gouvernement de la province de Québec.

Ce Centre d'irradiation a établi une liaison avec une subsidiaire de l'Institut dans laquelle l'Institut et la maison Lavalin participent à 50 %, et dont le but est de développer et commercialiser les découvertes ou mises au point faites par le Centre d'irradiation.

Travaux sur l'environnement et la pollution

Rôle de *Desulfo vibrio* dans la lutte contre la pollution des eaux

Avec son élève, Raymond Desrochers, Fredette étudia pendant deux ans le rôle des *Desulfo vibrio,* anaérobies réductrices des sulfates, qu'ils identifièrent pour la première fois au Canada, dans des régions de la rivière Ottawa, où les déchets industriels des usines des pâtes et papiers s'accumulent et dans certains lacs profonds des Laurentides. Ces travaux, qui ont été faits en collaboration avec l'Office de biologie du Québec, se révélèrent d'un grand intérêt en ce qui regarde la lutte à la pollution de l'eau.

Survie des virus dans l'eau — Techniques d'isolement

Des travaux portent sur un aspect particulier de l'écologie des virus : leur présence et leur survie dans l'eau. La présence de virus dans l'eau, de même que dans tout le milieu extérieur, représente un risque dont les conséquences sur la santé publique n'ont pas été pleinement évaluées. Les travaux dans ce domaine cherchent 1) à démontrer l'ampleur de la contamination virale dans le milieu hydrique, 2) à évaluer l'efficacité des traitements usuels de désinfection des eaux, à les améliorer, si nécessaire, et 3) à évaluer le risque que représente cette contamination.

Biodégradation et bioconversion de biomasse lignocellulosique

Les premières investigations sur la biodégradation des déchets lignocellulosiques à l'Institut ont été commencées au début des années 70. C'est avec la première crise du pétrole en 1973 que ces recherches ont rapidement revêtu une importance économique.

La cellulose et surtout les déchets cellulosiques ont été reconnus pour la première fois en tant que ressource abondante et renouvelable. Il en résulta une activité intense dans tous les milieux de recherche microbiologique pour découvrir des méthodes de dégradation microbienne efficaces capables de convertir cette biomasse en glucose et/ou en alcool.

À partir des observations du processus du compostage des résidus, nos chercheurs ont réussi à isoler une série de microorganismes qui, appartenant à la famille microbienne des Actinomycètes, montraient en laboratoire une forte capacité de dégrader le papier journal et autres matériaux cellulosiques. Une étude approfondie de ces microorganismes a permis de distinguer certaines espèces (souches) appelées Streptomycètes produisant une série de protéines (enzymes) capable de dégrader non seulement la cellulose mais aussi les autres composantes qu'on trouve dans la biomasse lignocellulosique. Un tel système enzymatique offrait donc une possibilité d'utiliser les grandes quantités de déchets forestiers pour fabriquer des produits utiles à la société.

Dans le milieu des années 80, la situation dans le domaine de l'énergie ayant changé, la rentabilité économique des procédés de bioconversion de biomasse ne pouvait plus être atteinte. Il fallait donc réorienter les recherches du groupe des streptomycètes et les adapter à des problèmes environnementaux qui sont devenus de plus en plus évidents. C'est ainsi qu'une toute nouvelle application fut trouvée, celle du blanchiment des pâtes à papier.

Biotechnologie des xylanases et leur application au bio-blanchiment des pâtes à papier

La récente mise en évidence de dioxines et furanes non seulement dans les effluents des moulins à papier, mais aussi dans certains produits de consommation, tels que les couches de bébé et les cartons de lait a attiré une publicité considérable. La cause de cette pollution dangereuse est attribuable au blanchiment chimique des pâtes à papier par le chlore activé.

Plusieurs solutions à ce problème ont été proposées. Parmi les alternatives envisagées, la décoloration des pâtes par des enzymes telles que les xylanases offrait une voie prometteuse. Cette approche biologique nécessite le développement de procédés de production d'enzymes à grande échelle par fermentation, le tout par des souches incapables de synthétiser des cellulases.

Nos recherches sur la modification de souches de streptomycètes par génie génétique pour l'hyperproduction de cellulases et hémicellulases nous ont permis de proposer une application des xylanases au bioblanchiment des pâtes à papier.

À l'origine de ces recherches étaient nos études sur la biodégradation de la lignocellulose commencées en 1977 et financées par une première subvention du Conseil de recherche en sciences naturelles et génie du Canada (CRSNG). Depuis cette aide initiale, nous avons bénéficié de l'appui continuel de cet organisme sous forme de renouvellements des subventions dans le programme de dépenses courantes, deux subventions thématiques consécutives et, récemment depuis 1989, d'une subvention majeure dans le programme de coopération université-industrie. Ce qui nous a permis la formation d'une solide équipe de chercheurs.

Parmi les réalisations principales de cette équipe, signalons : le clonage de manière homologue de toutes les enzymes du système xylanolytique dans un mutant de *Streptomyces lividans* non producteur de cellulases. Ces xylanases sont sécrétées efficacement dans le milieu de culture et l'expression des gènes a été augmentée de 160 fois celle de la souche sauvage. Cette hyperproduction remarquable et la sécrétion efficace des enzymes permettent maintenant d'envisager leurs applications industrielles. À ces fins, nous nous sommes associés à la compagnie ICI Bioproducts de Mississauga (Ontario) avec laquelle nous développons actuellement le procédé de bioblanchiment des pâtes à papier.

Nous étudions aussi l'expression du gène de la xylanase A de *Strep-tomyces lividans* par la mutagénèse dirigée *in vitro*. La production de xylanase A par le clone IAF18 est réprimée par le glucose. Pour des commodités industrielles, il est important de pouvoir produire l'enzyme en utilisant un substrat relativement bon marché contenant du glucose. Une région palindromique en amont du promoteur du gène de la xylanase A semble jouer un rôle dans la régulation de son expression. Par délétion de cette région comprenant 39 pb (paires de base), nous avons élevé la répression catabolique par le glucose mais, en même temps, diminué la production d'enzyme. Nous raffinons actuellement nos délétions de manière à produire autant d'enzyme que le clone intact tout en recherchant à atteindre le but mentionné ci-dessus.

Parallèlement, nous avons mené une étude intensive sur le gène de structure, par mutagénèse dirigée, pour découvrir les résidus d'acides aminés impliqués dans le site actif de l'enzyme et aussi pour tenter d'augmenter l'activité de l'enzyme lui-même. Afin d'accélérer les travaux, le gène de la xylanase a été exprimé chez *E. coli* puisqu'il n'existe pas de méthodes de mutagénèse pour *S. lividans*. Toutes les mutations induites par cette méthode ont généralement diminué l'activité de l'enzyme. Cependant, le changement des résidus lysine 45 et arginine 81 abolit complètement l'activité enzymatique. Ceci semble indiquer qu'ils participent plus ou moins directement au site actif de l'enzyme.

Un récent développement prometteur mérite d'être mis en lumière. Notre équipe de chercheurs a imaginé un nouveau concept de fermentation des matières végétales à l'état *solide* pour la production d'un système à haut potentiel de transformation de la cellulose en sucre. Le procédé, basé sur la culture de la bactérie *Trichoderma resei* est semblable à celui qui fut développé récemment par le savant B. Kochii, sauf qu'il ne requiert aucun additif dispendieux et que les lignocelluloses traitées à l'alkalin ne sont pas lavées pour éliminer les hémicelluloses et la lignine. Cela permet des rendements accrus attribuables à l'utilisation de fractions hémicellulosiques des résidus végétaux, de sorte que le procédé pourrait acquérir une importance considérable.

Biodégradation des biphényls polychlorés

Les biphényls polychlorés ou BPC comptent parmi les polluants les plus importants des sociétés industrialisées. Ces composés ont servi à plusieurs usages industriels, notamment pour la fabrication de transformateurs et de condensateurs électriques et comme lubrifiants pour plusieurs appareils industriels. Les BPC se caractérisent principalement par leur résistance à l'oxydation chimique et biologique ainsi que leur solubilité dans les lipides.

À cause de ces propriétés, les BPC s'accumulent dans les constituants de la chaîne alimentaire pour se retrouver dans les lipides, notamment dans les tissus adipeux et le lait maternel. Or, les BPC sont toxiques pour plusieurs espèces animales et pour l'homme. De fait, on sait depuis déjà quelques années que les mammifères peuvent modifier la structure chimique des BPC, les transformant en substances toxiques et oncogènes.

Cependant, on connaît très peu l'effet des bactéries sur les BPC. En effet, certaines études préliminaires effectuées dans notre laboratoire et ailleurs indiquent que les bactéries peuvent transformer les BPC, mais la nature chimique et la toxicité des métabolites qui résultent de ces transformations sont peu connues.

Notre laboratoire, en collaboration avec des chercheurs de l'Institut national de recherche scientifique (INRS), s'est employé à identifier ces métabolites et à vérifier leur toxicité. Ces études du catabolisme microbien des BPC ne servent cependant pas simplement à connaître les biotransformations microbiennes de ces produits. Les résultats nous serviront aussi à déterminer les interventions génétiques et biotechnologiques qu'il faudra apporter pour construire des souches bactériennes capables de dégrader efficacement les BPC en composés chimiques inoffensifs. À cet effet, nous possédons présentement dans notre collection de souches, des isolats bactériens dont les capacités métaboliques vis-à-vis des BPC se complètent et nous envisageons d'entreprendre sous peu des croisements génétiques entre ces souches.

Dépollution microbiologique du lisier de porc

Le but est de réduire les odeurs, le contenu en matières organiques et en azote, ainsi que le nombre de microbes pathogènes, de façon à obtenir un effluent qui puisse être rejeté dans des cours d'eau sans les polluer. Le traitement complet du lisier en aérobiose comprend trois étapes : l'oxydation de la matière organique par l'intermédiaire d'hétérotrophes microbiens; ensuite, la nitrification par des autotrophes; enfin, la dénitrification des produits minéraux obtenus dans la seconde étape, de façon à éliminer l'azote sous forme de gaz.

Ces travaux sont effectués soit dans l'usine GEOBI (traitement aérobie et thermophile du lisier, soit dans le laboratoire de l'IAF (efficacité du traitement de nitrification et de dénitrification).

La collaboration avec les ingénieurs du CRIQ et du Département d'agriculture du campus McDonald de l'Université McGill a été établie.

On recherche aussi la possibilité de traiter l'effluent par osmose renversée (ou par un autre procédé) avant le rejet à l'eau courante. La phase solide résiduelle sera étudiée quant à son utilisation comme engrais, comme aliment animal ou pour la production de méthane (ou elle sera tout simplement « compostée »).

Désodorisation

Dans un autre projet, nous nous sommes plutôt intéressés à la désodorisation microbiologique du lisier de porc. En laboratoire, il a été possible d'accélérer la désodorisation du lisier en inoculant des souches aérobies sélectionnées pour leur capacité de dégrader quelques indicateurs d'odeur. Compte tenu de certaines contraintes, nous croyons qu'au niveau de la ferme, il serait préférable de développer un procédé aérobie basé sur la microflore indigène de chaque lisier. Certains travaux ont aussi été tentés pour développer un procédé anaérobie de désodorisation. Un consortium de bactéries anaérobies a été isolé pour sa capacité à dégrader certains indicateurs de l'odeur tels que le phénol et le p-crésol. Nous sommes à isoler et caractériser les souches impliquées dans ce consortium puis nous déterminerons leur potentiel.

*

*   *

Après un décalage de plus de cinquante ans, on observe que l'Institut a pleinement atteint son objectif premier de soutenir et de développer sa recherche dans le domaine de la microbiologie et des sciences connexes, en partie à même les profits et les à-côtés dérivant de la production et de la vente de certains produits biologiques employés en médecine, sans compter les contrats et les subventions. Il est maintenant loisible de profiter d'agences de recherche comme le Conseil de la recherche médicale du Canada, des fonds fédéraux-provinciaux pour la santé publique et du fonds provincial pour les recherches médico-sociales et autres fondations.

Pour chaque dollar reçu en subvention de recherche, l'Institut doit dépenser au moins la même somme pour les frais indirects de la recherche, y compris les salaires des directeurs. Par conséquent, plus l'Institut s'enrichit de donations et de subventions, plus il s'appauvrit à cause des frais indirects, à moins que ces frais ne soient couverts par les profits de sa production ou de ses expertises ou encore par des subventions d'encadrement au profit de ses élèves de deuxième et troisième cycles.

Chapitre septième

L'enseignement

On a vu, dans le chapitre IV, que l'Institut tire son origine du Département de bactériologie de la Faculté de médecine de l'Université de Montréal. La création du certificat de bactériologie, vers les 1936-1937, par la Faculté de médecine, avait pour but de mettre l'enseignement de cette discipline à la portée des diplômés de la Faculté des sciences, de la Faculté de pharmacie, et de la Faculté de médecine. Ce fut un succès que couronna par la suite, la décision de la Faculté des sciences de créer une maîtrise ès sciences, reconnaissant ce certificat et ensuite, la décision de la Faculté de médecine de créer une maîtrise et un doctorat ès sciences en bactériologie. Un grand nombre de bactériologistes des hôpitaux ou de l'Institut et d'autres organismes industriels ont ainsi acquis une formation tout à fait appropriée à leurs besoins.

Il est certain que l'Institut, fondé en 1938, a apporté sa modeste contribution à de tels efforts, surtout en fournissant des professeurs, des sujets de recherche et aussi des élèves, futurs membres de l'Institut. Il faut aussi se référer à notre premier chapitre dans lequel on décrit l'apport dans l'enseignement pratique de la microbiologie de laboratoire clinique que favorisa le Laboratoire de l'hôpital Saint-Luc dont j'étais le directeur.

Comme chef du Département de bactériologie, doyen de l'École d'hygiène et directeur de l'Institut naissant, je faisais de grands efforts pour attirer la visite de professeurs de l'Institut Pasteur, de l'Université de Paris, de même que d'autres professeurs de passage au Canada, en vue de préciser et d'approfondir certains enseignements dans les trois institutions que je dirigeais. Cet apport non négligeable fortifiera aussi plus tard les cours des deuxième et troisième cycles. C'est ainsi que, dès 1947, le professeur Pierre Lépine de l'Institut Pasteur de Paris a vraiment créé l'enseignement de la virologie tant à l'École d'hygiène qu'au Département de bactériologie, en même temps qu'il conseillait l'établissement de services de recherche et de diagnostic dans ce domaine à l'Institut de microbiologie et d'hygiène. Le docteur P. Lépine et le docteur H. Simonnet prolongèrent pendant dix ans leurs séjours de trois mois par année à l'Institut et à l'École d'hygiène, l'un enseignait la virologie et l'immunologie nouvelle et l'autre, la nutrition. Le docteur R. Prévost, également de l'Institut Pasteur, nous a exposé un enseignement très approfondi sur les anaérobies. Pour ce qui est du docteur L. Nègre, qui vint à trois reprises, son enseignement portait sur la tuberculose expérimentale et le BCG. L'enseignement du professeur R. Sohier, de Lyon, portait sur l'épidémiologie.

Sont aussi venus des étudiants des autres universités, de Sherbrooke, de McGill, de Concordia, de l'Université de Montréal. Ils se joignaient à nos chercheurs, professeurs à la Faculté de médecine de l'Université de Montréal, que ces universités approuvaient pour diriger leurs travaux de maîtrise ou de doctorat accomplis à l'Institut. Ils étaient munis de bourses, sans compter celles de l'Institut. L'université d'origine décernait les diplômes si leurs travaux de recherche et leurs notes de laboratoire étaient jugés convenables.

Pendant des années, l'Institut a ainsi collaboré à l'enseignement supérieur des diverses universités du Québec, mais sans délivrer lui-même de diplômes. Des dizaines d'étudiants y ont reçu leur formation. Ce n'est qu'après l'intégration de l'Institut dans l'Université du Québec, en 1972, qu'il obtint le pouvoir de décerner des diplômes de maîtrise ès sciences et de doctorat ès sciences, dans le cas de la virologie et de la microbiologie appliquée.

Mais l'ancien système fonctionne toujours pour certaines universités dont les élèves désirent fréquenter l'Institut. Ainsi, sous l'autorité de l'Université de Montréal, de 1961 à 1985, 24 doctorats et 59 maîtrises ont été décernés à des étudiants de cette université, stagiaires pour leurs travaux de thèse à l'Institut; sous l'autorité de l'Université de Paris, 2 doctorats ont été obtenus; sous celle de l'Université McGill, 5 doctorats et 5 maîtrises; sous celle de l'UQAM, 2 maîtrises. Enfin, sous l'autorité de l'Université du Québec, l'Institut, de 1972 à 1985, a octroyé 6 doctorats et 30 maîtrises en virologie.

En 1986, le nombre d'étudiants inscrits au doctorat à l'IAF est de 9; celui d'étudiants inscrits à la maîtrise en virologie, de 16; celui d'étudiants inscrits à la maîtrise en microbiologie appliquée, de 14. Venant d'autres universités, on compte 12 étudiants au deuxième cycle et 9 au troisième cycle. En plus, l'Institut reçoit 11 stagiaires postdoctoraux.

L'Institut est donc une université des deuxième et troisième cycles, semblable en ceci, et toute proportion gardée, au Rockefeller University, l'ancien Institut Rockefeller. Le Centre de recherche en microbiologie appliquée concentre l'enseignement du deuxième cycle et organise celui du troisième cycle dans cette matière. Les autres centres collaborent à la même fin dans le même programme. On trouve dans ce Centre des installations de fermenteurs de diverses dimensions utilisées par des équipes de chercheurs dans un grand nombre de domaines, ce qui donne aux étudiants d'intéressantes possibilités.

Le Centre de recherche en épidémiologie et en médecine préventive collabore aux divers programmes de maîtrise et de doctorat de l'Institut, mais aussi avec le Département d'épidémiologie de la Faculté de médecine de l'Université McGill. Il en est de même du Centre de recherche en immunologie qui, dans le cadre d'entente avec le Département de médecine expérimentale de l'Université McGill et avec la Faculté de médecine de l'Université de Montréal, offre aux jeunes chercheurs et étudiants un éventail de sujets de recherche des plus intéressants.

Le Centre de recherche en médecine comparée participe surtout à l'enseignement de la virologie et de la microbiologie appliquée. De même en est-il du Centre de recherche en sciences appliquées à l'alimentation (CRESALA).

Les programmes de maîtrise et de doctorat du Centre de virologie portent sur les divers champs d'activité de cette science (virologie des mammifères, des invertébrés, génie génétique, biotechnologie et autres sujets d'actualité) et visent directement la formation de chercheurs, soit dans une perspective de recherche fondamentale, soit dans celle des recherches appliquées. Le Centre de recherche en virologie a été le premier à offrir des programmes de 2e et 3e cycles propres à l'Institut.

En 1945, mes collègues et moi-même entreprenions le complément ou le prolongement de l'Institut, c'est-à-dire la fondation de l'École d'hygiène de l'Université de Montréal, une faculté autonome. Dans mon esprit, un tel enseignement s'insérait naturellement dans les objectifs de l'Institut. Les premiers mémoires font état de ce projet. Cependant, il fut convenu que l'École deviendrait une faculté de l'Université de Montréal et que l'Institut y collaborerait de très près, le directeur de ce dernier étant aussi le doyen de l'École.

Dans le volume d'Alain Stanké et Jean-Louis Morgan intitulé : *Ce combat qui n'en finit plus*, on présente un historique de la fondation, de l'évolution et des réalisations de cette école. Ce sujet touche évidemment de très près les objectifs de l'IAF, surtout ceux de l'enseignement et de la recherche en médecine préventive.

L'Institut étend même son enseignement sur les sujets modernes de biotechnologie et autres à des groupes de professeurs de biologie des cycles primaire et secondaire des institutions de Montréal et des alentours. Depuis quelques années, il leur offre des cours de perfectionnement qui durent quelques jours et conduisent à l'obtention d'une attestation chez ceux qui les ont suivis.

Rappelons que l'Institut, dès le début, s'est astreint à former des techniciens pour ses propres besoins jusqu'à ce que les cégeps établissent cette option et mettent leurs diplômés à la disposition de l'Institut. Former des techniciens dans nos laboratoires n'a pas toujours été chose facile. Il s'agissait d'une profession nouvelle, celle de technicien en microbiologie, une profession qui se distinguait, du moins dans l'approche des objectifs, de celle de technicien de laboratoires médicaux. Nos techniciens devaient être formés à s'adapter à la recherche et aussi à la production. Plusieurs de ces techniciens, formés à l'Institut, y ont accompli une carrière remarquable, quelquefois dépassant les quarante ans.

Il existe en outre des leçons données en amphithéâtre par des sommités invitées pour le profit plus particulier de nos élèves des deuxième et troisième cycles et aussi pour tous ceux qui sont intéressés. On trouve dans les Rapports annuels la liste de ces invités et de ceux qui ont paru aux Micro-Hebdo-Actualités.

Les frais indirects de cet enseignement de virologie et de microbiologie appliquée sont élevés, sans parler des salaires des professeurs. Cependant, ces derniers intègrent leur enseignement dans leur programme de recherche.

Le fait qu'on ne reçoive que des étudiants gradués affecte les frais de fonctionnement des laboratoires, d'espaces de travail, sans compter ceux des divers services généraux qui sont très élevés comparativement aux études du premier cycle.

Ce qui est aussi onéreux, ce sont les coûts de construction et d'obtention de salles de cours, d'installations bibliothécaires et d'organisation de facultés.

Des espaces aux fins de l'enseignement ont été créés en liant des maisons mobiles aux édifices existants et en les utilisant comme bureaux de professeurs ou salles de cours, voire comme laboratoires.

Il ne faut pas oublier que l'Institut avait été construit en 1963 sur son campus de Laval-des-Rapides en vue de la recherche, des services et de la production. L'enseignement systématique n'y avait pas été prévu parce que, à ce moment-là, il n'y avait aucune liaison ni avec l'Université de Montréal, ni avec l'Université du Québec. Les activités étaient limitées pour les étudiants à des sujets de recherche et à des travaux intégrés dans les nôtres.

Il est maintenant plus difficile de s'en tenir à de telles limitations. Le nombre d'étudiants, surtout à la maîtrise, et même pour des sujets de virologie ou de microbiologie appliquée, exige une approche pédagogique qui s'éloigne plus ou moins de celle des travaux courants dans les laboratoires de recherche.

En un mot, nous manquons d'espace, ce qui est vrai pour notre enseignement et pour nos recherches. Il serait temps de recevoir de l'aide des ministères concernés à ces fins. Il semble bien que l'Institut ait fait sa part.

Rappelons que des symposiums et colloques nationaux et internationaux, ainsi que diverses journées d'étude, ont été organisés soit dans les locaux de l'Institut ou ailleurs, en particulier sur les anaérobies, sur la grippe, sur le BCG-Cancer. Des comptes rendus furent publiés sous forme de volumes.

De plus, à chaque année, une conférence spéciale est organisée à la mémoire du professeur Victorien Fredette et porte sur des sujets de grande actualité.

L'avenir de la microbiologie et de la virologie est aussi assuré qu'il l'était lorsque l'Institut fut fondé. Même encore plus, car la diversité des disciplines modernes relevant de la virologie et de la bactériologie a permis l'approche de nouvelles biotechnologies, surtout par le moyen de la nouvelle génétique mise au monde à la suite des travaux sur la biologie et la microbiologie moléculaires. Une perspective extrêmement séduisante pour des étudiants audacieux et curieux d'approches nouvelles dans l'étude de la vie.

En conclusion, le rôle de l'Institut dans l'enseignement des deuxième et troisième cycles est insigne. Notre personnel scientifique se compose, pour la majorité, de professeurs chercheurs. La transmission des connaissances y est inédite. En effet, il offre une diversité de sujets et des possibilités de travail uniques. Sa vocation première est certainement la recherche. Mais, l'enseignement des deuxième et troisième cycles en fait partie. C'est ainsi que l'Institut réalise pleinement ses objectifs fondamentaux.

En outre, nos centres de l'Institut Armand-Frappier comptent sur un bon nombre de professeurs associés ou réguliers qui font partie d'autres constituantes de l'Université du Québec ou d'autres universités et qui sont invités pour donner des cours sur leur spécialité ou encore qui dirigent leurs élèves postscolaires vers les cours de virologie ou de microbiologie appliquée de l'IAF et collaborent ainsi à la direction des travaux de ces élèves.

Chapitre huitième

Les services à la collectivité scientifique et communautaire

La naissance des services à la collectivité à l'Institut a découlé d'abord de découvertes extraordinaires qui exigeaient une implantation immédiate de services pratiques. Or, l'Institut se trouvait le seul dans le Québec, et l'un des seuls au Canada, aux points de vue scientifique, technique, espace de laboratoires et de bureaux et au point de vue financier, à pouvoir répondre *immédiatement*, quoique partiellement, en attendant l'aide gouvernementale, à des besoins évidents et urgents touchant particulièrement la santé publique. Les raisons en sont bien simples : d'abord, cette action pouvait découler naturellement des travaux de recherche de l'Institut ou du fait que l'Institut comptait parmi les premiers à étudier et à mettre en pratique certaines découvertes récentes, ou encore du fait qu'on s'adressait à l'Institut pour entreprendre recherches, essais, analyses.

C'est pour répondre à ces demandes que certains services à la collectivité ont été organisés. L'Institut a aussi considéré qu'il ne prenait, dans cette approche, la place de personne d'autre, car il était pratiquement le seul à pouvoir offrir une gamme de services microbiologiques et chimiques diversifiés grâce à ses experts biochimistes et microbiologistes, à son nombreux personnel technologique muni des appareils les plus modernes.

Services et expertise en bactériologie

Anaérobies

Au cours de la guerre 1939-1945, l'Institut a rendu des services à l'armée en analysant l'effet de certaines étoffes sur le développement de la gangrène gazeuse. Le traitement que l'on ajoutait à ces étoffes et qui est resté secret, prévenait jusqu'à un certain point le développement de la gangrène gazeuse dans les plaies infectées par leurs fibres. Ces travaux sur la gangrène gazeuse donnèrent lieu à de nombreuses publications quant à leur aspect portant sur la recherche, mais ils ont donné lieu aussi à un développement de toute une gamme de techniques pour l'isolement et l'identification des bactéries anaérobies impliquées dans certaines pathologies humaines et dans la qualité de certains produits de l'industrie alimentaire et pharmaceutique. Après avoir montré que plusieurs bouches de ventilation dans les hôpitaux étaient contaminées par des bacilles de la gangrène gazeuse, l'Institut a développé une méthodologie appliquée à l'évaluation de systèmes de filtration d'air dans ces milieux médicaux hospitaliers et industriels. Il a proposé que le *Clostridium perfringens* soit utilisé comme indicateur de pollution bactérienne de l'air.

Fermentations

Expertise dans une brasserie

Dès le début de l'Institut, ses microbiologistes ont été appelés à la rescousse d'une brasserie dont les cuves étaient contaminées par un agent qu'ils ont identifié.

Culture de ferments pour la production du yogourt

L'Institut a aussi, à cette date, préparé et conservé les premières cultures de ferments pour la production du yogourt pour la maison Delisle alors à ses débuts.

Fermentation alcoolique de l'acide citrique

Vers 1952, l'Institut entreprit pour la Canadian Commercial Alcohol Corporation une recherche, qui dura deux ans, sur la fermentation alcoolique de l'acide citrique.

Fermenteurs

Une unité de plusieurs fermenteurs de volumes variés est à la disposition des scientifiques à l'échelle provinciale et nationale. Cette unité permet la culture

contrôlée de grandes quantités de diverses espèces bactériennes généralement utilisées pour les vaccins et l'extraction de constituants tels que les
polysaccharides, les protéines et diverses enzymes, y inclus les endonucléases.

À ce dernier chapitre, l'unité de fermenteurs a permis de cultiver certaines espèces de bactéries desquelles des enzymes de restriction ont pu être
extraites. Ces dernières sont des outils essentiels au développement de la
biologie moléculaire, secteur de la biotechnologie fort prometteur à l'IAF.

À plusieurs reprises, monsieur Victorien Fredette fut dépêché par l'Institut comme microbiologiste expert, à la demande de l'industrie, en vue d'étudier des problèmes de caractère apparemment microbien qui causaient de
graves ennuis. Parmi ceux-ci, il est intéressant de noter celui de la contamination de l'huile utilisée par une industrie sidérurgique. Nos services ont non
seulement identifié l'agent en question, mais ils ont aussi éprouvé un biocide
efficace et en ont conseillé l'usage. On ajoutait ce dernier à l'émulsion eau
et huile couvrant l'acier au cours du laminage.

Un autre cas intéressant fut celui de l'investigation d'une mystérieuse
fermentation putride dans la région de Boucherville que Fredette et ses collègues ont reliée à une certaine colle utilisée dans l'industrie du bâtiment.

Alimentation

Vers les 1970, après approbation, monsieur Fredette a organisé, dans son
département, une section de microbiologie agro-alimentaire pour laquelle il
avait engagé un spécialiste qui fut envoyé en stage de perfectionnement en
microbiologie alimentaire dans les laboratoires du professeur Butiaux à l'Institut Pasteur de Lille, ainsi que dans les laboratoires de l'Institut de Delft, en
Hollande. L'Institut a alors offert par écrit aux industries alimentaires de
Montréal et des environs des services de contrôle de qualité de la matière
initiale et de la matière finale et des services d'examen de leurs locaux. Une
grande réunion des intéressés fut tenue vers la même date et les industries
eurent l'occasion d'exposer leur point de vue alors que l'Institut leur a offert
ses services.

Les scientifiques furent appelés à poursuivre des expertises sur la contamination de certains aliments par divers facteurs, particulièrement par le
botulisme ou par certains autres microbes toxiques. Ils sont ainsi parvenus,
dans une ferme d'élevage de visons, à éliminer le botulisme. Le regretté
professeur Victorien Fredette a entretenu de façon assidue ses contacts d'expertise avec les industries et les éleveurs.

Contrôle de qualité

L'Institut a constamment maintenu un service de *contrôle de qualité* pour les produits pharmaceutiques, en particulier, le contrôle de la stérilité des produits et de la pyrogénicité. L'Institut a été le premier dans la province de Québec à mettre les hôpitaux et les industries en garde contre les corps pyrogènes, à la suite de ses recherches lors de la fabrication du sérum normal humain desséché pour combler les besoins au cours du dernier conflit mondial. Autrefois, ceux qui préparaient des sérums ou des solutés injectables couraient le risque que les produits provoquent des réactions, quelquefois très sérieuses, et même la mort, à cause de la présence des dits corps pyrogènes. Depuis des années, l'Institut contrôle les solutés de plusieurs industries pharmaceutiques. Ses rapports sont toujours considérés par le gouvernement fédéral comme décisifs. Pendant la guerre, des membres de l'Institut ont parcouru toute la province de Québec et montré au personnel d'un grand nombre d'hôpitaux et de certaines industries la technique de stérilisation humide et à sec qui, jusque-là, et à plusieurs endroits, laissait à désirer.

Ils ont dissuadé les hôpitaux importants de la province de préparer des solutés avec de l'eau non contrôlée au point de vue des corps pyrogènes. À l'Institut même, l'eau utilisée pour laver les appareils, les rincer, etc., était exempte de ces contaminants. Ce fut un grand service rendu aux hôpitaux, aux chirurgiens et à tous ceux qui devaient injecter des solutés aux patients. Il va sans dire que les patients eux-mêmes n'étaient plus sujets aux réactions ennuyeuses et même d'une certaine gravité, par suite de l'injection de ces produits comme auparavant.

Le service du contrôle de qualité de l'Institut sert évidemment pour les produits biologiques que l'Institut a fabriqués, mais également aux fins d'analyse et d'expertise, comme on vient de le mentionner. Ce service a été totalement réorganisé et modernisé depuis 1978.

Il répond aux exigences de la *Loi des aliments et des drogues* et du ministère de la Santé d'Ottawa. Ce service est de plus en plus en demande depuis quelques années, du fait que les gouvernements sont plus sévères en ce qui regarde la qualité des aliments et des produits pharmaceutiques et que les inspecteurs sanitaires conseillent aux industries de faire contrôler leurs produits par des experts, entre les diverses inspections officielles. Depuis lors, l'Institut n'a cessé d'accroître sa collaboration avec les industries de cette nature.

Services et expertise en virologie

Diagnostic

L'Institut avait depuis déjà 1947 mis à la disposition des hôpitaux et des services de santé une section de diagnostic de virologie, deuxième au Canada, première au Québec. Vers 1980, ce service sera limité à la collaboration avec le Centre de médecine comparée qui fait le dépistage des pathologies des animaux de laboratoire, à l'intention des milieux universitaires et pharmaceutiques canadiens.

Domaine écologique

Encéphalite

Dans le domaine de l'écologie, un service rendu par le Centre de virologie concerne la mise en évidence pour la première fois au Québec du virus de l'encéphalite de Californie véhiculée par les insectes piqueurs.

Virus dans les eaux

L'Institut gère une expertise de recherche de virus dans les eaux usées et de consommation dans six usines de filtration pour le compte du ministère de l'Environnement du Québec depuis le printemps 1982. Ce service fort important a été rendu possible grâce à l'excellence de nos chercheurs et à l'aide financière du ministère fédéral de la Santé et du Bien-être social. Il s'agit d'un contrat de 200 000 $.

Dans les eaux d'égout, une étude hebdomadaire portant sur douze mois a donné lieu à l'isolement des poliovirus de type 1, 2 et 3; 25 % des souches de type 1 étaient de nature sauvage, 50 % de nature intermédiaire et 25 % de nature vaccinale. Les types 2 et 3 étaient tous intermédiaires ou vaccinaux.

Cultures cellulaires — cryobiologie — microscope électronique

Le Centre a mis au point diverses cultures cellulaires; il offre des services de cryobiologie, de microscopie électronique (3 microscopes électroniques) et des services d'histopathologie.

Immunité de la population féminine contre la rubéole

Depuis quelques années, le Centre a mis sur pied un programme de dépistage de l'immunité de la population féminine contre la rubéole dans le but d'identifier les cas susceptibles à l'infection, chez les femmes qui sont particulièrement exposées, dans le personnel infirmier ou enseignant. L'Institut offre ce service à tous les hôpitaux du Québec qui n'en sont pas déjà munis.

Il est souhaitable que ce programme s'étende au personnel enseignant sous la responsabilité du ministère de l'Éducation. L'Institut oriente donc ses efforts dans ce secteur. Enfin, à plus long terme, l'Institut espère convaincre les autorités provinciales d'étendre cette enquête à toute la population du Québec, ce qui préviendrait les infections rubéoleuses chez les femmes enceintes et, par voie de conséquence, les atteintes fœtales dont on sait le douloureux fardeau pour notre société.

Le Centre travaille à mettre sur pied un fichier, déjà alimenté de plus de 10 000 cas de femmes enceintes et de 30 000 cas d'individus de sexe féminin, incluant tous les renseignements pertinents doublés d'une sérothèque capable d'assurer une surveillance adéquate du taux d'infection et de réinfection par la rubéole.

Vaccin de la rage

La compétence des professeurs et des services de l'IAF a encore dernièrement porté des fruits extraordinaires : les délégués de la Fondation Rockefeller et du Massachusetts Institute of Technology, des États-Unis, sont venus à Montréal offrir d'un côté une aide financière et de l'autre un appui scientifique pour permettre à l'IAF de transférer aux pays du tiers monde une technologie toute particulière pour la fabrication d'un vaccin viral nouveau, celui de la rage, à un prix de beaucoup inférieur à l'ordinaire et donnant moins d'effets secondaires. Avec l'accord de l'OMS, le premier pays choisi est la Colombie, dont la société Vecol, de Bogota, est en état de recevoir cette nouvelle technologie mise au point conjointement par le Massachusetts Institute of Technology et l'IAF (Robert Dugré, Ph.D.).

Services en immunologie

Immunodiagnostic

Le Centre de recherche en immunologie a mis à la disposition de la communauté médicale du Québec, depuis quelques années, un laboratoire d'immunodiagnostic qui offre le support d'analyses immunologiques pour le diagnostic et le suivi des patients atteints de maladies à composantes immunologiques : détection d'auto-anticorps pour une vingtaine de maladies auto-immunes, dosage d'une trentaine de protéines sériques individuelles, dosage des facteurs du complément, évaluation de la fonction lymphocytaire T et B, bilans immunitaires et cellulaires, profils des protéines et liquides céphalo-rachidiens, dosage quantitatif de plus d'une vingtaine d'hormones par des méthodes radio-immunologiques ou immuno-enzymatiques, dosage des protéines embryonnaires accompagnant l'évolution des cancers, etc. Le laboratoire offre en outre ses services aux autres centres de l'Institut pour le dosage d'anticorps à la suite de vaccination ou d'autres services.

Le laboratoire d'immunodiagnostic du Centre a mis au point un procédé de dosage rapide d'une quantité infime d'antigènes dans un échantillon, en quinze minutes à peine. Cette technique novatrice, en instance de brevet aux États-Unis et au Canada, possède entre autres avantages le pouvoir de dépister et de doser plusieurs substances simultanément sur le même échantillon.

Histocompatibilité

L'arrivée des transplantations d'organes a obligé nos immunologistes à aborder le typage cellulaire, c'est-à-dire l'étude de l'histocompatibilité des divers organes en vue de permettre aux chirurgiens de choisir le meilleur donneur pour un receveur donné.

Pratiquement, le laboratoire d'histocompatibilité à l'intérieur de l'organisation Métro-Transplantation offre aux centres médicaux québécois un service d'identification des antigènes HLA des patients, soit pour des fins de soutien au diagnostic, soit pour déterminer la compatibilité tissulaire donneur-receveur, en cas de greffe rénale, du cœur ou du foie. Pour favoriser une disponibilité maximale d'organes provenant de donneurs québécois, un service de garde est assuré en permanence au laboratoire.

Pour les deux années 1984-1985, la surveillance immunologique a porté sur près de 300 patients inscrits sur les listes d'urgence en attente d'un donneur, et le laboratoire a complété quelque 1 350 recherches d'anticorps circulants et environ 300 nouveaux typages, pour un total de 131 greffes. Le laboratoire a en outre effectué au-delà de 500 essais portant sur l'antigène HLA-B27, un marqueur très fortement relié à diverses maladies comme la spondylarthrite ankylosante.

Le laboratoire d'histocompatibilité contribue en somme

a) à déterminer les antigènes HLA des patients;

b) à établir les « *cross match* » entre donneurs et les receveurs de greffes rénales (un service de garde est assuré de façon permanente);

c) à la recherche des anticorps contre les HLA chez les receveurs;

d) à offrir un service HLA-maladie;

e) à développer de nouveaux anticorps monoclonaux contre les antigènes du système HLA (les marqueurs de la compatibilité cellulaire), ce qui devrait faciliter les analyses tissulaires.

Ce laboratoire s'intéresse aussi à la détection d'anticorps lymphocytotoxiques dans les insuffisances rénales chez les malades hémodialysés.

Sérum antilymphocytaire

Il faut se rappeler également que l'Institut a contribué à préparer du sérum antilymphocytaire pour le traitement des patients ayant subi une greffe et étant sujets au rejet de l'organe greffé.

Médecine préventive

La vaccination par le BCG

L'Institut, ayant étudié l'innocuité et l'efficacité de ce vaccin chez l'animal et chez l'homme, fut le seul en mesure de conseiller gouvernements et organisations de médecine préventive sur la technique à utiliser, sur les inconvénients, le coût et les avantages des diverses techniques, sur les enquêtes à effectuer relativement à certaines réactions désagréables ou inexplicables. Il fut appelé par le gouvernement de la province de Québec, par le ministère de la Santé aux Affaires indiennes à Ottawa et par divers gouvernements du pays ou organismes spécialisés, à envoyer des experts comme conseillers techniques pour démontrer la technique et interpréter les réactions normales ou anormales.

Pour ce qui est de la province de Québec, l'Institut, vers 1949, avait reçu mission de la part du ministère de la Santé, ainsi que du Service de santé de la Ville de Montréal, d'organiser des équipes volantes sous ma direction qui pouvaient comprendre des épidémiologistes comme les docteurs Roland Guy, Roger Desjardins, Lise Frappier-Davignon, des microbiologistes, des experts en tuberculose expérimentale, des infirmières spécialistes dirigées par madame Thérèse Gauthier. Ce groupe était autorisé à superviser, dans la province de Québec, la vaccination par le BCG d'un point de vue technique, alors que la vaccination devenait appliquée et généralisée aux enfants nouveau-nés et aux enfants d'écoles ou à tout sujet en contact avec des tuberculeux dans cette province, sans obligation aucune toutefois. Jusqu'en 1975, de 40 % à 50 % des nouveau-nés et près de 70 % des enfants des écoles avaient été vaccinés par scarification plus particulièrement.

Des équipes volantes d'infirmières et, occasionnellement, celles des spécialistes déjà mentionnés, se mettaient à la disposition des officiers des unités sanitaires et des hôpitaux relativement à la technique à appliquer dans les pouponnières ou dans ces unités, ou encore quant à la participation à des campagnes intensives. En tant que directeur de l'Institut, je faisais le tour régulièrement et visitais les associations antituberculeuses pour me rendre compte de l'application de la vaccination, mais toujours à la demande des autorités locales ou gouvernementales.

Chaque vacciné avait sa fiche dans le Fichier du BCG et son histoire de sensibilité tuberculinique, ainsi que celle de la vaccination. Le vaccin n'était appliqué qu'avec le consentement des parents et l'autorisation du médecin dans les pouponnières ou des responsables dans les écoles, le tout dûment signé.

Le Fichier du BCG a servi à toutes sortes d'études épidémiologiques entreprises par la suite. On n'admettait pas qu'un sujet soit vacciné sans que son nom n'apparaisse dans le Fichier, de même que celui de la personne qui avait administré le vaccin, sans compter toutes les précautions d'identification par le nom des parents, etc.

En 1949, on opta pour la Cuti-BCG en remplacement de l'épreuve à la tuberculine chez les enfants et les adultes. Lors d'une réunion à l'Institut, en 1942, le ministre de la Santé de Québec, l'honorable Adélard Groulx, le sous-ministre, le docteur Jean Grégoire, moi-même et quelques autres personnalités, nous avons établi *le prix d'une vaccination* à 1,80 $. Il comprenait le coût du vaccin, de l'expédition, de l'administration et d'autres services dont celui du Fichier.

Clinique BCG

Prolongeant l'œuvre de l'Assistance maternelle, madame Simone David-Raymond et madame David, mère, fondèrent en 1935, avec l'aide médicale du docteur Albert Guilbault, la Clinique BCG de Montréal, qui est devenue par la suite l'hôpital Marie-Enfant. En raison de mes recherches sur le BCG et mon expérience hospitalière, je suis toujours resté attaché à cette clinique et ensuite à cet hôpital comme consultant. Membre du Conseil propriétaire de l'hôpital dont je fus aussi président, je continue encore à m'intéresser à cette œuvre de Marie-Enfant.

Les premiers essais du vaccin BCG

Le docteur Baudouin visait à établir des résultats statistiques valables. Il lui fallait des vaccinés et des témoins non vaccinés. Il était assisté d'une infirmière remarquable, mademoiselle Amanda Séguin. C'est grâce à l'œuvre de l'Assistance maternelle qu'il put réunir le nombre désiré de sujets.

Le BCG chez les Indiens et les autres provinces

À la demande des autorités des gouvernements fédéral et provinciaux et des organisations antituberculeuses, mes collègues médecins et moi-même avons parcouru tout le pays d'un océan à l'autre et visité les organismes provinciaux responsables et un bon nombre de réserves indiennes pour étendre et parachever l'œuvre de vaccination commencée en 1926 dans la province de Québec, rénovée par nous à partir de 1933, et qui devait prendre son véritable élan à partir de 1949. La mission de l'Institut rencontrait les principaux intéressés dans les ministères, les universités et les hôpitaux, les associations antituberculeuses et les sanatoriums.

Une bonne partie du travail s'accomplissait dans les réserves indiennes dont le directeur, à Ottawa, pour la santé des Indiens était le docteur Moore, très intéressé à l'utilisation des moyens préventifs contre la tuberculose qui décimait alors les autochtones. Le ministère de la Santé, dirigé par le sous-ministre, le docteur J.D.W. Cameron, portait aussi beaucoup d'intérêt aux travaux sur le BCG au Canada et faisait en sorte d'appuyer les efforts du docteur Moore.

Les chefs indiens manifestaient à nos médecins leur grande satisfaction en leur remettant des cadeaux ou en leur procurant de bonnes parties de pêche. C'est ainsi que les Indiens de Kenora, du grand lac des Bois, me firent cadeau d'un dessin sur écorce de bouleau représentant un oiseau au long bec, une espèce de butor, semble-t-il. Ce long bec représentait la seringue que le docteur maniait quand il travaillait parmi eux.

La première visite dans les autres provinces fut effectuée en compagnie du docteur Roland Guy, mon collègue très habile et très dévoué pour les études épidémiologiques, y compris le rassemblement des données. Il dut abandonner cette tournée en plein milieu. Je terminai donc seul la visite des différents endroits de vaccination à la fois chez les Blancs et chez les autochtones, très peu de métis acceptant la vaccination. Les médecins faisant partie de divers organismes de lutte antituberculeuse n'étaient pas toujours d'avis semblable, de sorte que certaines populations indiennes furent vaccinées plus régulièrement et intensément que d'autres.

À cette occasion, je retrouvai le docteur Ferguson, du Sanatorium de Fort qu'Appelle, médecin pneumologue et épidémiologiste de réputation, que je connaissais bien pour avoir été son collègue dans le Comité associé sur la tuberculose du Conseil national de recherches du Canada, comité fondé spécialement pour l'étude du BCG chez l'animal et chez l'homme, et devant lequel les premiers travaux sur le BCG dans notre pays furent présentés et discutés. Ce médecin avait aussi publié un volume sur l'épidémiologie de la tuberculose chez les Indiens, dans lequel il cherchait à démontrer comment certaines populations indiennes avaient disparu, emportées par cette terrible maladie.

Par la suite, je fis une tournée du centre et de l'ouest du Canada, accompagné de ma fille, chef du service d'épidémiologie à l'Institut, le docteur Lise Davignon. Nous nous sommes adressés à des auditoires de l'Université de Colombie-Britannique, de même qu'à Edmonton et à Fort qu'Appelle. Je fus aussi invité par les Facultés de médecine de Saskatoon et de Toronto et rencontrai les autorités supérieures de la lutte contre la tuberculose au Canada. Une correspondance s'est établie et ma collègue, le docteur Davignon a continué son travail de conseillère technique.

Il était nécessaire de bien exposer les indications, les contre-indications, mais surtout la technique et le contrôle postvaccinatoire au moyen de la tuberculine à des doses acceptées par l'OMS (Organisation mondiale de la santé).

Dans la province de Québec, grâce aux efforts de l'agent des Indiens, monsieur H. Larivière, des infirmières et des médecins affectés par le gouvernement fédéral à la santé des Indiens, particulièrement à la prévention contre la tuberculose, dont l'un des principaux était le docteur Rivard, — de Clova, en Abitibi, de célèbre mémoire —, la vaccination par le BCG fut traitée à sa juste importance.

À plusieurs reprises, je fus délégué avec quelques collègues pour inspecter, toujours avec monsieur Larivière, les modes de vie et les coutumes des autochtones au Québec afin de faire l'application du BCG dans les meilleures conditions possibles. Il fallait aussi former à la technique les infirmières sur place.

La première bande visitée fut celle de Waswanipi vers les 1949. Pour s'y rendre, il fallait prendre un avion sur le lac Parent en Abitibi. Plusieurs de ces Indiens n'avaient jamais vu un avion. Ils s'approchaient à son arrivée pour constater qu'il pesait plus qu'ils ne pensaient. Ils croyaient que ce vaisseau de l'air était plus léger que l'air lui-même. Par la suite, avec mes collègues, le docteur R. Desjardins et le professeur Paul Cartier, mon ami pendant cinquante ans (tous deux décédés), j'ai visité entre autres les bandes du lac Mistassini, du Lac-Saint-Jean et de Manouan.

Étude de l'effet antiseptique des « rognons de castor »

De mes visites chez les Cris du nord-ouest du Québec, j'avais rapporté une substance appelée « rognons de castor » grandement utilisée par ces derniers en application locale pour panser leurs blessures et dont l'activité antimicrobienne a été démontrée par nos chercheurs.

Il est évident que l'empirisme avait depuis longtemps montré aux indigènes du Canada les vertus antiseptiques du « rognon de castor » obtenu facilement des glandes urogénitales du castor communément chassé dans les lacs et rivières du nord. Ces glandes renferment le castoreum recherché par les parfumeurs. L'activité soupçonnée est réelle et très élevée contre S. aureus et d'autres microbes et correspond à la présence de phénol et d'acide benzoïque, ce qui justifie l'emploi populaire de cette substance dans les pansements en forêt.

Mais nos occupations multiples nous empêchèrent de poursuivre cette collaboration avec le ministère fédéral des Affaires indiennes. Après quelques années, il fallut renoncer au plaisir, à l'expérience incomparable et à l'œuvre médico-sociale très importante que constituaient ces missions.

Une des provinces autres que le Québec à appliquer la vaccination *systématique* fut Terre-Neuve dont la mortalité par tuberculose dépassait toute autre au Canada. Après une étude approfondie de la question entre le ministre de la Santé, le sous-ministre et moi-même, après examen des conditions d'application du BCG, à Terre-Neuve, il fut convenu de déléguer une équipe au cours des vacances de 1952 pour commencer cette vaccination, faire la démonstration de la technique et garder les informations sous forme d'un Fichier du BCG inauguré pour cette province. L'équipe allait de village en village, d'agglomération en agglomération, éprouvant les sujets à la Cuti-BCG en arrivant. Le lendemain, on lisait les réactions et on vaccinait les sujets négatifs (2 mm ou moins). Terre-Neuve a ensuite continué l'utilisation de la vaccination au BCG jusqu'en 1972. Il ne fait aucun doute que la vaccination a réussi à y réduire les taux de mortalité et de diffusion de cette maladie. Des liens très serrés se sont noués avec les médecins pneumologues de cette province formés aux meilleures écoles en Europe et aux États-Unis et dont la compétence garantissait une bonne application du BCG.

À partir de 1975, l'usage du BCG contre la tuberculose a pratiquement cessé au Canada. (Tableau des vaccinations par le BCG dans chaque province à la fin de ce chapitre.) Mais, en même temps, on trouvait un autre usage pour ce vaccin.

BCG et cancer

L'Institut maintient un service d'expédition de BCG et de renseignement sur l'emploi de ce vaccin comme traitement de certains cancers de la vessie. Les demandes proviennent des services de cancérologie des hôpitaux du Canada et de plusieurs instituts et hôpitaux des États-Unis. L'expérience et la satisfaction des cancérologues montrent que le BCG de l'IAF est toujours semblable à lui-même et produit des effets étonnants dans le cancer de la vessie lorsque administré localement.

Service de consultation

Les épidémiologistes de l'Institut étaient bien placés pour répondre à toutes les demandes concernant les maladies infectieuses et les programmes de vaccination.

Services de médecine comparée

Le Centre de médecine comparée assume la responsabilité de fournir aux chercheurs de l'Institut les animaux d'expérimentation ainsi que les soins et services qui s'y rattachent.

Diagnostic

Nos vétérinaires ont amélioré la qualité des animaux de laboratoire et la technologie d'expérimentation animale. Ils ont établi un service de diagnostic précoce des infections virales chez les animaux du cheptel. Un service de diagnostic des infections des animaux de laboratoire qui sert à tous les expérimentateurs et producteurs du Canada. Une collaboration existe aussi avec les laboratoires du centre de virologie concernant les maladies des animaux transmises à l'homme ou vice versa. Il travaille avec le ministère de l'Agriculture, des Pêcheries et de l'Alimentation.

Transferts de technologie

Le Centre est heureux d'effectuer des transferts de technologie aux laboratoires vétérinaires régionaux et de servir de centre de références pour préparer les sérums conjugués.

Ce laboratoire a été le seul dans la province de Québec jusqu'à ces dernières années, alors que la Faculté de médecine vétérinaire de l'Université de Montréal ajoutait à son ensemble un laboratoire de recherche et de diagnostic en virologie pour la formation de ses étudiants.

L'expertise de nos chercheurs a été mise à contribution pour la surveillance d'animaleries d'autres institutions, pour la fondation des associations américaines et canadiennes pour la science et la technologie des animaux de laboratoire. Ils ont offert et donné des cours spéciaux à diverses facultés universitaires en vue d'initier les futurs chercheurs aux méthodes modernes de l'expérimentation animale. Le Service reçoit des stagiaires en technologie animale.

Élevage de troupeaux exempts d'agents pathogènes

Le Centre de médecine comparée de l'IAF a aussi répondu à un besoin essentiel en organisant, de façon moderne et scientifique, l'élevage des animaux de laboratoire qui étaient, ici comme ailleurs, sujets à toutes sortes d'infections intercurrentes. Il a réussi à élever des troupeaux de volailles et de cobayes absolument exempts d'agents pathogènes spécifiques. Il a montré comment on peut maintenir des singes en captivité sans mortalité.

C'est ainsi que le Centre a rendu service, non seulement à la médecine vétérinaire elle-même de la province, mais aussi aux divers laboratoires auxquels il fournit des animaux et des réactifs biologiques pour le diagnostic virologique.

CRESALA

Le groupe de CRESALA est renommé pour ses travaux d'innovation en technologie alimentaire. Quelques exemples :

a) L'industrie du cidre

Les microbiologistes et les biochimistes de CRESALA ont apporté des améliorations techniques à l'industrie du cidre qu'ils ont, pour ainsi dire, normalisée, et à celle des dérivés de ce produit qu'ils ont créés au Québec.

b) L'industrie du fromage

Ce centre a aussi innové en aidant l'industrie du Québec à entreprendre la fabrication de fromages autres que le classique cheddar. On a ainsi obtenu une diversification de la production locale avec des résultats excellents. Ces produits se rapprochent des fromages de marques très connues fabriqués dans divers pays.

c) Conservation des pommes

CRESALA a mis au point la conservation des pommes en atmosphère contrôlée, en *transférant au Québec* des technologies d'origine française, mais *en les adaptant,* ce qui est très important au point de vue économique, de façon à éliminer des dépenses appréciables d'énergie (chauffage, etc.).

d) Osmose inversée

L'application de la technique d'osmose inversée à la préconcentration du lait entier avant la fermentation en vue de la production du fromage augmente sensiblement le rendement.

e) Conservation de la viande fraîche

La mise au point d'une technique de conservation prolongée de la viande fraîche, au moyen de bactéries lactiques qui inhibent la croissance des bactéries de la putréfaction est très prometteuse tant pour l'industrie que pour le commerce du détail.

Bibliothèque

L'Institut a aussi organisé et mis à la disposition des chercheurs depuis ses tout débuts une bibliothèque en bactériologie, virologie, immunologie et immunochimie, hygiène, médecine préventive et sciences connexes, y compris la biotechnologie moderne. Cette bibliothèque contient plus de 35 000 volumes en dépôt et reçoit annuellement quelque 500 périodiques.

Elle est en relation avec tous les systèmes informatiques utiles et capables de simplifier et d'unifier son travail avec d'autres bibliothèques.

Madeleine Jacques, au service de l'IAF durant trente-huit années, fut responsable de son expansion et de sa modernisation.

Nombre de vaccinations par le BCG contre la tuberculose au Canada
1926-1984

ANNÉE	CANADA	T.-N.	I.-P.-É.	N.-É.	N.-B.	QUÉBEC	ONTARIO	MAN.	SASK.	ALB.	C.B.	YUKON	T.N.O.
1926-1949	157 462	731	391	580	566	144 875	2 593	1 440	4 173	1 663	450		
1950-1954	6?8 354	53 847	2 075	2 524	1 950	5?7 913	9 892	7 936	21 144	3 921	7 152		
1955-1959	821 ?29	83 190	355	10 909	1 409	6?1 296	14 802	11 035	7 154	16 066	5 713		
1960-1964	9?8 188	109 808	521	10 725	1 474	7?9 880	25 275	16 622	8 156	15 102	5 146	1 371	4 108
1965-1969	838 864	22 476	326	6 624	3 473	6?5 515	24 246	26 698	97 082	14 664	12 836	14 874	
1970-1974	6?6 544	31 380	919	4 429	4 068	5?5 481	16 066	13 731	22 069	7 167	10 519	3 056	5 770
1975-1976	138 704	1 920	178	1 497	71	?11 855	4 742	3 596	6 325	4 597	2 275	392	1 274
1977-1979						71 497							
1980-1984						34 874							
	4 150 045	303 352	4 765	37 288	13 011	3 ?63 186	97 616	81 058	166 103	63 180	44 091	19 693	11 152

Chapitre neuvième

La production biomédicale

La fondation de l'Institut, si elle a été provoquée par la Crise qui empêchait l'Université de Montréal de créer des carrières scientifiques en microbiologie comme dans d'autres disciplines d'ailleurs, et par la détermination d'un groupe de jeunes scientifiques, soutenus par des hommes d'affaires, des universitaires et des hommes politiques, tombait quand même à son heure, dans un contexte économique déficient, celui en particulier de la nécessité pour la province de Québec d'acquérir *une certaine autonomie dans le domaine essentiel des produits biologiques.*

Sur le moment, il était impératif de s'orienter du côté de *la production,* c'est-à-dire celle des vaccins, antisérums et autres produits utilisés en médecine préventive surtout, parce que l'acheteur principal, le gouvernement et les hôpitaux en général, étaient prêts à constituer un marché « captif », permettant l'écoulement des produits de l'Institut dans l'immédiat, sans nécessité d'organisation de marketing ou de commercialisation. Il fallait donc produire ces substances, les faire accepter par le contrôleur des produits biologiques au ministère de la Santé d'Ottawa et les vendre aux gouvernements ou aux hôpitaux, à des prix compétitifs par rapport aux produits américains et aux produits de Connaught Laboratories, ce dernier, alors seul autre producteur au Canada. Avec l'argent de ces ventes, l'Institut espérait soutenir ses activités de recherche.

Il est donc bien évident que l'Institut devait commencer par là; ce qu'il a fait et réussi.

Les objectifs de production, si essentiels soient-ils à la formule et à la vie de l'Institut, sont difficilement conciliables avec sa présence, comme partie constituante, dans une université. Cet état a duré trente-sept ans de sa carrière. Ce n'est que vers l'année 1972 que le gouvernement du Québec exigea son entrée dans l'Université du Québec. Du côté de cette dernière et du côté de l'Institut, les objections ne manquèrent pas, mais on croyait que cela s'arrangerait.

Après treize ans d'essai, il est bien évident que les choses ne s'arrangent pas. Nous avons dit que la production apporte non seulement certains profits à l'Institut mais aussi des sujets tout à fait modernes de recherche en bio-technologie des vaccins et autres produits biologiques, désormais voués à des transformations selon la nouvelle génétique, les nouveaux modes de culture cellulaire, etc. qui rendent l'IAF apte à recevoir des fonds de recherche d'orientation et de développement du Conseil national de recherches du Canada en matière d'application industrielle. Il s'agit donc de questions scientifiques en voie de changement fondamental. Oui ou non, après cinquante ans d'existence et de succès, l'Institut doit-il laisser passer indifféremment le mouvement des sciences concernant particulièrement la médecine préventive et la biotechnologie ?

LA PRODUCTION BIOMÉDICALE
(Transférée dernièrement dans une institution indépendante à but lucratif)

Vaccins bactériens et anatoxines

Le BCG

En 1933, quand je pris la direction du Département de bactériologie de la Faculté de médecine de l'Université de Montréal et du Laboratoire du BCG, sur la rue Saint-Denis, la préparation de ce vaccin se faisait une fois par semaine dans la pièce décrite au chapitre IV. La concentration en bacilles était de 5 mg par ml dilués dans du milieu de Sauton 1/4. On remplissait des ampoules de 2 ml de façon à administrer 3 doses de 10 mg par la bouche aux nouveau-nés avec du lait, à 2 jours d'intervalle entre chacune, en commençant quelque 10 jours après la naissance. Passé l'âge de 2 ans et pour tout autre sujet plus âgé, on utilisait 50 mg, soit le contenu de 5 ampoules de 2 ml contenant 10 mg chacune, administré en une seule fois après dilution dans un breuvage à l'orange ou dans le lait.

Vers l'année 1949, la voie d'administration du BCG au Canada fut changée à la suite des travaux de Ferguson chez les enfants et les infirmières en Saskatchewan. Il utilisa d'abord la voie sous-cutanée, bientôt abandonnée pour la voie intradermique.

À l'Institut, deux voies furent choisies et recommandées : la voie intradermique et, pour des raisons pratiques et d'acceptation, celle des scarifications. C'est cette dernière voie qui fut surtout employée par les équipes de vaccination. En conséquence, nos concentrations de BCG furent ajustées à 0,75 mg par ml pour la voie intradermique (dans 0,1 ml on injectait 0,075 mg de BCG). Pour la voie de scarifications, la concentration fut ajustée à 60 mg par ml. Les doses de vaccin à cette concentration étaient contenues dans des capillaires scellés.

Le vaccin BCG vivant ne contenait aucun préservatif. C'est donc avec une technique rapide qu'il fallait le préparer et dans des conditions spécifiques qu'il fallait le conserver. Pendant plus de cinquante ans, jamais notre vaccin ni notre souche ne furent contaminés. C'est un véritable record. Le vaccin frais ne pouvait se conserver que 10 jours à l'état humide et il devait être à l'abri de la lumière et de la chaleur. Le transport, la manipulation et la préservation à l'état vivant en étaient rendus difficiles et limités. Vers l'année 1947, on eut l'idée à l'Institut — et on fut parmi les premiers à le faire dans le monde —, de lyophiliser le BCG comme on l'avait fait avec le sérum humain pendant la guerre. Les ampoules étaient remplies et soumises à la congélation, après quoi le contenu en était sublimé au froid et sous vide. On réussit bientôt à obtenir du BCG ainsi desséché dont la conservation semble ne pas avoir eu de limites pourvu qu'elle se fasse à -20°C, ou même mieux, à des températures encore plus basses, comme pour conserver les souches ou les lots d'ensemencement.

Le vaccin est préparé à partir d'un « lot primaire » constitué par un grand nombre d'ampoules d'un lot de BCG lyophilisé. Ce lot a été contrôlé expérimentalement à Saranac Lake, États-Unis, et a ensuite servi à des essais cliniques de vaccination effectués dans la presqu'île de Jérémie à Haïti, essais publiés au cours desquels on a démontré la valeur prémunisante de ce lot de BCG dont l'efficacité répond à l'expectative scientifique connue depuis longtemps. De ce lot « primaire », on a fabriqué 2 000 ampoules qui ont constitué le lot « secondaire ». Pour préparer les lots subséquents de vaccin, on part de quatre ampoules de ce lot « secondaire » dont on mélange le contenu et avec lequel on fait des passages sur pomme de terre biliée, pomme de terre glycérinée et le Sauton 1 et le Sauton 2. Ces passages sont dits « tertiaires ». À partir du Sauton 2, qui est ensemencé en quantité appropriée, on fabrique le lot « quaternaire » qui sera utilisé pour la vaccination. Le lot « primaire » est conservé lyophilisé depuis déjà plus de vingt ans. Il pourra fournir du vaccin pendant des dizaines d'années s'il est toujours conservé à la température appropriée.

Pendant de nombreuses années, monsieur Lionel Forté, en charge de la préparation et de la conservation du BCG fut secondé par un technologiste remarquable, monsieur Jean-Charles Paquette, en ce qui regarde la sécurité et la régularité de cette production.

La fabrication du BCG, ainsi que celle de tous les autres vaccins, est strictement soumise aux exigences nationales et à celles de l'Organisation mondiale de la santé.

BCG cancer

Le BCG employé comme agent thérapeutique contre certains cancers de la vessie est préparé de la même façon que celui qui sert à la vaccination, mais sa concentration diffère. Cent vingt milligrammes (120 ml) de BCG sont appliqués localement selon la méthode mise au point par le Dr Morales de Kingston, Ontario.

La Cuti-réaction

L'Institut mettait à la disposition des autorités pour cette épreuve des tubes scellés contenant du BCG tué à 60 mg de concentration et des tubes scellés contenant des aiguilles stériles. La technique commandait que l'on fît d'abord une scarification d'un côté de la colonne vertébrale sans vaccin et de l'autre côté de la ligne médiane, à travers le vaccin déposé sur la peau nettoyée. Chez le nouveau-né, on utilisait le haut de la région deltoïde et chez les enfants de plus de deux ans et les adultes, la région basse lombaire.

Anatoxine diphtérique

La production industrielle mise en marche la première (1936-1940) est, à part le BCG, l'anatoxine diphtérique. Cette dernière provenait évidemment de la toxine diphtérique. Le grand problème consistait à obtenir une culture d'un haut degré de toxicité et d'antigénicité. Le premier était établi par la dose minimum mortelle chez le cobaye; le deuxième par précipitation (dose Lf) ou floculation avec un nombre connu d'unités standard antitoxiques. La toxine était détoxifiée par le formol et la chaleur jusqu'à ce qu'elle devînt non toxique tout en gardant son antigénicité, manifestée par la dose Lf (unité de floculation). La culture de la toxine se faisait d'abord dans les flacons coniques de Fernbach. Ensuite, on s'est servi de flacons rectangulaires offrant une surface optima par rapport au volume. Enfin, on a expérimenté dans des cuves de fermentation avec contrôles automatiques la culture du bacille diphtérique en profondeur. C'est cette dernière, plus économique et, comme je l'ai dit, contrôlée pour tous les paramètres ou facteurs par voie automatique, qui prévaut actuellement.

Les milieux de culture utilisés furent d'abord préparés à partir de la panse de porc. Milieu bientôt abandonné pour un autre composé d'acides aminés sélectionnés (casamino-acides). C'est ce dernier qui est utilisé dans les cuves de fermentation. L'Institut n'a jamais eu de difficultés majeures ou prolongées avec la production régulière de la toxine et de l'anatoxine diphtériques. Cette dernière fut licenciée en 1941 et mise à la disposition de nos services de médecine préventive. Le secret, à mon avis, c'est que la direction technique, en particulier celle de monsieur L. Forté, assurait avec le plus grand scrupule la préparation des milieux, le contrôle de l'acidité, l'entretien de la souche, etc. Les problèmes de filtration furent réglés, surtout à l'arrivée de nouvelles sortes de filtres. Les étuves avaient été construites de façon à présenter une température à peu près égale du haut en bas. Monsieur Forté était secondé par des techniciens en place depuis des décennies et qui avaient acquis une expérience très précieuse, entre autres monsieur René Leclerc. La transformation en anatoxines n'a jamais causé de problèmes.

Anatoxine tétanique

Dans le même temps, un autre de nos excellents scientifiques, le défunt V. Fredette, un expert en anaérobies, mettait au point l'anatoxine tétanique. Il avait trouvé que les cultures les plus vieilles de bacille tétanique de même que la culture des bacilles dans des sacs de cellophane donnent les toxines les plus actives et, par conséquent, les meilleures anatoxines.

Vaccin anticoquelucheux

Vers 1942, il fut reconnu que des souches de Bordetella pertussis en phase 3 pouvaient être utilisées comme vaccin contre cette maladie, la terreur des mamans. Dès lors, l'Institut s'appliqua à les cultiver dans des flacons de Fernbach. On se servit du milieu d'Hornibrook qui donna toute satisfaction. Ici encore, c'est le soin et le scrupule de Lionel Forté et de ses techniciens qui ont permis de préparer constamment une culture suffisamment concentrée et active de Bordetella pertussis. On a dernièrement réussi à cultiver cette souche en profondeur, en quantités considérables et dans un milieu synthétique, dans des cuves de fermentation, cultures dont tous les paramètres sont automatiquement contrôlés.

Vaccin associé

On ne tarda pas à s'apercevoir qu'il était possible de préparer un vaccin associé contenant les anatoxines diphtérique, tétanique et les doses voulues de *Bordetella pertussis*. C'est le DCT administré régulièrement dans la province de Québec.

Plus tard, d'autres laboratoires ont associé à ce vaccin trivalent le vaccin Salk contre la poliomyélite, mais l'Institut n'a jamais mis de préparation de quatre vaccins associés à la disposition des autorités. Il n'a pas desséché non plus le DCT car, dans ce dernier cas, il se posait une grave question : certains vaccins associés dans le monde présentaient des réactions de caractère toxique causées, semble-t-il, par la composante *Bordetella pertussis*. Réactions quelquefois graves. Mais — et ce « mais » est important —, le vaccin de l'Institut n'a jamais présenté de telles réactions quand d'autres vaccins dans le monde paraissaient plus actifs de ce côté. C'est pourquoi l'Institut a hésité longtemps à modifier quoi que ce soit à son vaccin DCT.

Dernièrement, à la demande de sa clientèle, l'Institut a préparé un vaccin DCT adsorbé contenant moins de cellules de *Bordetella pertussis* et moins d'unités d'anatoxine diphtérique. La première souche et le *Corynebacterium diphteriæ* sont cultivés en profondeur dans des cuves de fermentation. Bien entendu, les bacilles continueront à être tués par la chaleur et non pas par le formol, ce qui fait une différence appréciable. Il sera administré en deux doses seulement, plus la dose de rappel.

Antitoxines diphtérique et tétanique

Ces antitoxines furent préparées dès 1941 chez le cheval par l'Institut jusqu'à, d'une part, la disparition presque complète de la diphtérie dans le Québec et même au Canada et jusqu'à l'apparition, d'autre part, des antitoxines humaines préparées ailleurs à partir de donneurs de sang humain montrant une haute teneur en antitoxines par suite d'injections d'anatoxines. Durant la guerre, l'Institut a apporté une contribution importante au moyen des antitoxines diphtérique et tétanique aux Forces armées.

Vaccins bactériens

L'Institut prépare encore du vaccin contre la typhoïde et les paratyphoïdes, mais ne prépare plus de vaccin contre le staphylocoque, depuis l'apparition de la pénicilline et de ses composés.

Vaccins viraux

Vaccin contre la variole

Nous avons déjà fait l'historique de ce vaccin en ce qui regarde le rôle de l'Institut (chapitre IV). Parmi les améliorations qu'on introduisit dans la préparation du vaccin antivariolique, figurent le lavage intensif et répété des génisses avant l'inoculation, les enveloppements dans des draps stériles et le soulèvement de terre sur des courroies aseptisées, de même que des dispositifs particuliers pour recueillir les excréments de façon à éviter le plus possible des souillures de ce genre. On a ainsi abaissé le nombre total de bactéries non pathogènes dans le vaccin de plusieurs centaines de mille et on est arrivé à obtenir un vaccin presque stérile « dépourvu d'anaérobies sporulés pathogènes », même avant l'addition de phénol. Le vétérinaire Paul Marois est entré à l'Institut en 1941 et, dès ce moment, Jean Tassé le demandait pour autopsier les génisses après la récolte de vaccin.

Un autre point important de la technique instaurée à ce moment-là est celui de la conservation du vaccin. Au lieu d'utiliser exclusivement la glycérine et le réfrigérateur, on le gardait au congélateur à -20 °C, de telle façon que les germes bactériens ne se multipliaient plus alors que le virus se conservait très bien. Cependant, il est arrivé, quand on préservait ainsi le vaccin à -20 °C que des lots fussent, après reconstitution, trouvés actifs, mais qu'ils perdissent rapidement cette activité. Pour obvier à cet inconvénient, on a abaissé la température à -75 °C. On a ainsi obtenu un virus stable qui dure indéfiniment.

Les titrages et le contrôle de qualité étaient faits par Lionel Forté chez le lapin. Ce contrôle était très difficile parce que cet animal est réfractaire et l'épreuve devait être recommencée à plusieurs reprises. Jusqu'au jour où l'on mit au point la technique de titrage sur embryon de poulet, technique précise et dont les résultats étaient reproduisibles à volonté. Depuis quelques années, le titrage est fait sur culture de tissus.

Un jour, (cela vaut la peine de raconter cette anecdote, car elle démontre bien la nécessité, pour le responsable de la fabrication et de la qualité des produits biologiques, du contrôle régulier et de la surveillance des techniciens) un jour donc, une difficulté majeure surgit et il fallut rejeter un nombre important de lots de vaccin antivariolique parce que le vaccin se trouvait contaminé, sans raison apparente. Le docteur Marois, appelé à remplacer monsieur Tassé, eut à faire face à ce problème. Comme il y avait toujours contamination, monsieur Marois eut l'heureuse idée de scruter la façon dont la technicienne préparait les milieux de culture et de conservation, ces derniers contenant l'acide phénique et la glycérine. Il découvrit que cette technicienne, n'ayant pas suivi les directives, stérilisait le milieu après y avoir introduit le phénol. Il est bien évident que, dans ces conditions, la teneur en phénol se trouvait capricieusement modifiée du fait de la grande chaleur et de l'évaporation de cet antiseptique. Le changement de technique, c'est-à-dire l'introduction de phénol après la stérilisation donna des résultats immédiats et toute contamination disparut parce que le phénol actif détruisait toutes les bactéries non sporulées présentes. Par la suite, la production d'un vaccin presque stérile fut affaire de routine. La dernière année qu'on a produit ce vaccin (1975), on a inoculé 40 veaux qui tous ont donné de bons vaccins. Le vaccin antivariolique entreposé à -75 °C, conserve toujours ses qualités. Avant l'abandon de la vaccination antivariolique, il était distribué à la province de Québec, à l'armée et au service des autochtones à Ottawa. Pendant la guerre de 1939-1945, l'Institut a aussi fourni ce vaccin aux armées du pays.

Vaccin antivariolique desséché

Le vaccin presque stérile se conservait très bien mais, comme on en a cessé la fabrication, on n'a jamais mis en pratique sur une base industrielle la préparation du vaccin antivariolique desséché.

Au cours de la Deuxième Guerre mondiale, nous avions préparé du vaccin antivariolique desséché par lyophilisation, comme pour le BCG, pour être envoyé dans le sud-est asiatique. On a su que les chargements de ce vaccin sont restés à New York sur les quais, à la chaleur, et dans des conditions telles que le vaccin n'a pas dû résister longtemps. Évidemment, c'était une méthode de lyophilisation plutôt primitive qui a été grandement améliorée par Marois par la suite. Ce dernier, à la suite d'un voyage en Angleterre au Lister Institute, a mis au point la méthode du vaccin desséché au moyen du fréon qui stabilise considérablement ce vaccin et le rend plus résistant aux effets de la chaleur. Cependant, s'il est vrai que le vaccin avait passé des semaines à la grande chaleur sur les quais, fréon ou pas fréon, cela n'aurait pas fait une grande différence.

Vaccin Salk contre la poliomyélite

Depuis plusieurs années, avant 1954, le docteur V. Pavilanis alors directeur de la virologie et ses collègues faisaient des essais de laboratoire pour la culture du virus type 2 de la poliomyélite. À ce moment-là, on ne connaissait pas les autres types de virus de la poliomyélite ni encore de milieu propice pour la culture facile de ces virus. Vers 1952, le rein de singe, finement découpé, fut introduit dans le nouveau milieu appelé M-199 et on put alors y cultiver à volonté des virus en obtenant un titre convenable. Salk annonça bientôt la production de son vaccin. Le docteur Pavilanis et moi, nous nous hâtâmes d'aller le rencontrer à Pittsburg et de discuter avec lui de méthodes d'inactivation des trois types viraux de la poliomyélite, que l'on avait enfin identifiés. Des travaux d'approche et des recherches de développement furent dès lors entrepris dans les laboratoires de l'Institut et la production du vaccin Salk, expérimentée dès 1953-1954 et réalisée en 1957, fut un grand exploit noté à l'étranger.

Il faut dire aussi que, à cette date, sous l'effet de ces découvertes et de la campagne de la Ligue contre la poliomyélite (et au Canada, de la campagne Parade des dix sous de la Légion canadienne) les fonds affluèrent pour la fabrication du vaccin Salk. Le gouvernement des États-Unis se mit de la partie. Des laboratoires furent désignés pour préparer les premiers lots, dont Connaught Laboratories de l'Université de Toronto, et faire les premiers essais chez l'homme. La population entière d'Amérique de Nord faisait pression sur les laboratoires des producteurs et sur les gouvernements respectifs pour obtenir le vaccin au plus tôt.

Devant cette demande, l'Institut ne resta pas insensible. Il fallait commencer par construire un laboratoire adéquat. Nous avons pu obtenir des avances de plus de 1 million de dollars de la part de la banque. Mais, à un moment donné, on fut amené à rencontrer monsieur Duplessis, le premier ministre de la province de Québec. On obtint finalement un million et demi. La banque et le soutien du gouvernement nous avaient permis de nous avancer fort loin dans la mise au point du vaccin. La construction des laboratoires s'est terminée en 1954. C'est à ce moment que les vrais problèmes, c'est-à-dire les problèmes techniques, nous assaillirent pour de bon. Nous allons les énumérer en commençant par la question des singes.

Les singes

Préparer de grandes quantités de milieux de culture contenant du rein de singe nécessitait des milliers de singes. Personne n'avait jamais expérimenté de transporter, d'entretenir ni de garder un si grand nombre de singes. Le docteur Paul Marois était à ce moment-là chargé de recevoir ces animaux arrivés à l'Institut, quelquefois par groupes allant jusqu'à 1 600. Avec ses collègues, il était chargé de leur santé et de leur répartition dans des cages. Nous avons opté pour les « gang cages » en broche au-dessus du sol de ciment.

À l'arrivée, tout paraissait assez normal. Mais, deux ou trois semaines après, commençait la manifestation des maladies dont les singes étaient porteurs à leur arrivée, c'est-à-dire des maladies intestinales à *Salmonella* et à *Shigella*. De sorte que nos vétérinaires durent se comporter comme des héros : avoir soin de chaque singe comme d'un petit enfant dès l'arrivée du chargement, séparer les malades des non malades, effectuer les traitements individuels, etc. En somme, on perdait environ de 30 à 40 % des singes reçus, taux de perte qui s'est abaissé à 7 % avec l'amélioration des conditions de transport et l'expérience acquise à l'Institut. On mit au point des mesures prophylactiques, mais aussi des mesures thérapeutiques, en administrant aux singes non seulement des antibiotiques, mais aussi des suppléments minéraux et de l'eau pour compenser la perte par diarrhée.

La tuberculose fut aussi un problème. Un ou deux singes tuberculeux dans une cage de 40 à 50 singes donnaient une dissémination globale de la contamination en peu de temps. On réussit à circonscrire cette infection en faisant deux épreuves consécutives à la tuberculine à l'arrivée et trois semaines par la suite, en sacrifiant les animaux trouvés positifs.

L'alimentation des singes fit beaucoup aussi pour leur conditionnement et leur conservation. Au lieu d'utiliser l'alimentation naturelle comme bananes, fruits, etc., on est passé à l'alimentation artificielle sous forme de biscuits contenant une ration équilibrée pour des singes de leur poids. Cette formule fut mise au point à l'Institut par Marois et ses collègues et s'est révélée aussi bonne que toute autre qui fut, par la suite, mise au point dans d'autres laboratoires. Ces biscuits ont contribué à réduire le coût d'entretien des singes d'une marge qui peut s'exprimer comme suit : selon l'ancienne manière, le singe coûtait 0,15 $ d'aliments par jour, plus le temps des employés pour la distribution, la cuisson, etc. Avec les nouveaux biscuits, le coût de leur ration est tombé à 0,03 $ par jour, moins la cuisson, le temps, etc.

Il faut dire aussi que le coût par singe revenait, à l'arrivée, à peu près à 20 $ chacun. Ce coût a bien changé depuis en raison, paraît-il, d'embargos mis sur les singes en Inde ou ailleurs. Pendant mon voyage à New Delhi, en Inde, en 1959, j'étais allé visiter l'endroit où l'on parquait les singes avant de les distribuer aux manufacturiers de vaccins en Amérique. C'était à l'entrée du désert au nord de New Delhi, pas loin du fleuve Indus.

Les singes servaient aussi au contrôle de qualité. Ce dernier était pratiqué sous forme d'injections par voie intramédullaire et intrathalamique du vaccin à éprouver. On observait des paralysies occasionnelles et temporaires causées par le traumatisme de l'injection plutôt que par le vaccin lui-même, mais le singe ne devait pas montrer de paralysie progressive ni bien entendu, de paralysie mortelle, ni de lésions locales au point d'inoculation. Il était souvent difficile, tant à l'Institut qu'au Laboratoire de contrôle d'Ottawa, de distinguer si une lésion au cerveau du singe était causée seulement par l'injection du liquide ou n'était qu'une réaction vis-à-vis un éventuel virus étranger présent ou multiplié. Mais on parvenait toujours à résoudre la question en se basant sur l'expérience mutuelle des experts de l'Institut et du Laboratoire fédéral de contrôle.

Enfin, il est bon de rappeler, comme Marois le raconte, que l'on a pendant ces années expérimenté la vaccination des singes au moyen de tous les microbes entéropathogènes qu'on ait pu retrouver dans leurs matières fécales et en utilisant toutes les voies imaginables d'inoculation et toutes les doses. Jamais on n'a pu montrer qu'une vaccination de cette sorte pouvait prévenir la maladie entérique après l'arrivée des singes. Il est difficile de conclure quoi que ce soit, mais le travail a été considérable et mérite d'être cité.

Le vaccin

Le milieu de culture était contenu dans des flacons quadrangulaires suspendus sur des tambours à bascule dans une grande pièce-étuve chauffée convenablement. La culture terminée, on en faisait la récolte, la filtration primaire et ensuite, une filtration aseptique. Cette dernière technique comportait, à cette époque, la grande difficulté de savoir saturer les filtres au moyen d'un vaccin. On se servait à cette fin d'un lot de vaccin de faible puissance qu'on n'aurait pas utilisé autrement, de façon à ce que le virus-vaccin de la culture elle-même à filtrer ne fût pas adsorbé sur le filtre. On recueillait cette suspension dans de grands récipients en métal inoxydable de 40 à 60 litres. On y ajoutait le phénol après avoir soutiré la quantité nécessaire pour bien confirmer le titrage en virus par millilitre. Inutile de dire qu'il nous a fallu rejeter plusieurs lots, justement parce que ce titre se trouvait faible, surtout à cause de l'adsorption sur les filtres.

Chaque lot était contrôlé sous toutes ses formes. Dès 1957, l'Institut mettait le vaccin Salk à la disposition des gouvernements. Il avait réussi à préparer régulièrement les trois types de vaccin présentant un titrage approuvé et toutes les garanties de sécurité et d'activité.

La construction du laboratoire ainsi que l'outillage avaient été payés en grande partie par des subventions fédérales et provinciales. La capacité de nos laboratoires était de plus de 6 millions de doses annuelles. On y entretenait jamais moins de 1 000 à 1 500 singes à la fois. L'OMS en particulier y dirigeait des observateurs et des experts de divers pays désireux de se renseigner sur la technique et le contrôle du vaccin. C'est ainsi que l'Institut reçut des médecins et techniciens de l'URSS, d'Autriche, de Pologne, du Nigéria, de l'Afrique équatoriale française, d'Égypte et d'autres pays.

Vers 1970, les comptables de l'Institut montraient que le coût des lots préparés jusqu'à cette date équivalait à peu près aux revenus de vente des vaccins préparés à même ces lots.

Mais, cela ne donnait pas une idée de la quantité stockée de vaccin disponible après la fabrication et après les ventes. Car la production du vaccin comprenait des quantités considérables. Les méthodes de conservation permettaient de stocker ainsi ce vaccin sous forme concentrée de façon à toujours avoir sous la main et pendant longtemps, une réserve de vaccin dont le coût ne devait plus couvrir alors que les frais de dilution et de mise en ampoules et de contrôle. De sorte que l'on peut dire que l'Institut a fait plus que ses frais avec cette entreprise extraordinaire de préparation du vaccin Salk.

Il est question aujourd'hui de revenir à la préparation du vaccin Salk, mais en utilisant une technologie moderne plus économique et plus sûre. L'Institut poursuit ses travaux dans cette direction.

Le virus B

Les singes qui devaient servir à la préparation et au contrôle du vaccin Salk et plus tard, du vaccin Sabin, venaient de l'Inde et d'endroits de ce pays où les infections à virus Herpès B étaient fréquentes. Les singes porteurs de cette infection, arrivaient à l'Institut avec des lésions sous forme de vésicules sur les muqueuses qui paraissaient être herpétiques. Dans d'autres laboratoires, les techniciens avaient contracté des encéphalites et on sut bientôt que, à Ottawa même, un médecin vétérinaire était mort à la suite de contacts avec des singes infectés et, semble-t-il, que des tragédies semblables étaient survenues à Toronto chez quelques-uns de ceux qui manipulaient les singes. À l'Institut, on avait averti bien sévèrement les techniciens et les employés de se munir de gants très épais (gants de hockey) pour ne pas se faire mordre par les singes et de se tenir éloignés le plus possible du contact avec ces animaux sans la protection conseillée.

De toute façon, au cours d'une fin de semaine, un de nos employés qui manipulait ces singes sans gants s'est fait mordre, est allé en vacances sur une plage, et il est tombé malade par la suite. On a pensé qu'il souffrait d'insolation. En réalité, il s'agissait d'une encéphalite dont il est mort dans les jours qui suivirent. Comme cette personne vivait absolument seule, sans aucun parent ni ami, sa mort n'a pas causé d'ennui bien qu'elle fût profondément déplorée à l'Institut.

Il devint évident, et ce fut ensuite publié, que les singes étaient porteurs d'un virus du groupe herpétique B, très contagieux et dangereux. La fabrication du vaccin devait être faite avec des reins d'animaux exempts de ce virus. Des analyses sérologiques nous révélèrent cette possibilité et le contrôle du vaccin devint d'autant plus serré qu'il ne devait évidemment pas présenter de trace de virus B. Il a semblé qu'il y aurait une parenté croisée entre le virus Herpès A humain et le virus Herpès B simiesque, de telle sorte qu'un grand nombre d'humains se trouvaient peut-être naturellement immunisés par l'Herpès A humain.

Vaccin Sabin

Un jour, je reçus à mon bureau le docteur Sabin venant me proposer l'utilisation de son vaccin et énumérant les avantages et les inconvénients du vaccin Salk et du vaccin Sabin. Il offrit gratuitement ses souches à l'Institut et, en retour, on lui donna une peinture d'un artiste de la province de Québec.

L'histoire du vaccin Sabin fut racontée dans *Ce combat qui n'en finit plus* et nous résumons ici le rôle de l'Institut.

À ce moment-là, les hôpitaux du Québec et particulièrement l'hôpital Pasteur comptaient encore quelque 70 personnes souffrant de paralysie dont la plupart vivaient grâce à des poumons d'acier. Trop de gens refusaient de se faire injecter le vaccin Salk par peur tout simplement de l'injection. Je faisais partie à ce moment du Conseil fédéral d'hygiène à Ottawa, là où les sous-ministres du Canada, les représentants des ouvriers et quelques autres personnalités, présidé par le sous-ministre de la Santé d'Ottawa, se réunissaient et discutaient d'aspects relatifs à la santé publique du Canada.

Avec le docteur Jean Grégoire et ensuite, avec le docteur Jacques Gélinas, respectivement sous-ministres de la Santé à Québec, j'avais discuté des avantages des vaccins Salk et Sabin, et de l'utilisation possible des deux, successivement. Il s'agissait d'enrayer la poliomyélite. Le vaccin Sabin serait mieux accepté, puisqu'il était administré par voie buccale. Il fut donc décidé que la province de Québec se rangerait pour le moment du côté de l'emploi du vaccin Sabin.

La question fut discutée en séance du Conseil fédéral d'hygiène et le vaccin Sabin fut accepté, sauf par deux provinces.

Après une période au cours de laquelle toute vaccination par le vaccin Sabin fut interrompue en Amérique parce qu'il se produisait environ de 1 à 3 cas de paralysie par million de vaccinations, causée par le virus 3 Sabin, on reprit la vaccination.

On considéra, au Québec en particulier que, avant d'atteindre ces 1 ou 3 cas provoqués par le vaccin, on pourrait bien se retrouver avec 70 cas de paralysie par année, causés par la maladie.

Avec l'utilisation du vaccin Sabin, le nombre de cas de poliomyélite tomba à zéro. Un seul cas parut suspect au cours des nombreuses années d'emploi de ce vaccin. Comme on ne pouvait pas préparer le vaccin Sabin dans les mêmes locaux que le vaccin Salk, puisqu'il s'agissait de virus vivant atténué dans le cas du vaccin Sabin et virulent inactivé ou tué dans le cas du vaccin Salk, on entreprit la préparation du vaccin Sabin dans une maison d'habitation transformée en laboratoire et en étuve. On n'eut aucune peine véritable à obtenir les titres désirés et à réaliser des contrôles satisfaisants. Comme toujours, c'était le virus de type 3 qu'il fallait le plus surveiller. On a pu réaliser la conservation au froid (-20°C) sous forme concentrée, de ce vaccin pendant des années. Sous la surveillance du Dr Pavilanis, une équipe composée du docteur R. Skvorc, aidé de monsieur Jean Tassé, était en charge de la culture de ce vaccin et une autre occupée aux contrôles et à la mise en ampoules.

Vaccin anti-influenza

Dès 1950, et même avant, l'Institut mettait au point un vaccin polyvalent contre la grippe. Nos essais cliniques révélèrent l'efficacité de ce produit qui abaisse de 80 % les risques de contracter la maladie spécifique. Aussi, quand la grippe asiatique s'est déclarée en 1957, l'Institut fut-il le premier à mettre le vaccin monovalent à la disposition des services de santé et de l'Armée. La Brigade canadienne qui partait pour l'Allemagne à ce moment fut vaccinée avec le produit de l'Institut. Il s'agissait presque d'une première mondiale. Depuis, le vaccin polyvalent est préparé en grande quantité pour le ministère provincial de la Santé, pour l'armée et pour le commerce.

Un drame est survenu à l'Institut lors de la préparation du vaccin anti-influenza asiatique en 1957. L'Institut se trouvait alors en pleine production du vaccin Salk, avec toutes les difficultés que l'on a signalées. L'Institut ne manquait pas de compétence pour diriger et exécuter la production du vaccin anti-influenza. Comme on le sait, cette production exigeait d'énormes quantités d'œufs embryonnés. Il fallait passer des contrats avec les producteurs plusieurs mois d'avance de façon à ne pas manquer de matière première. Or, il arriva, à un moment donné, que des œufs, venant de poulaillers moins bien administrés que d'autres, se révélèrent contaminés. Comme il s'agissait d'une chaîne qu'on ne pouvait couper, il fallut alors rejeter le reste des œufs embryonnés commandés, cesser la production du vaccin et, évidemment, stériliser instruments et locaux. Résultat : une perte de 250 000 $.

L'Institut pouvait se consoler en pensant que les mêmes déboires arrivaient à d'autres laboratoires. Les études sur le vaccin anti-influenza et la production ne cessèrent pas pour autant. L'Institut resta le seul et est encore, en 1991, le seul au Canada à produire ce vaccin régulièrement chaque année, selon la nouvelle formule agréée et qui change chaque année. Malgré les plus sombres prévisions, l'Institut s'est tiré d'affaire avec grand honneur. Il n'a pas hésité à s'installer pour préparer la quantité voulue de vaccins, entre le moment auquel on apprend d'Atlanta, États-Unis, la formule conseillée pour l'année courante et le moment où il faut mettre le vaccin à la disposition des gouvernements, soit vers le mois d'octobre. En un mot, quelques mois pour tout faire. L'installation de l'Institut est remarquable. Le laboratoire et l'instrumentation sont des modèles du genre et permettent de faire face à n'importe quelle situation épidémique au Canada.

Vaccin antirougeoleux inactivé

Une certaine quantité de vaccin antirougeoleux inactivé a été préparée à partir de la souche Enders dans les années 1965-1970 à des fins expérimentales. L'association de ce vaccin au vaccin anticoquelucheux avec les anatoxines diphtérique et tétanique a subi des essais chez l'animal et chez l'homme, mais l'Institut a abandonné cette voie.

Vaccin antirougeoleux vivant et atténué

De patientes recherches en laboratoire ont permis à l'Institut d'isoler de la souche Enders de virus rougeoleux un mutant (souche de Dubreuil) qui a montré *in vitro* des propriétés intéressantes d'atténuation et de résistance à la chaleur et a été éprouvé chez les animaux. Des essais concluants des lots de ce vaccin, appelé « Dubreuil » à la mémoire de son découvreur (virologue de IAF trop tôt disparu), ont été faits sur des centaines de sujets au Canada et dans le monde. Il est encore utilisé lorsque la demande se limite à un vaccin monovalent antirougeoleux. Ce vaccin a prouvé son efficacité, en particulier au Togo et au Soudan.

Vaccin antirubéoleux atténué

Plusieurs procédés d'adaptation en cultures d'embryon de dinde de la souche HBV-77 (Parkman) de virus rubéoleux ont été étudiés. L'Institut possède maintenant une souche adaptée qui peut servir à préparer des lots de vaccins à virus non vivant. Les essais expérimentaux et cliniques sont satisfaisants.

Vaccins vétérinaires

Vaccin antibrucella abortus

Nos vétérinaires ont réussi à mettre au point le vaccin antibrucella X-19 contre la brucellose bovine. À ce moment-là, l'Institut a distribué ce vaccin dans tout le Canada par l'intermédiaire du ministère fédéral de l'Agriculture. Le vaccin se vendait environ 2 $ ou 2,50 $ la dose. Pendant un certain temps, l'Institut et Connaught Laboratories ont distribué ce vaccin dans le pays, jusqu'à un moment donné où, avec la compétition venant des États-Unis, le prix a baissé continuellement jusqu'à 0,18 $ la dose.

Alors, on a tenu une réunion des intéressés au ministère d'Ottawa et le prix de 0,25 $ la dose a été convenu. L'Institut a continué à fabriquer le vaccin, même seul, après que Connaught eut abandonné. L'Institut continuait encore, en 1980, à distribuer un certain nombre de doses. Mais la quantité de vaccinations a diminué dans tout le pays parce que la maladie a régressé. Le nombre de vaccins distribués est tombé de 800 000 à 70 000.

Vaccin anti-Newcastle

Les troupeaux aviaires, américains et canadiens étaient ravagés par l'infection Newcastle qui commençait à se répandre au Québec vers 1957. Les cultivateurs subissaient des pertes menant souvent à la faillite. Le docteur Maxime Veilleux, directeur du Service vétérinaire du ministère de l'Agriculture de la province de Québec, s'adressa à l'Institut pour savoir si quelque chose ne pourrait pas être fait pour redresser la situation. En effet, il avait utilisé du vaccin anti-Newcastle de diverses provenances pendant un an, mais les infections de poulaillers ne semblaient pas régresser. Il devait payer compensation aux éleveurs, selon la loi, et de plus, acheter le vaccin qui n'avait pas d'efficacité apparente.

L'Institut a alors analysé plusieurs des vaccins du commerce. Nos vétérinaires, à leur surprise, ont constaté que ces vaccins ne contenaient pas le nombre de particules virales voulu pour obtenir une immunité raisonnable et, de plus, renfermaient des impuretés virales. Le gouvernement provincial demanda à ce moment à l'Institut de produire le vaccin anti-Newcastle. Après quelques mois d'utilisation de notre vaccin, les troupeaux chez lesquels on avait pratiqué la vaccination intense, paraissaient délivrés de l'épidémie. Après ce succès, le gouvernement ne s'est plus occupé de vacciner lui-même les dits troupeaux et a rétabli la vaccination libre, c'est-à-dire faite à la demande des cultivateurs, soit par des vétérinaires, soit par des vaccinateurs non professionnels. Ceux qui ont suivi la technique et utilisé les vaccins selon les recommandations ont tenu leurs troupeaux sans épidémie, alors que les autres ont continué à subir des ravages puisqu'ils utilisaient n'importe quel vaccin et un mode de vaccination non contrôlé. L'Institut avait fait une étude approfondie des modes de vaccination, des intervalles entre la naissance des oiseaux et la vaccination et des revaccinations, et on avait établi un calendrier de vaccination qui paraissait adéquat.

L'Institut a cessé de fabriquer ce vaccin quand plusieurs maisons l'ont offert à 0,75 $ les 1 000 doses, alors qu'au début, le prix en était de 5 $ les

1 000 doses. L'Institut a donc abandonné devant cette compétition qu'on peut appeler « *dumping* », ou compétition abusive.

Vaccin contre la bronchite infectieuse

C'est à peu près la même histoire que celle du vaccin contre l'infection Newcastle. L'Institut, dans ce cas, a préparé un vaccin contenant deux souches dont l'une qui n'était pas au point et qu'il a dû modifier lui-même pour en faire un vaccin inoffensif, car cette souche originale semblait trop virulente pour faire partie d'une association avec l'autre souche. Le tout a tourné comme pour le vaccin anti-Newcastle, les prix sont tombés et l'Institut n'a pu continuer dans cette ligne vétérinaire.

Gastro-entérite transmissible du porcelet

Toutes les difficultés reliées à la fabrication d'un immunsérum spécifique pour les besoins du diagnostic ont été surmontées. Il a fallu obtenir des porcs exempts d'agents pathogènes spécifiques et modifier substantiellement les modes de production et de purification de cet immunsérum.

Ce produit, et d'autres immunsérums antiviraux fabriqués à l'Institut Armand-Frappier, à la demande d'un comité interprovincial, ont été analysés par plusieurs laboratoires de pathologie vétérinaire et trouvés d'une qualité exceptionnelle. Ils sont utilisés comme produits de référence par les pathologistes canadiens pour divers travaux associés à cette infection et à d'autres de même nature.

Antibiotiques

Gramicidine

Pendant la guerre, vers 1942, le docteur Maurice Panisset avait obtenu du docteur René Dubos, du Rockefeller Institute, le *Bacillus brevis* à partir duquel ce savant avait isolé deux des premiers antibiotiques connus, la tyrothricine et la gramicidine. Dans les laboratoires de l'Institut de microbiologie et d'hygiène de Montréal. M. Panisset et A.G. Borduas avaient fait des essais de production, de dosage et d'application de cette substance. L'application en avait été faite dans des cas de mammite streptococcique de la vache. Nous avions finalement réussi à produire la gramicidine de façon presque semi-industrielle.

Mais l'arrivée de la pénicilline et des autres antibiotiques a évidemment éliminé tout espoir d'utilisation sérieuse de cet antibiotique. Il ne s'employait que localement

Monsieur Panisset a publié un travail intéressant sur l'efficacité de la gramicidine appliquée localement dans les cas de mammite streptococcique des bovidés.

Pénicilline

Ces essais expérimentaux ne furent pas perdus. En 1945, à l'annonce de l'intérêt que manifestaient les gouvernements et l'armée américaine envers le nouveau procédé d'extraction de la pénicilline mis au point aux États-Unis après culture du *Penicilium notatum* dans le « *Corn steep liquor* », à la suite du récent voyage secret de Florey aux États-Unis pour y mettre en commun ses travaux et ceux des équipes américaines, l'Institut, malgré les secrets absolus et encouragé par son expérience précédente avec la gramicidine, entreprit des essais préliminaires de production de la pénicilline sur ce milieu. Le bruit courait que le gouvernement canadien subventionnerait la production de la pénicilline.

Panisset et Borduas, dès mai 1944, grâce à des relations antérieurement établies, et à l'occasion d'un voyage au Congrès des bactériologistes américains à New York, visitèrent les laboratoires de Westchester Farm, qui avaient une production hebdomadaire de 200 000 bouteilles de cultures de *Penicilium notatum*. Par ces contacts et d'autres, nous avons pris connaissance de la documentation « *Confidential* » ou « *Restricted* » publiée par l'Office de la recherche médicale aux États-Unis. Malgré le manque de dispositif frigorifique, et en utilisant des installations de fortune, (la pénicilline est une substance fragile) nous avons pu faire les premières cultures en surface d'après les formules fournies par les Northern Regional Laboratory de Peoria, É.-U.

Il faut dire ici que nous avions d'abord reçu la visite du découvreur de la pénicilline, le docteur Fleming lui-même, le 10 juillet 1945. Il avait causé avec nous tout un après-midi dans nos laboratoires. Cependant, le sujet était classé « Top secret » et je crois bien que le docteur n'en connaissait pas beaucoup plus long que nous sur le sujet de la culture et de la purification, selon les méthodes nouvelles mises au point par les Américains.

Le sujet faisait grand bruit, car déjà on commençait à utiliser la pénicilline préparée à Peoria, selon la méthode mentionnée. Le 21 février 1945, j'avais prononcé une conférence à la Société médicale de Montréal sur le point de vue biologique expérimental de la pénicilline, dans laquelle j'exposais les techniques générales de production, la définition de l'unité de pénicilline et les méthodes de dosage selon la technique des « *cup plates* ». J'ajoutais cependant, que tout était encore à l'état secret en ce qui concernait la production et l'extraction de la pénicilline.

Disons aussi que j'avais représenté l'Institut à une Conférence sur la pénicilline tenue sous l'égide du Comité canadien des standards de la pharmacopée le 10 juin 1944 à Ottawa. On y avait discuté de la toxicité, de la stérilité des préparations brutes de pénicilline en relation avec les corps pyrogènes.

Comment avions-nous obtenu la souche de *Penicilium notatum*? Cela ne pouvait être que de Peoria, l'endroit où l'on fabriquait expérimentalement la pénicilline et probablement par l'entremise de nos gouvernements. À ce moment-là, beaucoup de choses se faisaient par des raccourcis et des démarches plus ou moins secrètes.

De toute façon, nous avons dû inventer, par nos propres moyens, les techniques de culture et d'extraction. Il s'agit donc de techniques qui nous étaient personnelles. Panisset, Borduas et moi-même avons décidé d'utiliser le charbon activé comme substance capable d'adsorber la pénicilline produite dans le « *Corn steep liquor* ». Des essais quantitatifs nous ont révélé que 95 % des unités initiales pouvaient être récupérées au moyen de 40 grammes de charbon par litre à traiter.

Premiers essais semi-industriels de production, d'extraction, de concentration et de purification de la pénicilline faits à l'Institut de microbiologie et d'hygiène de l'Université de Montréal

Nous avons ainsi préparé une série de plus de 180 lots d'essais de culture, de purification et de concentration.

La culture filtrée, le charbon restait sur le filtre. Il fallait maintenant éluer la pénicilline, c'est-à-dire la libérer du charbon et l'amener en solution pour une purification ultérieure. Nous avons étudié différentes méthodes d'élution : élution statique, élution dynamique, élution acide, élution neutre, en utilisant différents solvants tels que l'acétate d'amyle et l'eau, le chloroforme additionné d'acétone, l'acétone pur. Mais nous n'avons obtenu de bons résultats qu'en utilisant un mélange de monochlorobenzène, d'acétone et d'eau, lequel mélange était passé deux ou trois fois sur le filtre, qui retenait le charbon à éluer. Par cette technique, on obtenait jusqu'à 81,4 % d'élution de la pénicilline adsorbée par ce charbon inactivé.

Cette technique de purification au charbon semblait très prometteuse; elle pouvait réduire au dixième le volume de pénicilline à manipuler *à basse température,* ce qui éliminait l'utilisation d'appareils frigorifiques coûteux, que nous ne possédions pas alors. Mais nos travaux ont montré que cette technique n'offrait pas tellement d'avantages. Nous devions, pour obtenir une bonne élution, utiliser un volume d'éluant considérable, souvent presque égal au volume initial. De plus, il fallait nous débarrasser de l'acétone par l'extraction répétée au monochlorobenzène, ce qui compliquait la technique. Nous avons donc essayé l'extraction directe à partir de la « *Corn steep liquor* » au lieu de passer par le charbon, c'est-à-dire en utilisant l'acétate d'amyle ou le chloroforme, en milieu acide et en opérant à la plus basse température possible avec les appareils dont nous disposions.

À partir d'un nombre d'unités variant de 50 U/ml à 170 U/ml du milieu de la « *Corn steep liquor* », en utilisant le chloroforme comme premier solvant à pH 2, $\pm$, des températures variant de 5 à 14°C, un tampon 6,8, $\pm$ au bicarbonate de soude (à environ 0,5 %), on obtenait une première concentration variant de 378 U/ml à 1500 U/ml. À ce moment-là, le rendement se situait entre 47 et 84 %. On précipitait alors par l'acide chlorhydrique à pH 3,5 et on obtenait des titres allant de 8 unités par milligramme à 78 unités avec des rendements de 60 à 97 %.

Dans une autre série d'expériences, si on soumettait cette pénicilline, précipitée par l'acide chlorhydrique (à des pH variant de 2,2 à 4), à l'acétate d'amyle en milieu tamponné alcalin à 6,8 $\pm$ (bicarbonate à 0,5 %) on obtenait des rendements variant de 69 à 162 unités au ml, c'est-à-dire variant environ de 66 jusqu'à 100 % de rendement, ce qui faisait des rendements finals variant de 27 à 67 %.

Nous en étions là quand la méthode au charbon que nous avions mise au point et abandonnée fut rendue publique dans des publications profanes comme le *Life*. En outre, nous avons appris d'un ingénieur, qui avait construit des usines aux États-Unis, qu'on adsorbait directement la pénicilline de la liqueur avec l'acétate d'amyle à contre-courant dans des tuyaux spéciaux.

À ce moment-là, vers 1944, le gouvernement du Canada a décidé de demander à Ayerst et McKenna et à Connaught Laboratories d'entreprendre la préparation de la pénicilline. L'Institut, malgré les représentations qu'il fit, se vit refuser sa participation parce que, disait-on ou laissait-on entendre, il n'était pas encore rendu à la maturité voulue pour prendre une responsabilité de la sorte. Malgré les interventions de certains membres du conseil d'administration de l'Université de Montréal, et en particulier de monsieur S. McNicholl, auprès de monsieur Louis Saint-Laurent, premier ministre du Canada, et de certains membres du gouvernement, la réponse resta la même. Pourtant, au cours de la guerre, l'Institut avait, avec grand succès et en un temps record, établi la séparation du sérum du sang et la dessiccation du sérum de même que la prévention et l'élimination des corps pyrogènes. On se rappelle que l'Institut avait ainsi livré aux Forces armées plus de 150 000 unités de sérum normal humain lyophilisé.

Mais il est heureux, en un certain sens, qu'il en fût ainsi parce que nous nous serions engagés dans des difficultés extrêmes qui ont absorbé le gros des efforts de Connaught Laboratories et de Ayerst et McKenna. Il faut se rappeler que ces deux laboratoires durent abandonner quelques années plus tard la production de la pénicilline car cette production, comme celle de tous les antibiotiques, allait se concentrant de plus en plus dans certains laboratoires américains.

Plus tard, la compagnie Bristol des États-Unis a proposé de faire un arrangement avec l'Institut pour lui vendre de la pénicilline que l'Institut aurait ensuite revendue sous son nom. Mais la marge de profit, ou du moins la marge entre les prix d'achat et de revente n'étant que de 5 %, l'Institut a jugé que cela ne valait pas la peine de prendre les risques inhérents.

Première application de traitement à la pénicilline dans un hôpital civil de la province de Québec

J'ai conservé et fait don à la Fondation de l'Institut d'une ampoule originale, datée de 1944, contenant de la pénicilline lyophilisée provenant de l'un des premiers lots expérimentaux de Connaught Laboratories utilisés chez l'homme.

À cet égard, il est intéressant de relater qu'un jour, dans le cours de cette période initiale de la pénicilline, alors que cette substance n'était distribuée que pour des fins militaires — à titre expérimental, pour les infections vénériennes et seulement après avoir été approuvée par un comité *ad hoc* du gouvernement fédéral —, le fils d'une personnalité bien connue et très près de l'Institut se trouvait à l'article de la mort par suite d'une péritonite contractée par la rupture accidentelle d'une paroi de l'intestin. Sur les instances du père qui était sur place et suivait l'évolution de l'état de son fils, j'entrepris avec mes collègues d'abord d'établir la nature de cette infection au point de vue microbien. Ensuite, je fis les démarches auprès du comité en question pour obtenir de la pénicilline. Bien entendu, on n'a fait ces démarches qu'après avoir étudié convenablement pendant quarante-huit heures d'affilée les aspects bactériologiques essentiels de cette infection. La grande partie des germes était Gram positif et pouvait probablement être sensibles à l'attaque de la pénicilline. Le comité fut satisfait de ce travail et demanda à Connaught Laboratories d'expédier, pour expérimentation chez l'homme, un traitement par la pénicilline. Pour des raisons difficiles à expliquer, ce traitement n'arriva à l'aéroport de Montréal que vers les deux heures du matin et ce n'est que vers les trois heures du matin que je pus injecter, chez le patient, toute la pénicilline ainsi reçue. Le médecin traitant désespérait depuis déjà longtemps de sauver ce jeune homme. Les religieuses, habituées aux soins hospitaliers, n'attendaient plus rien de son état car déjà les pupilles se dilataient et l'aspect moribond ne faisait plus de doute.

À neuf heures, je revins et, avec les médecins de l'hôpital, constatai une amélioration déjà encourageante chez le patient. Par la suite, ce patient se remit parfaitement et aujourd'hui il est à la tête d'une importante industrie. C'était le premier cas de pénicillothérapie effectué dans un hôpital non militaire chez un patient civil au Québec. Le tout s'était fait avec la permission des médecins traitants*.

Aracol

L'Institut a aussi fait des efforts pour perfectionner la « pénicilline-retard ». Dans une substance appelée *Falba*, sorte d'huile genre cholestérol synthétique, adsorbable et métabolisable par les tissus, on incorporait une suspension titrée de pénicilline. Il en résultait un produit qu'on a appelé « *Aracol* ». Il s'agissait là des premiers essais en vue de retarder l'adsorption de la pénicilline par l'organisme de façon à obtenir un niveau constant et permanent d'antibiotique dans le sang, et aussi à diminuer le nombre d'injections par jour. L'utilisation de cette huile a duré un certain temps et fut remplacée par d'autres préparations pharmaceutiques au moment où l'Institut a abandonné tout intérêt immédiat dans la pénicilline. Avec la substance *Aracol*, l'Institut avait joué un rôle de pionnier en introduisant ainsi dans l'arsenal pharmaceutique un des premiers produits genre pénicilline-retard.

Streptomycine

La maison Merck

L'histoire des efforts de l'Institut du côté des antibiotiques ne se termine pas là. Nous avons collaboré pendant plusieurs années avec la maison Merck pour lyophiliser (dessécher à froid et sous vide) la streptomycine après que cette substance fut mise au point industriellement dans les laboratoires de Merck aux États-Unis. Nous faisions la lyophilisation pour la succursale de la maison Merck au Canada, de sorte que notre collaboration valut aux Canadiens d'être parmi les premiers à profiter de l'emploi de cet antibiotique si précieux.

---

* C'est Ambroise Paré, célèbre médecin du XVIe siècle, qui a dit cette phrase célèbre : « Je le pansai, Dieu le guérit. » Elle s'applique fort bien ici.

À un moment donné, la compagnie Merck du Canada a décidé de déménager en Inde ses installations de streptomycine situées à Salaberry-de-Valleyfield, Québec, où elle en faisait jusqu'alors la production.

Il fut question pour l'Institut de s'organiser avec Connaught Laboratories pour utiliser l'usine délaissée par la Merck, mais les circonstances politiques ne favorisaient pas la discussion de ce sujet et tout en est resté là. Ainsi la production des antibiotiques cessa au Canada.

Les chercheurs de l'Institut ont toutefois continué à s'intéresser à ces produits, particulièrement en ce qui a trait à la résistance primaire du bacille tuberculeux à la streptomycine et à divers autres agents antituberculeux dans la population de la province de Québec, seuls travaux du genre publiés au Canada au cours de cette période.

Sérum normal humain lyophilisé

Dans *Ce combat qui n'en finit plus*, et à d'autres occasions, on a raconté comment l'Institut a fait un effort de guerre remarquable de 1943 à 1945 en procédant, comme deuxième laboratoire au Canada, à la séparation du sérum à partir du sang fourni par la Croix-Rouge; le sérum obtenu était ensuite réparti dans des flacons spéciaux, congelé dans des agitateurs rotatifs et desséché dans deux appareils de Flossdorf. On pouvait y contrôler l'abaissement de la température, causé par le refroidissement des tablettes, et le vide très poussé que produisaient de puissantes pompes. La vapeur d'eau de sublimation allait se congeler dans un immense condensateur qu'on avait fait pénétrer dans le laboratoire à l'ouest de l'étage 7 de l'Université de Montréal en perçant le mur extérieur de cet étage. Il fallait maintenir une différence de 20 °C entre la température du condensateur et celle des cabinets pour obtenir l'évaporation désirée.

Cette technique de lyophilisation exigeait un travail de nuit et de jour.

L'Institut a ainsi fourni 150 000 unités desséchées aux armées alliées et même aux Forces françaises libres car, dans ce dernier cas, le sang avait été donné à cette fin par les citoyens du Vermont.

Un grand nombre de dames des plus distinguées de la société québécoise travaillaient à l'Institut comme bénévoles de la Croix-Rouge.

J'apportai une grande collaboration à la Croix-Rouge en parcourant toute la province et principalement en offrant nos services aux hôpitaux pour contrôler la stérilisation des contenants utilisés dans la cueillette du sang et en incitant, par des conférences ou autrement, les citoyens à donner leur sang. J'étais en cela secondé par mon ami, le regretté professeur Orville F.

Denstedt, de l'Université McGill. Ce travail a servi, par la même occasion, à enseigner à tous les hôpitaux de la province la technique correcte et contrôlée de la stérilisation.

Après la guerre, on a continué quelque temps à fournir du sérum desséché pour les armées en campagne dans l'Extrême-Orient. Cependant, un jour vint où il fallut cesser d'utiliser cette grande quantité de sérum et en venir à une transformation au civil de la cueillette et du traitement du sérum normal humain. Tout fut concentré à Connaught Laboratories, quitte un jour à revenir, sinon totalement, du moins partiellement, à l'Institut.

C'est une longue histoire qu'on racontera un jour, car elle n'est pas terminée.

Les machines à dessécher furent utilisées pour lyophiliser la pénicilline et la streptomycine pour la maison Merck.

Finalement, on a démantelé toute la machinerie pour l'expédier, paraît-il, à l'URSS qui manquait de technologie et de machinerie, surtout pour les antibiotiques.

Sérum normal de cheval

La maison Roussel, avant la guerre, fournissait aux médecins des ampoules de sérum normal de cheval. La guerre a coupé la source de cette importation et la maison Roussel s'est adressée à l'Institut pour remplacer cet approvi sionnement. C'est ainsi que ce dernier a utilisé des centaines de chevaux à cet effet. Cette production a duré quelques années.

Sérum antirabique

À cause de l'épidémie de rage qui a sévi au Canada, dans les régions nordiques, l'Institut avait préparé ce sérum extrêmement purifié qui était distribué gratuitement par le ministère provincial de la Santé pour le traitement des sujets humains mordus. En même temps que l'on cessait toute production animale d'antitoxines, on a baissé la production du sérum antirabique chez le cheval.

Gammaglobuline humaine et fraction plasmatique

Après la guerre, grâce à des subventions fédérales-provinciales, l'Institut a transformé le service de dessiccation ou de lyophilisation du sérum normal humain en laboratoire de fractionnement des produits sanguins, extraits des placentas humains, dont la gammaglobuline utilisée alors préventivement contre la poliomyélite, la rougeole, l'hépatite infectieuse et autres affections ou infections. Ce laboratoire, construit à Laval, a aussi préparé du facteur antihémophilique dont nous parlerons plus loin. Les responsables de cette entreprise ont accompli des prodiges dans le domaine de la mécanique et des techniques médico-chimiques. L'outillage ne le cédait en rien à tout autre du même genre : chambres réfrigérées à diverses températures, jusqu'à $-25\,°C$, super centrifugeuse géante, appareil industriel de dessiccation à froid sous vide. On pouvait y traiter des centaines de litres de matières premières simultanément.

La difficulté d'obtenir des placentas en quantité suffisante de même que l'obtention, relativement facile, de la gammaglobuline sérique et à moindre coût que sa production à même les placentas ont forcé l'Institut à fermer ce département.

À plusieurs propos, la question a resurgi concernant la production des fractions sanguines par l'Institut. Par deux fois, il dépensa en vain, mais avec l'approbation des gouvernements, au-delà de 300 000 $ pour faire des plans, expérimenter des techniques nouvelles, etc., mais sans décision officielle immédiate. Il ne fut remboursé que plusieurs années plus tard.

Gammaglobuline antilymphocytaire

L'Institut a, le premier au Canada, préparé de la gammaglobuline à partir de suspensions de thymocytes humains. Ce produit a été obtenu chez le cheval, le mouton et la chèvre. Son utilisation a facilité les essais de transplantation cardiaque et rénale en particulier. Tout récemment, une gammaglobuline a été préparée chez le cheval à partir de suspensions de lymphocytes humains obtenus en culture en profondeur. Ce produit a fait l'objet d'essais cliniques qui furent subventionnés par le Conseil de recherche médicale.

Facteur antihémophilique lyophilisé

Les essais du facteur antihémophilique lyophilisé (fraction I de Cohn purifiée) préparé à l'Institut par le professeur A.G. Borduas à partir de sang gracieusement fourni par la Société canadienne de la Croix-Rouge ont rendu de grands services dans le traitement des malades hémophiles pendant plusieurs années.

Milieux de culture

L'Institut a toujours maintenu une fabrication de milieux de culture assez importante mais, à partir de 1973, cette production a été intensifiée et est devenue la plus grande du pays. Nous avons transformé certains locaux et installé l'équipement le plus moderne pour fabriquer en grandes quantités la meilleure qualité de milieux de culture et une grande variété de produits diagnostiques servant aux hôpitaux. Finalement, ce Service dont les produits étaient vendus dans tout le Canada est devenu une société autonome mais répondant à l'IAF. Elle fut achetée dernièrement par des intérêts privés.

Trousses-diagnostic

Hybridomes

On a réalisé la production et la sélection de vingt-quatre anticorps réagissant plus fortement avec les cellules cancéreuses du sein qu'avec les cellules normales. Trois de ces anticorps ont été mis en production par la technique des hybridomes. On est en voie de développer une trousse biologique hautement spécifique pour le diagnostic précoce du cancer au moyen de tels anticorps monoclonaux.

Le Centre de virologie a aussi développé de nombreuses sources d'hybridomes (cellules capables de se multiplier *in vitro* indéfiniment et de sécréter un anticorps d'une seule spécificité), une trousse-diagnostic particulièrement novatrice utilisant la technologie d'enzymes spéciales pour l'identification des différentes souches de virus Herpès, de nombreuses enzymes, sondes moléculaires, anticorps, substrats et vecteurs biologiques utilisables pour les recherches en génie génétique et moléculaire, etc. Il est évident que la poursuite de tels objectifs nécessite une haute connaissance de la génétique cellulaire et constitue un domaine privilégié de recherche orientée.

Système à tubes multiples

Ce système permet d'accroître l'efficacité des cultures de cellules animales utilisées notamment comme hôtes pour la croissance des virus-vaccins. Ce système, commercialisé par la maison américaine Belco, a fait l'objet à l'Institut d'améliorations récentes qui en augmentent le rendement de même que l'immunogénicité des vaccins produits par cette technique.

*

*   *

Par la pluridisciplinarité et la coordination de ses équipes, et dans la visée de ses objectifs originaux, l'IAF exerce, de façon unifiée et selon sa compétence, un rôle bien défini dans les domaines de la prévention de la maladie et du développement économique moderne.

Au cours des dernières décennies, les découvertes de la biologie molé-culaire, du génie génétique, de l'immobilisation des enzymes, de la fusion cellulaire, des cultures en masse de cellules bactériennes ou de cellules eucariotes, ou celles des virus et les découvertes de la lixiviation microbienne des métaux ont créé une nouvelle microbiologie et lui ont conféré une nature pluridisciplinaire qui est essentielle à son progrès. Il y a plusieurs années, on avait d'ailleurs énoncé le postulat selon lequel une découverte dans l'une ou l'autre des disciplines affecterait toutes les autres.

L'objet fondamental de la microbiologie moderne concerne les trois règnes de la nature. Les sous-disciplines étendent sa portée, soit fondamen-tale, soit pratique, vers des horizons illimités. En outre, un bon nombre d'industries ne peuvent se passer de la microbiologie. Les méthodes d'étude de cette science se sont élargies dans un contexte bio-physico-chimique que ne peut négliger tout microbiologiste digne de ce nom. Quel que soit leur objet, ces méthodes deviendront de plus en plus unifiées parce qu'on aura découvert des liens de parenté entre espèces différentes.

Il n'y a donc rien d'étonnant à ce que le microbiologiste moderne soit appelé à jouer un rôle d'expertise et de contrôle de qualité et un rôle de recherche dans les milieux les plus différents. Mais il est évident que, quelle que soit la généralité de sa formation, le microbiologiste ne peut être spécialisé à la fois dans tous les sujets, mais il en connaît le contenu, les techniques générales et les grands problèmes.

Pour que s'exerce la pluridisciplinarité de la microbiologie, et pour ne s'en tenir qu'au terrain des applications, il est nécessaire que les institutions intéressées réunissent des représentants experts d'un bon nombre des disciplines majeures auxquelles est reliée la microbiologie. Chacun apporte en plus ses connaissances professionnelles : médecine, médecine vétérinaire, agronomie, chimie biologique, chimie physique, biologie et autres. La présence de services essentiels d'épidémiologie, de statistique et d'informatique, de production industrielle, de fermentation semi-industrielle, de marketing, de vente et autres services, complète l'ensemble pluridisciplinaire qu'une organisation et une structure appropriées unifieront en vue d'atteindre les objectifs désignés et caractéristiques de telles institutions.

Ces objectifs portent sur les services communautaires et les recherches orientées ou appliquées, ce qui distingue nettement ces organismes d'autres institutions de microbiologie versées plutôt dans les aspects fondamentaux de la recherche ou de la recherche à plus long terme et dont l'organisation est conséquemment différente. Les institutions du premier genre ne sont pas très nombreuses, mais elles existent un peu partout dans le monde. L'Institut Pasteur de Paris en fut le modèle.

L'IAF fonctionne dans cette dernière voie depuis cinquante ans. Il a constitué un effectif de quelques centaines de personnes divisé en groupes de caractère pluridisciplinaire, mais de fonction unifiée bien au fait des connaissances de la microbiologie moderne.

Quand l'IAF dirige des travaux d'expertise, de contrôle de qualité, de services communautaires, de production, quand il met à profit la compétence de ses centres de recherche en bactériologie, en virologie, en immunologie, en épidémiologie, en médecine préventive et en médecine vétérinaire préventive, il ne sort pas de son champ d'action; il ne fait qu'exercer sa fonction propre, selon sa compétence et ses objectifs. Le succès qu'il a obtenu est la preuve de sa nécessité et de son efficacité.

Mais il y a plus. La base scientifique pluridisciplinaire de l'Institut, ses travaux de génie génétique, de culture de cellules en profondeur et en masse, son organisation générale avaient depuis longtemps rangé une bonne partie de son activité dans le domaine de la biotechnologie, ainsi nommée depuis peu. Ses chimistes sont familiers avec les enzymes et leur fixation. Dans le domaine de la biotechnologie, il ne lui manque que des ingénieurs spécialisés dans cette matière. Or, ils sont quasi inexistants au Canada et dans le monde.

En somme, l'IAF pluridisciplinaire, déjà engagé dans les techniques modernes, muni de services pratiques et complémentaires, est certainement mûr pour jouer un plus grand rôle dans le domaine de la biotechnologie, domaine qui sera bientôt renforcé et unifié sous les instances gouvernementales.

La bactériologie est devenue une entité unifiée dont les microorganismes unicellulaires paraissent de plus en plus solidaires les uns des autres. On n'a qu'à lire l'*Introduction à la nouvelle bactériologie,* de Sorin Sonea et Maurice Panisset, pour se convaincre des progrès énormes déjà accomplis et des possibilités futures de cet aspect fondamental et pratique.

L'entité unifiée de cette microbiologie a donc trouvé dans l'IAF, comme à l'Institut Pasteur et dans d'autres institutions répandues à travers le monde, un champ d'application fertile et prometteur. C'est à cette conclusion, croyons-nous, que le lecteur du présent document arrivera en toute objectivité.

Le sous-officier de cavalerie, Maréchal des logis-chef, Charles Codebecq, mon grand-père maternel (vers 1871).

Grand-maman Adéline Codebecq.

Grand-père Alexis Frappier et sa deuxième femme, Clarinde Lebeau.

Cages semblables à celles que mon grand-père Bergevin conduisait vers 1908. Photo prise sur la Rivière-des-Prairies en face de l'Institut.

*La maison où j'ai passé mon adoles-
cence et ma jeunesse (1910-1930),
rue du Marché, au coin de la Fabrique, à Salaberry-de-Valleyfield.*

*Mes parents : Arthur-Alexis Frappier
et Bernadette Codebecq et leur premier-né, Armand (1904).*

En attendant le bateau de Salaberry-de-Valleyfield à Montréal en 1912. De gauche à droite : Papa, Marguerite, Paul, Maman. À l'arrière, Irénée.

Notre résidence d'été sur la Pointe Frappier au bord du lac Saint-François.

Mon père, Arthur-Alexis Frappier, vers la cinquantaine.

*Sextuor « **Les Carabins** » (1924-1930). De gauche à droite: Jean Panet-Raymond, Rodrigue Lefebvre, Gilbert Brisebois, Armand Frappier, Irénée Frappier et Henri Faubert.*

Mon épouse, Thérèse, et moi, alors que nous étions encore jeunes.

Le Prince Philip, duc d'Edimbourg, de passage, à l'Institut et à l'École d'hygiène de l'Université de Montréal (1962). De gauche à droite, au premier plan : le prince Philip et le Dr Frappier; à l'arrière, le docteur Roger Foley, M. Leroux de l'École d'hygiène, le docteur V. Pavilanis et M. Lionel Forté.

Armand Frappier (vers 1971).
« La recherche est un acte de pensée ».

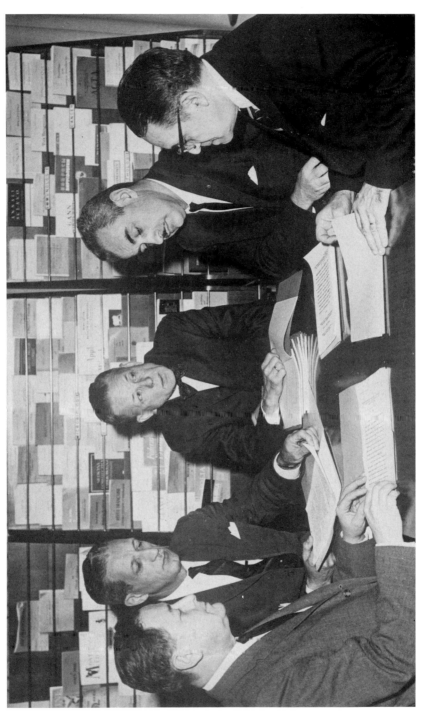

Mon équipe originale. De gauche à droite : Lionel Forté, Jean Essé, Armand Frappier, Victorien Fredette et Maurice Panisset (1963).

Avec ma fille aînée et collaboratrice, le Dr Lise Frappier-Davignon. Photo prise par le FCAR (Fonds pour la formation de chercheurs et l'aide à la recherche) vers 1986-1987 et retouchée par madame Alyne Lavoie.

À Paris, devant l'Académie de médecine et ses officiers, j'expose pour la première fois l'action non spécifique du BCG (vers 1974).

En compagnie du Très Honorable René Lévesque lors de la remise de la décoration de Grand Officier de l'Ordre national du Québec en 1985.

Armand Frappier, le violoniste
(1970).

Mon ami, Paul Cartier, chez-moi à
la Pointe.

*Avec mon ami Paul Cartier à droite),
à l'Île-au-canot, près de Montmagny,
Québec (vers 1955).*

*L'institut Armand-Frappier, à Laval
dans la région de Montréal.*

Chapitre dixième

Les principales réalisations

Structures légales et opérationnelles

1938- Lettres patentes originales créant l'Institut de microbiologie et d'hygiène de Montréal. Subvention de 75 000 $ du gouvernement provincial.

1939- Achat d'une ferme à Laval-des-Rapides, aujourd'hui Laval, tout près de l'autoroute des Laurentides. Cette ferme est devenue le vaste campus de l'Institut depuis 1963 qui s'étend, après des achats de fermes voisines et d'expropriations au nord, sur 143 acres et qui constitue, dans la région métropolitaine, une riche oasis de verdure et de paix favorable à l'essor de la pensée et aux oeuvres originales.

1942- Loi de la province de Québec remplaçant les lettres patentes de 1938 et créant l'Institut de microbiologie et d'hygiène de l'Université de Montréal.

1943- Avec la collaboration de la Croix-Rouge et du gouvernement du Canada, l'Institut installe, au septième étage de l'aile H de l'Université de Montréal dans laquelle il a occupé ses premiers laboratoires (de 1941 à 1963), un service de séparation du sérum normal humain et de dessiccation ou de lyophilisation de ce produit. Il en a été distribué plus de 150 000 unités aux armées du pays et de ses alliés, ce qui a contribué considérablement à l'effort de guerre du Canada et à la bonne renommée de l'Institut.

1952- Construction d'un laboratoire moderne pour la production du vaccin contre la variole. En 1975, il fut converti en laboratoires de recherche pour les fins scientifiques de l'Institut, le vaccin contre la variole n'étant plus utilisé dans le monde par suite de l'éradication de cette maladie par la vaccination.

1953- Construction d'un caveau moderne pour l'entreposage des carottes servant à la nourriture des nombreux cobayes alors entretenus à l'Institut. Au-dessus, on construisit un laboratoire moderne de traitement des placentas humains récoltés en vue de l'extraction de la gamma-globuline servant à la prévention ou au traitement de maladies comme la rougeole, la poliomyélite, etc. Ces laboratoires furent par la suite convertis, de même que le caveau, à des fins utilitaires ou d'autres fins scientifiques de l'Institut.

1954- Construction des laboratoires pour le vaccin Salk de la poliomyélite. tSubvention de 1 500 000 $ du gouvernement provincial. Ce laboratoire fut converti plus tard en laboratoire de recherche et de diagnostic en virologie.

1962- Construction de laboratoires servant aux recherches en médecine préventive vétérinaire et d'animaleries pour l'isolement de certains groupes d'animaux pour les laboratoires de l'Institut. Ces laboratoires furent agrandis (1985) pour les fins de recherche en médecine comparée.

1963- Transport des laboratoires de l'Institut de microbiologie et d'hygiène de l'Université de Montréal sur le campus de l'Institut. Construction au moyen d'une subvention de la province de Québec des laboratoires de l'Institut, totalisant une superficie d'au moins 130 000 pieds carrés.

1963- Tracé définitif de chemins. Plantation d'allées d'arbres sur le campus.

1963- Construction d'un grand laboratoire de production de vaccins viraux qui, finalement transformé en laboratoire de production du vaccin contre la grippe, est l'un des plus importants laboratoires du genre au monde. Son équipement permet de produire des millions de doses de trois virus grippaux différents dans l'espace d'au plus quatre mois après la réception de la formule des virus estimée pour l'année suivante émise par les laboratoires fédéraux d'Atlanta aux États-Unis.

1972- L'Institut est intégré au réseau de l'Université du Québec sous son nom originel d'Institut de microbiologie et d'hygiène de Montréal.

1975- L'Institut prend le nom de Institut Armand-Frappier (Université du Québec) par décision du gouvernement du Québec.

1978- L'Institut créait l'IAF Production inc., depuis 1986 IAF Diagnostic, première subsidiaire à but lucratif, pour ce qui est des produits diagnostiques.

1978- La Fondation Armand-Frappier est créée pour recueillir des fonds de campagnes de souscription en vue de subvenir à la recherche.

1983- L'Institut créait aussi, en partage avec Lavalin, la société IAF-Biopreserv inc. pour l'exploitation future du produit des recherches du Centre international d'irradiation.

1984- La Fondation Armand-Frappier achetait le terrain et l'ancien magasin de Steinberg du côté ouest de ses frontières et y établissait son administration, ainsi qu'une partie de celle de l'Institut. En 1988, l'Institut Armand-Frappier devenait propriétaire de cet immeuble. L'Institut a aussi transformé un autre édifice qui logeait anciennement et temporairement les laboratoires du ministère de la Santé de la province de Québec, édifice qui fut transféré à l'Institut par le ministère et dans lequel avait été établie l'IAF Production inc. Cette subsidiaire produisait les substances diagnostiques et les réactifs biologiques utilisés par les hôpitaux et sa clientèle s'étendait dans tout le Canada.

1985- Création du Centre international d'irradiation du Canada en collaboration avec l'Énergie atomique du Canada.

1986- L'Institut créait également une autre société à but lucratif IAF Biochem International inc. pour l'exploitation de nouveaux produits biochimiques fins et de produits pharmacologiques. Le financement de cette société subsidiaire est assuré par un emprunt de 13 millions et demi de dollars, réalisé sur le marché des REA.

Principaux éléments innovateurs

- Première institution au Québec et l'une des premières au Canada, fondée principalement en vue de la recherche structurée et orientée (1938).

- Première organisation de vaccination systématique par le BCG (1949) en Amérique du Nord et au Québec, après une période d'essai de 1926 à 1947 dont les 13 premières années à l'Université de Montréal. Fichier du BCG pour le Québec. Conseiller en matière de vaccination de divers ministères gouvernementaux et organismes de lutte antituberculeuse au Canada.

- L'une des premières initiatives dans le domaine de la lyophilisation à grande échelle : sérum normal humain, antibiotiques, BCG et vaccins, pendant et après la dernière guerre.

- Premier laboratoire de microscopie électronique appliquée à la microbiologie au Québec (1947) et l'un des premiers au Canada.

- Premiers essais fructueux de diagnostic virologique rapide par microscopie électronique.

- L'un des premiers laboratoires d'application des radioisotopes à la microbiologie, institués immédiatement après la guerre.

- Seul laboratoire sur la lèpre au Canada. Chaire de recherche Hansen et Pavillon Hansen (1976), dons Molson et anonymes.

- Tests d'histocompatibilité disponibles vingt-quatre heures par jour.

- L'un des premiers laboratoires spécialisés dans l'étude expérimentale et épidémiologique de la grippe au Canada.

- Seul producteur continu au Canada de vaccin antigrippal depuis 1957.

- L'un des premiers et rares laboratoires à produire le vaccin BCG pour l'étude clinique de l'immunothérapie du cancer. Il délivre le BCG au Canada et même aux États-Unis pour les recherches sur l'immunothérapie du cancer.

- L'un des seuls laboratoires d'élevage de certains animaux exempts d'organismes pathogènes du Canada.

- L'un des premiers laboratoires de microscopie à fluorescence appliquée à la recherche et au diagnostic (1954).

- Diagnostic viral des maladies vétérinaires pour le Québec.

- Le premier laboratoire axé sur l'analyse virale des eaux de consommation et de récréation.

- Le seul service complètement organisé en vue du dépistage des infections et lésions des animaux de laboratoire.

- Expertises en microbiologie au service de l'industrie alimentaire, pharmaceutique et cosmétique depuis les débuts.

- L'un des plus grands centres d'enseignement supérieur et technique au Québec en virologie et microbiologie appliquée.

- L'une des plus complètes bibliothèques spécialisées en microbiologie au service de la communauté scientifique.

- Innovations de CRESALA (Centre de recherche en sciences appliquées à l'alimentation) : voir le chapitre sur les Services à la collectivité (chap. VIII).

- Nouvelle approche diagnostique des infections virales. Dissection génétique à l'aide d'enzymes de restriction.

- Modèle de virus semi-artificiel, breveté sous le nom d'immunosome et applicable à la préparation de vaccins expérimentaux contre l'influenza et la rage. Ce dernier projet mené conjointement avec l'Institut Pasteur de Paris.

- Développement d'un vaccin très efficace et non toxique (PLEUROVAC) contre la pleuro-pneumonie porcine, maladie à forte incidence économique au Québec et en Ontario.

- Amélioration d'un système dit à tubes multiples permettant d'accroître l'efficacité de cultures de cellules animales. Application particulière pour l'amélioration du rendement et de l'immunogénicité du vaccin contre la maladie de Marek.

- Invention d'une chambre à immunisation par aérosol, pour l'administration rapide et simultanée de vaccins aviaires. Au lieu d'injecter les poussins un à un, on en vaccine par aérosol plusieurs milliers à la fois.

- Mise au point annuelle du vaccin anti-influenza utilisé dans la plupart des provinces du Canada. En dépit de nombreux défis technologiques ou économiques, notre système de production est bien rodé et fait que l'Institut est reconnu dans tout le Canada.

- Laboratoire de la lèpre reconnu par l'Organisation mondiale de la santé (OMS).

Événements marquants

- Introduction de la recherche en virologie au Québec (1945), second laboratoire de virologie au Canada (1947), premier laboratoire d'enseignement supérieur et de diagnostic virologique au Québec (1950).

- Contribution à la fondation de l'École d'hygiène de l'Université de Montréal, alors la seule de langue française au monde (1945) et très liée à l'OMS (1945-1965) et à l'IAF.

- L'un des deux laboratoires canadiens au service de la sécurité collective en matière d'approvisionnement de vaccins et d'autres produits biologiques.

- Attribution d'un doctorat *honoris causa* au docteur A. Frappier par l'Université de Paris (1964).

- Attribution d'un doctorat *honoris causa* en sciences de la santé au docteur A. Frappier par l'Université Laval de Québec (1971).

- Entrée en fonction du nouveau directeur, le docteur Aurèle Beaulnes, le 1er octobre 1974.

- Manifestation amicale en l'honneur du docteur Frappier qui s'est retiré de la direction (mai 1975).

- Attribution d'un doctorat *honoris causa* en sciences au docteur A. Frappier par l'Université de Montréal (1976).

- Attribution du premier doctorat honorifique de l'IAF (UQ) au professeur Pierre Lépine (novembre 1977).

- Création de la Fondation Armand-Frappier et de l'IAF Production inc. (été 1978) à but lucratif.

- Commémoration du 40e anniversaire de fondation de l'Institut (automne 1978).

- Attribution de doctorats honorifiques au docteur Armand Frappier par l'Université du Québec et au docteur Roger Foley, par l'Institut, et du premier doctorat en virologie à Robert Dugré (le 20 novembre 1978).

- Attribution d'un doctorat *honoris causa* au docteur A. Frappier par l'Académie de médecine Nicolas Copernic de Cracovie, Pologne (1978).

- Attribution du prix Marie-Victorin au docteur Armand Frappier (août 1980) et du prix Meritas 81 de la Chambre de commerce de Laval.

- Visite du professeur Jean Dausset, Prix Nobel de médecine (le 14 octobre 1980).

- Signature d'un protocole d'entente avec l'Institut Pasteur de Paris (décembre 1981).

- Transfert à l'Institut Armand-Frappier du Centre de recherche en sciences appliquées à l'alimentation (CRESALA) (juin 1982).

- Dons d'oeuvres d'art à l'IAF (1968-1982) par de nombreux artistes (32), en particulier le portrait du docteur Frappier (1975) par le regretté Lorne Bouchard.

- Octroi d'une subvention spéciale de 200 000 $ du ministère fédéral de la Santé pour le programme de production du vaccin influenza (1975).

- Le Centre de recherche en sciences appliquées à l'alimentation de l'IAF s'allie à l'Énergie atomique du Canada Limitée pour entreprendre des recherches et des démonstrations sur les effets de l'irradiation gamma (Cobalt 60) sur les fruits, légumes et autres substances susceptibles de recevoir ce traitement. Pour la première fois au Canada, on entreprend ce genre de recherche.

- Programme de maîtrise en microbiologie appliquée (1986).

- Ententes internationales (chapitre IV).

- Remise de doctorats *honoris causa* à madame Simone David-Raymond, fondatrice et directrice de la Clinique BCG, à Vytautas Pavilanis qui a développé le Service de virologie à l'Institut Armand-Frappier et à Sorin Sonea, du Département de microbiologie et d'immunologie de la Faculté de médecine de l'Université de Montréal, qui a collaboré avec l'Institut Armand-Frappier (1988).

- Remise d'un doctorat *honoris causa* au docteur A. Frappier par l'Université McGill de Montréal (1989).

Réalisations saillantes en recherche et développement — percées technologiques

Bactériologie médicale

- Évaluation et perfectionnement des méthodes d'étude du vaccin BCG.

- Stabilité de virulence et hétérogénéité relative des souches-filles du BCG.

- Parution du volume *La Souche du BCG*.

- Évaluation de l'allergie postvaccinale et mise au point de la Cuti-BCG.

- Différences dans le métabolisme intermédiaire chez l'animal vacciné par le BCG par rapport à l'animal non vacciné, détectées au moyen de substances marquées à la radioactivité.

- Effets sur l'activité allergique et protectrice de *Mycobacterium tuberculosis* et du BCG progressivement délipidés.

- Obtention, dès 1947, de hauts taux de survie et conservation prolongée (25 ans au moins) du BCG desséché à froid sous vide (lyophilisé).

- Vaccins ribosomaux, mycobactériens et expérimentaux d'une activité comparable au BCG mais d'une durée d'efficacité moins prolongée.

- Évaluation de la réduction quasi totale de la mortalité par méningite tuberculeuse sous l'influence de la vaccination par le BCG des nouveau-nés au Québec.

- Évaluation de la réduction de la mortalité quasi totale et de la morbidité par tuberculose pulmonaire (jusqu'à 80 %), particulièrement des formes graves, chez les sujets de moins de 30 ans après la vaccination par le BCG au Québec.

- Expériences interlaboratoires et colloques internationaux organisés d'une part, par l'Union internationale contre la tuberculose (Comité du BCG, sous ma présidence) et d'autre part, par l'Institut. Les résultats furent publiés sous forme de trois volumes[1].

- Expérimentant sur la souris héréditairement leucémique, Lemonde a trouvé une réduction de la maladie sous l'effet du BCG. De plus, Lise Davignon, M.P.H., M.D., et ses collaborateurs ont constaté une réduction de 50 % de la mortalité par leucémie chez les enfants vaccinés par le BCG. Pour la première fois, on montrait ainsi l'effet non spécifique du BCG dans certains cancers.

- Culture réussie pour la première fois et à volonté *in vitro* du bacille de la lèpre murine. Modèle pour la culture éventuelle de *M. lepræ* humain. Nos chercheurs ont étudié le métabolisme énergétique de *Mycobacterium lepræmurium* et des vaccins ribosomaux isolés de *Mycobacterium bovis* souche BCG.

- Étude des mycobactéries scotochromogènes et du groupe de *M. scrofulaceum* isolé de cas de lèpre humaine.

- Établissement du profil métabolique de mycobactéries non cultivables *in vitro*; mise en évidence d'un système de cytochromes ainsi que d'une respiration endogène importante et de diverses sources d'énergie.

- Les expérimentateurs de l'IAF abordent l'étude de la lèpre expérimentale causée par *Mycobacterium lepræmurium* en cherchant à percer le mystère de l'immunorésistance. On observe avec un certain succès l'effet de *Mycobacterium lepræmurium* « sonicated » ou du BCG sur l'infection.

- D'un point de vue fondamental, on a aussi étudié le rôle des cellules suppressives dans le cas de la lèpre expérimentale. Ces travaux montrent la grande difficulté de l'étude expérimentale de la lèpre.

- Premier vaccin contre la méningite (protéinique de sérotype B), éprouvé chez l'homme, à Cuba.

Contributions autres

- Rôle du « facteur déchaînant » dans la pathogénèse de la gangrène gazeuse.

- Rôle des antigènes d'amorce ou pro-infectieux à la surface de certaines bactéries dans la pathogénèse de l'infection et dans l'immunité. Application

---

1. *Méthodes d'étude du vaccin BCG*, Séminaire UICT, Paris 1958; *Méthodes expérimentales d'étude du vaccin BCG*, XVIe Conférence de l'UICT, 1963. « BCG Strains : Characteristics and Relative Efficacy », Fogarty International Center Proceedings n° 14 (1971). Tous ces livres peuvent être consultés à l'IAF.

expérimentale, avec résultats encourageants, chez les animaux et chez l'homme. Cas de *H. pertussis.*

- Variation de virulence du staphylocoque selon la voie d'inoculation expérimentale et selon sa composition relative en acides nucléiques (DNA-RNA).

- Obtention en sac de cellophane de toxine tétanique de très haute dose minimum mortelle.

- Préparation de toxine botulinique type C purifiée et exempte d'hémagglutinine.

- *Welchia perfringens* comme indicateur de contamination bactérienne de l'air climatisé.

- Rôle de certaines bactéries anaérobies, du genre *Desulfovibrio*, identifiées pour la première fois au Canada, dans la réduction des sulfates (eaux usées de diverses industries).

- Symposium international sur les anaérobies organisé par l'Institut (1967). Publié sous forme de volume.

Médecine comparée

- Depuis sa fondation, l'Institut a toujours maintenu comme essentiel un Service vétérinaire spécialisé en épidémiologie, virologie vétérinaire et diagnostic virologique, médecine préventive vétérinaire des zoonoses, surtout d'origine virale, alors pratiquement inconnues, et au diagnostic rapide de leurs agents.

- Le Service vétérinaire a réorganisé l'élevage des animaux de laboratoire qui étaient, ici comme ailleurs, sujets à toutes sortes d'infections intercurrentes, qu'il a fini par éliminer.

- Nos vétérinaires ont réussi à élever des troupeaux de volailles et de cobayes absolument *exempts d'agents pathogènes spécifiques.* Ils ont même organisé un *service de diagnostic des infections des animaux de laboratoire* qui sert à tous les expérimentateurs et producteurs du Canada.

- Les divers travaux *exécutés par ce laboratoire contribuent à assainir les cheptels bovins, équins, porcins, caprins et aviaires du Québec,* ce qui permet en particulier d'exporter plus facilement dans divers pays des surplus d'animaux sains.

- Nouveaux types sérologiques de virus agents de la trachéite infectieuse aviaire.

- Amélioration de la qualité des animaux de laboratoire et de la technologie de l'expérimentation animale.

- Services de diagnostic précoce des infections des animaux de laboratoire.

- Surveillance des animaleries d'autres institutions.

- Premier élevage de poules exempt de tout agent pathogène spécifique. Développement d'autres élevages du même genre.

- Conditionnement efficace et économique des singes importés de l'Inde en grandes quantités.

- Le Centre reçoit des stagiaires en technologie animale.

- Étude de la fréquence de l'étiologie virale de la diarrhée néonatale du veau et de la stomatite papuleuse des bovidés.

- Relations entre les types équin et humain des virus de la grippe.

- Reconnaissance de la rhino-trachéite infectieuse des bovins laitiers dans le nord-est de l'Amérique du Nord.

Bactériologie non médicale

- Nos chercheurs ont trouvé de nouvelles souches microbiennes capables d'une biodégradation efficace de la biomasse végétale. Les agents actifs étudiés sont les streptomycètes, connus pour leur action rapide durant le compostage des déchets végétaux. Le *Streptomyces flavogriseus* produit différentes enzymes nécessaires à la décomposition de la cellulose et des hémicelluloses. L'interaction des cellulases et des xylanases, ainsi que celle de la glucose isomerase ont permis une meilleure compréhension de la biodégradation de la biomasse végétale. Il résulte de ces études un développement de procédés industriels nouveaux pour le blanchiment des pâtes à papier.

- Des études préliminaires effectuées dans nos laboratoires et ailleurs indiquent que des bactéries peuvent transformer les BPC (Biphényl polychloré), et notre laboratoire s'est employé à en identifier les métabolites et à vérifier leur toxicité en collaboration avec les chercheurs de l'INRS. Ces études de catabolisme microbien serviront à déterminer les inventions génétiques et biotechnologiques nécessaires pour construire des souches bactériennes capables de dégrader efficacement les BPC en composés chimiques inoffensifs. Déjà, nous possédons des souches qui se complètent et permettront d'entreprendre sous peu des croisements génétiques entre ces souches.

- Nos chercheurs travaillent à réduire les odeurs, le contenu en matière organique et en azote du lisier de porc, ainsi que le nombre de microbes pathogènes, de façon à obtenir un effluent qui puisse être rejeté dans des cours d'eau sans les polluer. Le traitement du lisier comprend trois étapes : l'oxydation de la matière organique par des hétérotrophes microbiens, la nitrification par les autotrophes et enfin, la dénitrification des produits minéraux obtenus dans la seconde étape, de façon à éliminer l'azote sous forme de gaz. Ces travaux sont effectués avec les ingénieurs du CRIQ et le Département de l'agriculture du campus McDonald de l'Université McGill. On cherche aussi à traiter l'effluent par osmose renversée avant le rejet à l'eau courante. La phase solide résiduelle sera compostée.

- L'Institut, à partir de 1945, a mis au point la production semi-industrielle d'antibiotiques, comme la gramicidine et la pénicilline, ainsi que la purification de cette dernière. On a fabriqué jusqu'à 180 lots semi-industriels de pénicilline.

- Par contrat avec une industrie, l'Institut a travaillé plusieurs années sur la fermentation alcoolique de l'acide citrique.

- De plus, il s'est intéressé à la fermentation de la lignine et de certains résidus du bois ou des industries des pâtes et papiers, tels que les lignosulfonates.

- Nos chercheurs ont également réussi la digestion anaérobie de la liqueur sulfitique.

- Ils ont créé des unités de fermentologie de petit, moyen et relativement gros volumes, dotées de tous les procédés d'enregistrement automatique possibles.

Virologie (autres approches)

- Nouvelle souche de vaccin antirougeoleux atténué.

- Épreuve de diagnostic rapide et efficace de la rubéole.

- Première application du vaccin HPV 77 (Parkman et Mayer) contre la rubéole chez les nouveau-nés (1968).

- Techniques extrêmement sensibles de diagnostic de l'hépatite virale de type B.

- Efficacité du vaccin antigrippal inactivé ou atténué.

- Démonstration, pour la première fois, de l'absence virtuelle de contagiosité de la mononucléose infectieuse causée par le virus Epstein-Barr et suggestion de la nature postinfectieuse et immunopathologique de la maladie.

- Preuve de la persistance à l'état latent du génôme du cytomégalovirus dans les lymphocytes pendant au moins deux ans après l'infection congénitale.

- Premières observations de l'action protectrice expérimentale de l'interféron *in vivo* (1964).

- L'un des premiers laboratoires spécialisés dans l'étude expérimentale et épidémiologique de la grippe au Canada.

- On a établi un vaccin polyvalent contre la grippe équine, un brevet d'invention étant accordé à l'Institut par le Canada et les États-Unis.

- On a mis en évidence un effet protecteur du BCG contre la neurolymphomatose aviaire ou maladie de Marek.

- On a réussi une première en démontrant qu'un virus d'invertébré se multiplie dans les cellules de vertébrés (virus de la densonucléose).

- On doit également citer la découverte d'une souche suratténuée de vaccin rougeoleux, appelée souche Dubreuil, et les premiers essais concluants chez l'homme de son innocuité et de son efficacité. On a aussi décrit une nouvelle souche atténuée et prometteuse de vaccin rubéoleux. Les techniques originales de sélection de ces deux souches sont couvertes par des demandes de brevets.

- Grâce à un arrangement tripartite datant déjà de plus de cinq ans entre l'Institut, Canada Packers et le Conseil national de recherches du Canada, on a découvert des substances synthétiques chimiothérapeutiques contre les virus du rhume et très peu toxiques. Les essais *in vitro* donnent les plus grands espoirs. On en connaît la toxicologie extrêmement faible et la pharmacologie. Les essais chez l'homme ont été poursuivis dans l'unité du rhume du Medical Research Council en Angleterre. Il y aurait lieu de rendre la molécule plus résistante à la métabolisation.

- Mise au point de techniques sensibles de recherche de virus dans les eaux courantes. Avec l'aide financière du ministère fédéral de la Santé et du Bien-être social, ils analysent ainsi les eaux usées et les eaux de consommation de plusieurs usines de filtration.

- Participation officielle aux recherches collectives organisées par l'OMS sur la persistance du virus de l'influenza dans la nature.

- Amélioration d'un système dit à tubes « multiples » permettant d'accroître l'efficacité de cultures de cellules animales. Application particulière pour l'amélioration du rendement et de l'immunogénicité du vaccin contre la maladie de Marek.

- Création d'une unité de fusion cellulaire pour l'obtention d'hybridomes sécrétant des anticorps monoclonaux; ces anticorps peuvent être utilisés à diverses fins; entre autres pour le diagnostic de l'herpès.

- Nouvelle approche diagnostique des infections virales.

- Dissection génétique à l'aide d'enzymes de restriction.

- Création des programmes de maîtrise et de doctorat en virologie, en immunologie et en microbiologie appliquée.

Immunologie (autres approches)

- Le Centre de recherche en immunologie dans son laboratoire du sida produit des lames de diagnostic par immunofluorescence et travaille à mettre au point un test ELISA utilisant des peptides synthétiques. Plusieurs composés antiviraux sont également testés sur des cellules affectées du virus HIV-1.

- Premiers services d'immunologie rendus à la communauté du Québec : préparation de la gammaglobuline antilymphocytaire; centres de détermination de l'histocompatibilité et de diagnostic des maladies de l'immunité.

- Rôle des anticorps facilitants dans certaines infections bactériennes (à staphylocoques, brucella ou mycobactéries).

- Étude du modèle expérimental de la sclérose en plaques à l'aide d'une protéine encéphalitogène hautement purifiée.

- Synthèse d'un polypeptide dont la séquence en acides aminés correspond au déterminant actif de la protéine encéphalitogène.

- Profil pathognomonique des protéines du LCR (liquide céphalo-rachidien) de la sclérose en plaques. Hypothèse d'une déficience immunologique spécifique multiple dans la sclérose en plaques.

- Modulation de la réponse immunitaire par stimulation ou inhibition de la différenciation des cellules d'origine thymique.

- Rôle de première importance joué par le thymus dans le développement et le maintien d'une fonction immunologique normale. Précisions de ce rôle dans l'élaboration des anticorps.

- Rétroaction des anticorps sur les cellules productrices d'anticorps.

- Purification des antigènes spécifiques de différentes souches de mycobactéries pour augmenter la spécificité de la réaction tuberculinique.

- Participation active à l'organisation du premier congrès francophone international d'immunologie (Québec, 1976).

- Équipes disponibles vingt-quatre heures par jour à longueur d'année pour les besoins des hôpitaux relativement à la détermination des groupes leucocytaires et aux épreuves de compatibilité croisée (greffes).

- Nos chercheurs ont contribué à faire connaître davantage le processus inflammatoire en fournissant des preuves expérimentales de l'existence d'un mécanisme compensateur entre les médiateurs chimiques pro- et anti-inflammatoires.

- Le laboratoire d'immunologie clinique est un autre service du Centre d'immunologie qui fait le dépistage des maladies auto-immunitaires. Il effectue le dosage des protéines sériques impliquées dans une série d'entités pathologiques à partir des déficiences auto-immunitaires jusqu'aux nombreuses implications de l'immunologie dans les processus cancéreux.

- L'extraction de fractions subcellulaires immunosuppressives à partir de sérum antithymocytaire. Nos chercheurs concluent de leurs observations sur la modulation de la sécrétion des anticorps au niveau des cellules B, que le sérum immun contient des composantes activatrices et inhibitrices de la réponse humorale et ils croient que les deux éléments antagonistes sont en interrelation directe.

- Quant à la modulation des interactions cellulaires T-B, les travaux de nos chercheurs démontrent clairement que les composants cellulaires et humoraux de la réaction immunitaire sont en équilibre instable et cet équilibre peut facilement être rompu au bénéfice de l'une ou de l'autre des composantes suivant les conditions expérimentales.

- Ces dernières années, notre surveillance immunologique a porté en moyenne sur plus de 1 000 serums de patients inscrits sur les listes d'urgence en attente de donneurs. On a réalisé plus de 200 typages nouveaux pour un total de 73 greffes environ.

Épidémiologie

- Incidence très élevée de l'antigène australien chez les femmes enceintes de la région métropolitaine de Montréal. Cet antigène est aussi retracé dans le cordon ombilical.

- Essais cliniques d'un nouveau vaccin antirougeoleux développé à l'Institut (souche Robert Dubreuil).

- Relevé épidémiologique du niveau d'immunité de la population contre diverses infections contagieuses.

- Relevés épidémiologiques sur l'allergie à la tuberculine dans la population de divers âges, sur l'incidence de la fièvre Q, de l'histoplasmose, des infections à staphylocoques dans les pouponnières, etc.

- Leucopénie et diminution des réflexes musculo-tendineux chez les pomiculteurs à la suite de l'emploi prolongé des insecticides.

- Fréquence des maladies chroniques et pulmonaires (bronchite et emphysème) en relation avec la pollution de différents milieux industriels.

- Fréquence de la mortalité par le cancer pulmonaire dans Montréal en relation avec la pollution de l'air.

- Détermination de l'état immunitaire de nos populations.

- Maladies infectieuses du cheptel québécois; contribution dans le domaine de la pathologie et du diagnostic.

Cancérologie

- Démonstration, pour la première fois, de l'effet bénéfique du BCG et de celui de la bataille entre mâles dans la leucémie spontanée de la souris ou dans des cancers expérimentaux provoqués par des virus (1961).

- Pour la première fois chez l'homme, mise en évidence d'une protection de l'ordre de 50 % apportée par la vaccination au BCG donné à la naissance contre la leucémie de l'enfant (1970).
  Travaux confirmés aux États-Unis et en Angleterre.

- Rôle des extraits de spores de Cl. M55 dans la prévention et le traitement du cancer expérimental.

- Rôle activant ou retardant de certains phénotypes du BCG dans le cancer expérimental.

- Effets indésirables très limités de fortes doses du BCG chez divers animaux, en relation avec certaines doses utilisées dans l'immunothérapie du cancer chez l'homme. Relations avec la voie d'inoculation du BCG, l'espèce animale et la répétition des doses.

- Organisation par l'Institut d'un Symposium international sur « La situation actuelle du BCG dans l'immunothérapie du cancer » (1976). Publication sous forme de volume.

- De nombreux cancérologues au Canada et aux États-Unis utilisent le BCG préparé spécialement par l'Institut dans le traitement du cancer de la vessie chez l'homme.

- On a montré l'activité antitumorale de mutants de Cl. perfringens, activité qui semble optimale dans le filtrat de cultures.

- Il est intéressant de citer que nos chercheurs ont démontré l'ambivalence de l'action du bacille Calmette-Guérin dans des tumeurs expérimentales, en particulier, la dissociation de fractions stimulantes et au contraire inhibitrices.

Chapitre onzième

Le rayonnement international

La contribution du directeur de l'institut et de ses premiers collègues sur le plan international 1938-1978

Avant-propos

Comme je raconte l'histoire de ma vie et de mes oeuvres, je m'en tiendrai, dans le présent chapitre, à une sélection de mes visites à l'étranger, comme directeur, et de mes premiers collègues en ne tenant compte que de l'impact possible des contributions choisies sur l'oeuvre et l'essor de l'Institut, sur la démonstration de sa capacité d'innovation et sur l'extension, dès ses débuts, de ses relations internationales. Il est évident que ce volume ne suffirait pas à raconter toute l'histoire de l'Institut.

À la fin de ce chapitre, on montre des tableaux et des statistiques illustrant le rôle international du personnel scientifique de l'IAF de 1938 à 1978.

Puisse l'Institut poursuivre encore et avec une intense fierté, son oeuvre sur les plans national et international.

Introduction

Vers 1938, au moment de la fondation de l'Institut de microbiologie et d'hygiène de Montréal, les sciences en général et les sciences médicales en particulier s'engageaient dans un courant de découvertes qui s'est amplifié à la fois par les développements techniques dus à l'effort de guerre et par l'organisation d'après-guerre des échanges internationaux. Les hommes de science et les hauts techniciens de tous les pays se sont ainsi retrouvés sur la scène internationale.

En effet, après les hostilités, les porte-parole de différentes disciplines ne cherchaient qu'à se rencontrer. Qu'était-il advenu des travaux de chacun au cours de ces années d'isolement? On réorganisait les sociétés à caractère international. Ces dernières reprenaient leurs réunions périodiques. Les agences internationales à caractère bénévole, comme l'Union internationale contre la tuberculose et l'UNICEF ou les agences nouvellement créées de l'ONU, comme l'OMS et la FAO s'organisaient et mettaient des moyens financiers en oeuvre pour appliquer les nouvelles méthodes de prévention des maladies, ou offraient aux divers pays du monde des consultations d'experts pour améliorer la santé, le bien-être et le rendement technologique.

À cette époque, c'est-à-dire vers 1945-1946, l'Institut de microbiologie et d'hygiène de Montréal avait déjà pris de l'essor; sa viabilité et sa vitalité en étonnaient plusieurs. Bien que très jeune encore, il fut quand même, et comme un bon nombre d'autres institutions dans le monde, entraîné dans ce grand mouvement international.

Non pas que les scientifiques qui s'étaient unis pour fonder l'Institut eussent déjà acquis par eux-mêmes une grande réputation sur le même plan. Par la force des choses et progressivement, suivant en cela l'expansion du rôle du Canada dans le monde et dans les nouvelles agences internationales, suivant aussi le mouvement croissant à l'échelle internationale des réunions scientifiques et médicales, celles de microbiologie et de standardisation biologique en particulier, enfin pour toutes sortes d'autres raisons qui seront exposées plus loin, l'Institut a profité de l'opportunité créée par le brassage international d'après-guerre pour accroître son oeuvre scientifique et humanitaire.

Il faut ajouter cependant que ce rôle ne s'est pas accompli sans effort de la part des dirigeants et des membres de l'Institut, sans une volonté commune de pousser ce dernier vers les sommets dans les domaines de sa compétence, sans un acharnement au travail allant bien au-delà de ce qu'on peut imaginer. Car il est bien évident que ce rôle sur le plan international ne pouvait être dévolu à l'Institut et à bon nombre de ses membres que parce qu'ils apportaient quelque chose que d'autres pays et les organismes internationaux trouvaient intéressant et bon.

Origines du rôle de l'Institut sur le plan international et rôle d'avant-guerre

Établissement de liens avec d'autres instituts

Aux États-Unis et en Europe

Au cours de mes études médicales et postmédicales, je m'étais vivement intéressé au BCG (Bacille Calmette-Guérin), dont la découverte dans l'application à l'homme venait d'être proclamée en 1924. J'avais de plus, depuis 1932, participé aux essais cliniques de Baudouin, de Montréal, et de Ferguson et ses collègues, de Saskatchewan, sur l'effet du BCG chez l'enfant.

J'avais fréquenté, aux États-Unis, des laboratoires qui ne cachaient pas leur opposition à l'utilisation de ce vaccin, chez Petroff en particulier, au Trudeau School of Tuberculosis, État de New York. J'avais séjourné plus ou moins longtemps comme boursier de la Rockefeller Foundation dans un certain nombre des principaux laboratoires de l'est des États-Unis : à la Faculté de médecine de Rochester, N.Y., dans divers sanatoriums des Adirondacks, au Service de santé de la ville de New York, au Sanatorium de la Metropolitan Life dans les Adirondacks, au Laboratoire d'hygiène de l'État de New York, à Albany, sans compter des visites fréquentes ou de courts stages dans certaines universités renommées : Rockefeller Institute, Johns Hopkins University et son École d'hygiène, National Research Council of the United States, Hygienic Institute de Washington, University of Pennsylvania à Philadelphie, University of Columbia à New York, Cornell Medical Center à Utica, New York.

En Europe, comme étudiant postscolaire j'avais travaillé avec Calmette, Guérin, Nègre (1932) et Ramon (1937), respectivement sur les techniques et les propriétés du BCG et des anatoxines. Les écoles de Calmette sur la tuberculose et de Ramon sur l'immunité étaient en grand renom. J'avais eu là aussi l'occasion de rencontrer plusieurs médecins ou scientifiques de France et de divers pays, avec qui j'avais lié des amitiés ou d'étroites relations et dont plusieurs allaient par la suite jouer un rôle international relatif au BCG ou à la tuberculose, devenir membres d'académies ou accéder à de hauts postes dans leur pays, à l'OMS ou dans d'autres agences de santé.

J'avais alors (1932) fait des stages ou des visites au London School of Hygiene and Tropical Medicine, au Lister Institute ainsi qu'à Oxford, à Cambridge, à l'Institut Pasteur de Bruxelles et (1937) à l'Instituto sierotherapico e Vaccinogeno Toscani, à Sienne.

Mes visites avaient été dirigées par la Rockefeller Foundation et par le professeur Ramon de l'Institut Pasteur.

Dans ce dernier périple (1937), j'ai fait des séjours à l'Institut séro-thérapique de Milan. À Berlin, j'avais rencontré, à l'Institut Robert Koch, l'un des frères Lange (Bruno et Ludwig) qui avaient été chargés par le gouvernement allemand d'enquêter sur la tragédie de Lübeck, survenue à la suite d'administration par voie buccale de doses de BCG contaminé localement. Le docteur Bruno Lange m'avais donné et dédicacé de sa main, un exemplaire du fameux rapport préparé pour le tribunal allemand (1930) et sur lequel ce dernier s'était basé pour exonérer le BCG comme cause des mortalités.

Sans rien présager, mais par le fait même de mes rencontres et des amitiés nouées dans des milieux déjà internationalisés, surtout dans celui des organismes ou laboratoires de lutte antituberculeuse ou de recherches sur le BCG, sujet qui allait devenir pendant longtemps l'un des plus importants dans les congrès internationaux et dans les réunions de l'OMS, de l'UNICEF et d'autres organismes, je préparais ainsi et inaugurais, pour ainsi dire, la carrière internationale de l'Institut.

Monsieur Panisset à l'École d'Alfort

De son coté, le professeur Panisset avait mis l'Institut en relation avec l'École d'Alfort, école vétérinaire française où il avait étudié et où son père, de grande réputation, avait été professeur. Il avait fait un séjour d'études en France, en 1939, où il fut retenu par la guerre. Il reviendra bientôt à l'Institut, grâce à une entente entre les gouvernements français et canadien.

Le premier collaborateur du docteur Frappier

À la même époque, monsieur Victorien Fredette faisait des stages d'observation aux Universités de Yale, de Cambridge, de Columbia et de New York, au Phipps Institute de Philadelphie, au National Institute of Health de Washington et aux Public Health Laboratories de New York. Pendant un an, il étudia chez Ramon à l'Institut Pasteur (1939) et termina ses études post-scolaires par des stages d'observation à l'Instituto Sierotherapico e Vacci-nogeno Toscani à Sienne (prof. D'Antona), à l'Institut Pasteur de Bruxelles, Belgique, au Lister Institute de Londres, au Welcome Physiological Research Laboratory de Londres, Angleterre et à l'Université de Lausanne, Suisse.

Il représenta l'Université de Montréal et l'Institut de microbiologie et d'hygiène de l'Université de Montréal aux fêtes du Cinquantième Anniversaire de fondation de l'Institut Pasteur de Paris (1938).

Visite du docteur Martin, directeur de l'Institut Pasteur de Paris

Il est bon aussi de rappeler que, avant la guerre, le directeur de l'Institut Pasteur à ce moment-là, le docteur Martin, ancien collaborateur de Pasteur et de Roux, lui qui avait préparé la première toxine avec Roux, était venu à Montréal accompagné du docteur Grabar, qui allait devenir un illustre immunologiste.

1936-1938 Les séjours du docteur Nègre de l'Institut Pasteur

Un éminent délégué de l'Institut Pasteur, mon maître le docteur Léopold Nègre, collègue de Calmette séjourna à Montréal à trois reprises (dont une après la guerre en 1950) et y donna des séries de cours.

Nominations

Je devins membre de l'Association des microbiologistes de langue française, dès sa fondation, à l'appel du docteur P. Lépine de l'Institut Pasteur de Paris.

Le docteur vétérinaire, M. Panisset, un de mes premiers collègues, était nommé chef du Service vétérinaire de la Mission française de remonte au Canada.

1939- Le IIIe Congrès international de microbiologie à New York Première manifestation internationale de l'Institut

Membre du Comité provisoire canadien chargé d'organiser le IIIe Congrès international de microbiologie à New York en 1939, délégué officiel du Canada, je présentai un travail expérimental sur le BCG, en collaboration avec mon collègue L. Forté, L.Ph., M.Sc.. En fait, c'était là la première apparition sur la scène internationale des chercheurs de l'Institut, récemment fondé en 1938.

À l'occasion de ce congrès à New York, le jour même de la déclaration de la guerre de 1939-1945, moi et quelques-uns de mes collègues, Fredette, Forté et Tassé, avions reçu la délégation française à un dîner au Waldorf Astoria Hotel de New York où le congrès se tenait. On s'était dit adieu et au revoir. Il y avait là plusieurs savants de l'Institut Pasteur de Paris, les Tréfouël (devenu directeur), Lépine, Prévot, Boivin, Giroud et autres que les membres de l'Institut avaient connus au cours de leurs études en Europe.

Correspondance avec Ramon, Prévot, Nègre et autres

Il est intéressant de rappeler que l'Institut conserve une correspondance assez suivie, surtout de Fredette avec le professeur Ramon. Monsieur Fredette et moi en union avec un grand nombre de personnalités internationales, nous avions proposé Ramon pour le prix Nobel. Des circonstances extraordinaires d'après-guerre avaient fait avorter ce projet. L'Institut conserve aussi ma correspondance avec le professeur Nègre, le professeur Sir A. Miles, directeur du Lister Institute et celle de Fredette avec le professeur Prévot de l'Institut Pasteur, pour ne citer que quelques cas.

Aspect international du rôle de l'Institut durant la guerre (1939-1945)

Recherches de guerre

De 1939 à 1945, l'Institut a traduit son effort de guerre par des recherches sur de nouvelles méthodes de prévention et de sérothérapie de la gangrène gazeuse dans les plaies de guerre, sur le « facteur déchaînant », en particulier. Un autre effort de l'Institut a consisté à poursuivre des recherches sur le BCG, particulièrement sur les modes de vaccination et les résultats allergiques de vaccination expérimentale et sur la possibilité de vacciner les militaires se trouvant dans des zones où la tuberculose était prévalente. Effectivement, il y eut des militaires qui furent vaccinés par le BCG, mais cela n'a pas consisté en une grande opération.

L'Institut a aussi adapté à l'adulte l'emploi de ses anatoxines diphtérique et tétanique, pour vaccinations militaires.

La grande oeuvre de guerre de l'Institut : le sérum humain lyophilisé — les corps pyrogènes

La grande oeuvre de guerre de l'Institut, une de celles qui ont le plus projeté, à ce moment, son image sur la scène internationale, a consisté à collaborer avec le ministère de la Santé d'Ottawa, le ministère de la Défense nationale et la Croix-Rouge canadienne en utilisant d'importants espaces de laboratoire pour la séparation du sérum humain et sa dessiccation par lyophilisation. Cette méthode, tout à fait nouvelle à ce moment, n'était employée que par quelques laboratoires américains et Connaught Laboratories du Canada. En quelques mois, l'Institut a converti ainsi un des étages d'une aile de l'Université de Montréal à la Montagne, loué par l'Institut et y a traité tout le sang provenant de l'est du Canada pendant les années allant de 1943 à 1945, fournissant ainsi plus de 150 000 unités de ce précieux produit, utilisable par les armées canadiennes et alliées, et dont une partie fut aussi envoyée aux Forces françaises libres.

Il est bon de rappeler que le surgel associé au vide pour produire la lyophilisation était alors à ses débuts. Cette technique demandait une mise au point qui dépassait, à cause du vide moléculaire nécessaire, l'expérience ordinaire des ingénieurs. Il fallut que les membres de l'Institut, messieurs Tassé, Forté et Borduas, en particulier, établissent les courbes des paramètres et standardisent la technique. De même en était-il des corps pyrogènes qui rendaient le sérum toxique et dont on venait à peine de révéler l'existence; aucun effort de recherche ne fut épargné depuis les tout débuts pour apprendre à s'en débarrasser. Il y avait également la transmission de l'hépatite d'origine sérique qu'il fallait prévenir et les recherches sur la séparation des constituants du sang. Les succès de l'Institut dans ces nouveaux champs d'activité étaient reconnus localement et à l'étranger et attiraient les visiteurs de nombreux pays.

Visiteurs

En effet, plusieurs sont venus observer nos techniques et le fonctionnement de notre laboratoire moderne de séparation et de lyophilisation du sérum humain, comme l'atteste le nombre de signatures dans le livre d'or de l'Institut à cette date.

Il n'y a aucun doute que la distribution du sérum lyophilisé, préparé à l'Institut, sur tous les champs de bataille de nos armées et même aux Forces françaises libres constituait un apport sur la scène internationale auprès du monde libre.

En 1943, la princesse Alice et Lord Athlone, ce dernier, gouverneur-général du Canada, étaient reçus à l'Institut. Ils y ont signé le livre d'or.

Rôle dans les comités de guerre et liens internationaux

Un autre aspect international de l'effort de guerre de l'Institut est la part que j'ai prise en tant que directeur dans divers comités ou sous-comités du Conseil national de recherches tels que ceux des recherches médicales de l'Armée, sur le choc et les substituts sanguins. Je fus délégué par ce dernier organisme à Washington pour y discuter, avec mes homologues américains, de la possibilité envisagée alors d'utiliser certaine gélatine à poids moléculaire optimum comme substitut au sérum humain. Je faisais aussi partie de certaines sections de la Croix-Rouge canadienne dont le travail portait sur la santé dans les armées et sur le sérum humain desséché.

Tous ces groupes comprenaient des observateurs de pays alliés et les travaux qu'on y exposait, y compris, bien entendu, ceux d'autres membres de l'Institut, recevaient alors une audience internationale.

Décorations de guerre

Ces efforts multiples ont été reconnus, non seulement au niveau national, par la Croix-Rouge j'en fus nommé membre honoraire (la plus haute distinction accordée par cet organisme), mais aussi sur le plan international par le roi Georges VI qui m'a nommé Officier de l'Ordre de l'Empire britannique (OBE), sur recommandation du gouvernement canadien. La France également m'a offert, de la part du ministère de l'Éducation nationale de la République française, le titre d'Officier d'Académie « pour services rendus à la cause française ».

Aspect international du rôle de l'Institut dans l'après-guerre (1945-1948)

Fondation de l'École d'hygiène de l'Université de Montréal.

Rôle indirect de l'Institut.
Répercussion internationale

En 1945, coordonnant la collaboration et les services de mes collègues de l'Institut, du Département de bactériologie de la Faculté de médecine de l'Université de Montréal et d'autres universitaires de facultés connexes, ainsi que des hauts fonctionnaires des services de santé du Québec et du Canada, je fis approuver par l'Université de Montréal la fondation d'une École d'hygiène au rang de faculté. Le financement en fut assuré par le gouvernement du Québec (pendant 20 ans) et l'Université. Pendant quelques années, le gouvernement fédéral subventionna (150 000 $ par an) l'enseignement dispensé aux boursiers de l'OMS et autres venant de divers pays étrangers où la langue française était parlée. En bref, on peut dire que cette École, et indirectement l'Institut (car ces organismes étaient sous ma direction), ont formé un nombre considérable de médecins, d'infirmières, d'éducateurs et de professeurs du Québec dans les disciplines avancées d'administration de l'hygiène publique, de soins infirmiers, d'éducation sanitaire, d'éducation physique et d'administration hospitalière. De plus, cette École a formé au moins 150 sujets de langue française la plupart médecins et boursiers, surtout de l'OMS, venant de pays étrangers. Par la suite, ces anciens élèves, qui ont aussi très bien connu l'Institut, occupèrent des postes clés, soit dans leur pays (Turquie, Liban, Syrie, Égypte, Iran, Tunisie, Algérie, Maroc, Laos, Vietnam, Suisse et la France ou autres), soit à l'OMS ou dans des organismes africains ou sud-asiatiques. On a dit que, en 1968, près du tiers des hygiénistes de langue française (langue première ou seconde), à l'extérieur de l'Europe et de l'Amérique, avaient été formés à l'École d'hygiène de l'Université de Montréal; je suis toujours resté en contact avec ces anciens élèves à l'étranger. L'Institut peut réclamer une grande part de cette oeuvre et du prestige qu'elle a connu à l'étranger. L'École a cessé d'exister vers 1968. Plusieurs de ses départements ont été intégrés à la Faculté de médecine de l'Université de Montréal.

Dessiccation de la pénicilline et de la streptomycine — Portée internationale

Immédiatement après la guerre, le service de séparation et de lyophilisation du sérum normal humain à l'Institut fut transformé (par MM. Tassé et Forté) pour servir à l'industrie, en vue de la dessiccation de la pénicilline et de la streptomycine qu'on avait découvertes au cours des dernières années. La Compagnie Merck put ainsi satisfaire sa clientèle canadienne et internationale, grâce aux bons offices et à l'expérience technique de l'Institut en matière de lyophilisation et d'asepsie, tout en augmentant le volume de son rendement.

Visiteurs et professeurs invités de marque.

Le professeur Pierre Lépine et la naissance du Service de virologie.

En 1945, un autre, parmi les plus célèbres des visiteurs, fut le docteur Alexander Fleming, découvreur de la pénicilline, qui a passé près d'une journée en notre compagnie à l'Institut.

Après les hostilités, j'ai invité les professeurs Pierre Lépine, H. Simonnet, R. Prévot, R. Sohier, L. Nègre, F.M. Lévy, de France, G. Penso d'Italie, à faire des séjours de plusieurs mois à l'École d'hygiène et, en même temps, à conseiller l'Institut sur l'organisation de services de diagnostic et de recherche soit en virologie, science encore à ses débuts et qui prenait un essor considérable, soit sur les anaérobies, la poliomyélite, la tuberculose expérimentale, etc. Les professeurs Lépine et Simonnet sont ainsi revenus pendant dix ans nous apporter leur collaboration. Grâce aux bons offices du professeur Lépine, l'Institut put obtenir les services d'un de ses élèves virologues de l'Institut Pasteur, le docteur Pavilanis, qui a mis au point la virologie et est devenu le directeur scientifique de l'Institut.

1946- Congrès de Pasteur à Paris — Rôle de l'Institut

Toujours sur le plan international, un développement particulier d'après-guerre mérite d'être cité : dès 1946, l'Institut Pasteur et la République française ont organisé à Paris la célébration du 50ᵉ anniversaire de la mort de Pasteur. Des microbiologistes de différents pays du monde furent ainsi gracieusement invités et réunis pour exposer le développement des œuvres pasteuriennes chacun dans son pays. J'étais l'hôte de la France. Au nom des délégués, je fus invité au cours d'un grand banquet à remercier la municipalité de Dôle (ville natale de Pasteur) de son accueil et de son hospitalité.

À l'occasion de mon passage à Paris, on m'a demandé de présenter devant la Faculté de médecine une conférence sur mes travaux. Tous les professeurs et les étudiants m'ont fait une ovation. Je n'hésitai pas, dans mon introduction, à affirmer à « mes chers cousins de France » que, maintenant les échanges culturels et scientifiques devraient se faire dans les deux sens, qu'un Canada grandi et mûri avait beaucoup à offrir aux intellectuels scientifiques et aux médecins d'Europe et particulièrement de France.

1947- M. Fredette reçoit le doctorat d'État français en microbiologie

M. Fredette est nommé interprète officiel de la Commission judiciaire du Comité de nomenclature du IVᵉ Congrès international de microbiologie à Copenhague, où il représente officiellement le Canada. Il assiste à la Commonwealth Type Culture Conference, à Londres, Angleterre.

Il présente sa thèse à la Faculté des sciences de l'Université de Paris et obtient le doctorat d'État ès sciences, l'un des premiers microbiologistes canadiens à obtenir ce doctorat ès sciences et l'un des quelques canadiens à obtenir un doctorat d'État français.

1948- Première assemblée de l'OMS à Genève
Le directeur est conseiller technique de la délégation
canadienne.

Le gouvernement canadien m'envoie pour un mois à Genève pour participer
à la *première* assemblée de l'Organisation mondiale de la santé, comme
conseiller technique de la délégation canadienne. Je fais partie de deux comités de l'assemblée.

Invitation à Washington

La même année, je suis invité par le Fourth International Congress on Malaria
and Tropical Diseases à Washington pour y présenter un travail sur la stabilité
du BCG. Ce travail considérable fut publié par les soins de cette organisation.

Déploiement de l'œuvre de l'Institut
sur la scène internationale (1948-1978)

Liens avec l'Institut Pasteur et les autres instituts
dans le monde

Vers les années 1947-1948, le personnel de l'Institut augmente et contribue
à accroître les relations de ce dernier avec le monde scientifique, médical et
international.

Monsieur Adrien Borduas est l'un des premiers boursiers que l'Institut
envoie à l'étranger. Il fréquenta le laboratoire de physico-chimie à California
Institute of Technology, à Pasadena, Californie (professeur Lenius Pauling,
Prix Nobel de très haute réputation), à Harvard Medical School (professeur Cohn), fut stagiaire en immunologie à l'Institut Pasteur de Paris (professeur Pierre Grabar) et visita divers laboratoires européens (1949-1952).

Monsieur Guy Vinet fait un séjour à l'Institut Pasteur dans le service
des anaérobies, dirigé par le docteur A.R. Prévot, grand spécialiste des anaérobies et fait divers stages en Europe, dans des laboratoires de même spécialité.
Il participe ou assiste à de nombreuses réunions en Europe et aux États-Unis
sur la fabrication et la purification des toxines, sujets qui ont dominé sa
carrière. Il retournera en 1954, à l'annexe de Garches de l'Institut Pasteur
de Paris pour un an comme boursier de la Fondation Waksman.

Les liens privilégiés établis depuis le début de l'Institut avec l'Institut Pasteur de Paris se sont renforcés au cours des ans par les stages effectués par des chercheurs de l'Institut dans les différents laboratoires et par les travaux effectués en collaboration par les deux Instituts, par exemple, les travaux sur le sida. La liste déjà longue des laboratoires cités plus haut où les membres de l'Institut ont étudié ou fait des stages s'est enrichie au fil des ans. Elle contient les noms des plus prestigieux microbiologistes d'Amérique, d'Europe et d'Australie.

Reconnaissance de l'expertise de l'Institut sur le BCG

Invitations

Invité par l'American Union Against Tuberculosis à Chicago malgré un auditoire peu intéressé au BCG, j'exposai mes idées sur ce mode de vaccination. Je donnai aussi quelques cours au Trudeau School of Tuberculosis, à Trudeau, N.Y., États-Unis (1949).

La même année, invité du gouvernement français, je participe au Ier Congrès international du BCG à Paris, devant lequel je présente deux travaux, l'un sur la Culti BCG, l'autre sur l'œuvre de l'Institut dans la prévention de la tuberculose au Canada.

En 1959, comme hôte du gouvernement polonais et du professeur W. Kurylowicz, je présente deux travaux en collaboration au Symposium sur le BCG tenu à Varsovie.

La Commission du BCG de l'Union internationale contre la tuberculose m'invite à organiser et à présider la « Journée du BCG » (Séminaire sur le rôle de la vaccination par le BCG dans différents pays du monde), tenue à Istamboul, dans le cadre de la XVe Conférence internationale sur la tuberculose.

Le Pan American Sanitary Bureau de Washington et le Service de santé de la ville de New York m'invitent comme expert en vue de décisions à prendre sur le sujet de la vaccination contre la tuberculose par le BCG.

Enfin, je suis invité par l'Académie nationale de médecine de France en novembre, à l'occasion du Cinquantenaire de la découverte du BCG à présenter un travail sur « Les nouveaux aspects non spécifiques du BCG dans le cancer expérimental ».

Postes dans des associations internationales de tuberculose

Je suis nommé membre du Tableau d'experts sur la tuberculose de l'OMS et participe à une réunion extraordinaire sur le sujet (1953). Je siège au Comité du BCG de l'OMS et rédige le premier rapport de ce comité portant le numéro 88.

En collaboration avec monsieur M. Panisset, je suis rapporteur à la Conférence technique internationale du BCG à Genève, tenue sous les auspices de l'Union internationale contre la tuberculose (1956). Tous deux, nous y présentons un travail sur la « Souche du BCG » qui sera édité sous forme de brochure par l'Institut.

Je suis nommé président de la Commission du BCG de l'Union internationale contre la tuberculose (1957-1963).

Monsieur M. Panisset participe au Séminaire international sur les méthodes d'étude du vaccin BCG, tenu à Paris, sous les auspices de l'Union internationale contre la tuberculose et du Centre international de l'enfance.

En 1958, je préside à Paris une réunion de la Commission du BCG de l'Union internationale contre la tuberculose et un séminaire sur les méthodes d'étude du vaccin BCG, organisé par l'Union et le Centre international de l'enfance et présente un travail sur les « Critères d'activité et de régularité du vaccin BCG ».

J'organise, sous l'égide de la Commission du BCG de l'Union internationale contre la tuberculose, une Expérience interlaboratoire sur les méthodes d'étude du BCG dont le coordonnateur était le professeur M. Panisset.

Je deviens membre du conseil d'administration de Haïti-American Tuberculosis Institute.

Quelques années plus tard, en 1961, M. Panisset et moi-même avons organisé une Discussion de Table ronde qui a eu lieu à Montréal, les 7, 8 et 9 septembre, dans le cadre de la XVIᵉ Conférence de l'Union internationale contre la tuberculose et qui réunissait les participants de la première expérience internationale et des consultants de réputation internationale. Un compte rendu de cette réunion a été publié sous forme de volume conjointement par l'Institut de microbiologie et d'hygiène de l'Université de Montréal et l'Institut Pasteur de Lille, en France.

Une autre Discussion de Table ronde fut organisée dans le cadre de la XVIIIᵉ Conférence internationale de la tuberculose qui eut lieu à Munich, du 5 au 9 octobre 1976. Les mêmes participants et consultants y ont discuté des résultats d'une deuxième expérience interlaboratoire organisée par le docteur Panisset et moi-même sous les mêmes auspices que la première et dont le but était de comparer le pouvoir immunisant de quatre souches-filles du BCG. Les résultats que j'ai colligés et analysés ont finalement été publiés par le Fogarty International Center à Bethesda, États-Unis.

Je suis invité à présenter le discours d'introduction au Symposium international sur l'immunothérapie du cancer, tenu en mon honneur à l'Estérel, près de Montréal. Ce symposium a été organisé par le docteur Gilles Lamoureux, sous les auspices de l'IAF, de la Société canadienne de microbiologistes et de la Société de microbiologie de la province de Québec. Les comptes rendus ont été édités par MM. G. Lamoureux, M.D., Ph,D., R. Turcotte, M.D., Ph.D. et V. Portelance, Ph.D., et publiés par la maison Grune and Stratton de New York.

Missions

Monsieur L. Forté est envoyé comme expert consultant, par la Panamerican Sanitary Bureau (OMS) à Guayaquil, Équateur, Amérique du Sud, pour y organiser un laboratoire de production et de recherche sur le BCG.

Sous les auspices du Plan Colombo, je suis délégué (1956-1957) comme membre de la mission canadienne en Inde concernant la lutte anti-tuberculeuse. J'y séjourne au-delà de deux mois et reviens par le Japon où je suis invité par le professeur Kumabe à visiter les laboratoires du BCG et les Instituts d'hygiène de Tokyo, et à y rencontrer les travailleurs sur la tuberculose.

Reconnaissance de l'expertise dans les vaccins Salk et Sabin

Visiteurs étrangers

L'Institut était le deuxième laboratoire au Canada et l'un des quelques autres au monde à produire le vaccin Salk. C'est pourquoi de nombreux visiteurs et étudiants étrangers affluèrent à l'Institut, envoyés par l'OMS, entre autres : les distingués virologues G.A. Smorodintsev, M.P. Chumakov, M.K. Voroshilova, de l'URSS, ainsi que des médecins et techniciens d'Autriche, de Pologne, du Nigéria, de l'Afrique équatoriale et d'Égypte.

La province de Québec fut la première au Canada à s'engager dans l'emploi systématique du vaccin Sabin et cela, grâce aux avis de l'Institut. Ce dernier s'est ainsi acquis une nouvelle audience internationale.

En effet, plus de 14 pays ont été les clients de l'Institut pour le vaccin Sabin.

Le docteur V. Pavilanis est consultant de l'OMS au Caire auprès du gouvernement égyptien sur les vaccins antipoliomyélitiques.

Le Service de virologie collabore avec de nombreux organismes du Canada et de l'étranger. Il fut en charge de l'établissement d'un programme de vaccination contre la rougeole au Togo et au Soudan et de l'implantation d'un laboratoire de diagnostic des infections virales à Lomé, dans le cadre d'un projet financé par l'ACDI.

Expertise dans d'autres domaines

Invitations

1953

L'École d'hygiène de l'Université de Californie, à Los Angeles m'invite. En qualité de membre du Comité sur la guerre biologique du Bureau de recherches de la Défense nationale du Canada, je visite les installations de cette spécialité à Fort Detrick, États-Unis et à Porton en Angleterre.

1954

Monsieur M. Panisset est stagiaire invité par le Centre international de l'enfance, à Paris.

1959

Je deviens Fellow of the Royal Society of Medicine de Londres et The Royal Society of Health de Londres à leur invitation.

Invité par l'Académie des sciences de la République démocratique d'Allemagne je suis l'hôte du docteur-professeur Hans Knöll, directeur de l'Institut de microbiologie à Iéna, chez qui je séjourne une semaine. Je suis aussi invité par l'Académie des sciences de Hongrie et l'hôte du docteur-professeur Weisefeiler de Budapest qui visite l'Institut par la suite.

1960

Monsieur V. Fredette est professeur invité à l'Université de Chicago; il est président de la section « Toxin Selected Topics » au Congrès de l'American Society of Microbiology.

1964

Monsieur A. Boudreault est choisi comme membre de l'Expédition médicale à l'Île de Pâques, dans le cadre de l'Année biologique internationale, sous les auspices de l'OMS et du gouvernement canadien.

1967

M. Guérault est invité par l'Institut national d'hygiène et l'Institut d'hygiène de Varsovie à collaborer avec madame B. Kopocka sur des travaux relatifs à *H. pertussis*.

1970

Monsieur V. Fredette est conférencier invité chez A.G. Hoechst, à Francfort, Allemagne.

1971

Monsieur A. Chagnon fait partie d'une Table ronde au Ier Congrès international d'immunologie à Washington, D.C., É.-U. Monsieur E. Potworowski est invité à participer « *in workshop member 46* » à l'occasion du même congrès.

1972

Madame L. Davignon et monsieur P. Lemonde assistent à la Conference on the Use of BCG in Therapy of Cancer (invités par le National Cancer Institute of Bethesda, Maryland, É.-U.

Invité par l'American Society for Microbiology à participer au Symposium pour commémorer le 150e anniversaire de la naissance de Louis Pasteur (né en 1822), symposium tenu à Tulane Medical School, New Orleans, Louisiane, États-Unis, et le 20 novembre, j'y prononce une conférence sur Pasteur. Je suis délégué par l'Association canadienne des microbiologistes.

Invité aussi par l'Académie nationale de médecine de Paris, à l'occasion du 150e anniversaire de sa fondation, je participe comme conférencier au Colloque scientifique international tenu le 17 avril au siège de l'Académie, à Paris, et j'assiste à la séance solennelle, au Palais de Chaillot, sous la présidence de monsieur Georges Pompidou, président de la République.

Je dépose une adresse à l'Académie au nom du Conseil de recherche médicale du Canada et de l'Institut que je dirige.

1977

Monsieur E. Potworowski est professeur invité au Centre de recherche et de formation en immunologie de l'OMS à Sao Paulo, Brésil.

Il reçoit une invitation à participer à une discussion en groupe au Third International Congress of Immunology à Sydney, Australie.

Postes dans les associations internationales

1953

L'Institut participe à l'organisation et à la tenue à Montréal du XIXᵉ Congrès international de physiologie. Après une excursion le long du Saint-Laurent, une réception est offerte aux congressistes par ma ville natale, Salaberry-de-Valleyfield, sur les bords de la baie Saint-François.

1962

Je suis nommé membre du Comité de nomenclature de l'Association internationale des sociétés de microbiologie.

1962

Monsieur V. Fredette est organisateur et rédacteur des Journées d'étude internationales des anaérobies tenues à l'IAF à Montréal et qui ont donné lieu à une publication de l'Institut.

1962

Monsieur M. Passinet devient président du Comité de publication et membre du Comité exécutif du VIIIᵉ Congrès international de microbiologie tenu à Montréal.

1963

Je suis nommé président du Comité consultatif sur la guerre biologique du Conseil consultatif de recherche sur la défense nationale, du ministère de la Défense nationale du Canada.

1963

Monsieur J. De Repentigny est président du Pertussis Vaccine Symposium, à Bethesda, Maryland, États-Unis.

1964

Je suis nommé membre du Conseil d'administration de la Société d'hygiène de langue française de Paris.

1966

Je suis élu vice-président de la section canadienne de l'American Public Health Association.

Monsieur V. Portelance est délégué de la Société canadienne des microbiologistes auprès de l'Association internationale des sociétés de microbiologie et du IXe Congrès international de microbiologie à Moscou.

1967

Au VIe Congrès international d'allergologie, monsieur A.G. Borduas est président du Symposium pour l'auto-immunité à Montréal, Québec, Canada.

Monsieur V. Fredette est organisateur et rédacteur des Journées internationales des anaérobies tenues à l'Institut à Montréal.

1969

Monsieur J. Joncas est le responsable de l'accueil et de la presse à la Ire Conférence internationale de virologie comparée, à Sainte-Adèle, Québec.

Le docteur G. Lamoureux est secrétaire pour l'organisation de deux sessions du Second International Symposium of Heart Transplantation à Montréal, Canada.

Je suis membre du Comité de rédaction des annales de l'Institut Pasteur, de 1969 à 1976, et gouverneur de W. Alton Jones Cell Center de Lake Placid, N.Y., É.-U. de 1969 à 1972.

Monsieur L. Kato est nommé membre du comité d'experts sur les maladies infectieuses de l'OMS.

1970

Monsieur L. Berthiaume fait partie de l'International Committee on Nomenclature of Viruses à la demande du Dr P. Wildy de Birmingham en Angleterre.

Le docteur L. Davignon est déléguée par l'Association des médecins de langue française du Canada pour présenter une communication au Congrès médical balkanique, à Belgrade, Yougoslavie.

Je suis nommé membre d'un groupe d'experts du Centre de l'Organisation mondiale de la santé de langue française pour la classification des maladies infectieuses et parasitaires.

Le docteur V. Pavilanis est membre du Comité de nomenclature virale et représentant de la Société canadienne des microbiologistes au Xe Congrès international de microbiologie à Mexico, Mexique.

1972

Monsieur P. Lemonde est délégué pour représenter l'Institut national du cancer du Canada au Symposium on Fundamental Cancer Research, à Houston, Texas, É.-U.

Monsieur E. Potworowski est membre du Tableau d'experts en immunologie du Medical Research Council of New Zealand.

1974

Dès son entrée en fonction, le docteur A. Beaulnes est président de la première séance du Séminaire international sur les vaccinations en Afrique, tenu à Bamako, Mali.

Le docteur L. Davignon est déléguée par l'Association des Médecins de Langue française du Canada au XIVᵉ Congrès international des médecins de langue française de l'hémisphère américain à Port-au-Prince, Haïti.

1975

Madame S. Lemieux est nommée secrétaire du Comité d'organisation du Congrès francophone international de l'immunologie à Pointe-au-Pic, Québec, Canada.

1976

Monsieur le directeur, le Dʳ Aurèle Beaulnes, est président de l'Agence pour la promotion de la médecine préventive dans le monde (Canada). Incorporée le 15 octobre 1976, cette agence est vouée aux mêmes objectifs généraux que l'UIPMP. Le conseil d'administration de l'APMB (Canada) est formé de représentants de l'Institut Armand-Frappier, de l'Université de Montréal et du Centre de recherche en développement international.

1976-1977

La même année, le docteur Beaulnes, directeur, est coprésident du premier Séminaire national sur l'immunisation en Haïti, tenu en deux séances, en décembre 1976 et mars 1977. Les frais de ce séminaire ont été couverts par une subvention du Centre de recherche en développement international du Canada.

Monsieur A.G. Borduas assiste au Congrès francophone international d'immunologie à Pointe-au-Pic, Québec, Canada (président modérateur d'une session).

Le docteur V. Pavilanis est représentant au Comité national canadien pour l'Union internationale des sciences biologiques (terme de trois ans).

1977

Monsieur le directeur A. Beaulnes est vice-président fondateur de l'Union internationale pour la promotion de la médecine préventive (UIPMP). L'UIPMP est une fédération de quatre organismes internationaux (Brésil, Canada, France, Iran) vouée à l'amélioration de la santé dans les pays en voie de développement et au contrôle des maladies infectieuses par l'immunisation.

Missions

1953

Monsieur M. Panisset part en mission pour l'Office international des épizooties auprès des laboratoires de préparation de vaccins contre la peste porcine en Europe et aux États-Unis.

1956-57

Monsieur M. Panisset est chargé de mission par l'Institut de microbiologie et d'hygiène de l'Université de Montréal, auprès des organisations officielles de santé en Grèce, en Turquie, au Liban, en Inde, aux Philippines et au Japon.

Il est boursier de l'OMS en mission d'études (enseignement de l'hygiène) au Sud-Vietnam, au Cambodge et au Laos.

1965

Je participe à un Travelling Seminar (Beyrouth, Ankara, Le Caire, Alexandrie) sous les auspices de l'Association des écoles d'hygiène publique de l'Amérique du Nord et de l'OMS en mars 1965.

1972

Monsieur L. Kato part en mission pour deux mois à l'Institut de léprologie à Rio de Janeiro, Brésil, et par la suite, au Cameroun et au Sénégal, en Afrique, à la poursuite de l'amélioration de ses techniques de milieu de culture de la lèpre.

Honneurs qui m'ont été décernés

1950

La Médaille de l'Institut Pasteur.

Nommé membre correspondant de la Société médicale des hôpitaux de Paris.

1952

Nommé membre correspondant de l'Instituto Brasiliero Para Investi-gaçao de Tuberculose.

1953

Nommé membre correspondant étranger de l'Académie nationale de médecine de France, dont je reçois la médaille la même année.

Membre du Comité d'honneur du VIIe Congrès international de microbiologie tenu à Stockholm.

1963

La Médaille de Notre-Dame de Paris à l'occasion du VIIIe Centenaire (1163-1963) de cette ville.

1964

Un doctorat *honoris causa* ainsi que le sceau de l'Université de Paris.

1969

La Médaille commémorative du 50e anniversaire de l'Institut national d'hygiène de Varsovie, Pologne.

1970

Nommé membre honoraire de la Société médicale polonaise (Pologne).

La Médaille de l'Académie nationale de médecine de France à l'occasion du Cinquantenaire.

1971

Le prix Jean Toy, l'un des sept grands prix de l'Académie des sciences de l'Institut de France.

Doctorat *honoris causa* de l'Université Laval de Québec.

1977

Élu associé étranger de l'Académie nationale de médecine de Paris.

La médaille du 25e anniversaire du règne de la reine Élizabeth II.

1978

La médaille du 60e anniversaire de la Faculté de médecine de Cracovie donnée par le docteur professeur M. Sliwinski, ministre de la Santé et du

Bien-être de Pologne, avec l'invitation à accepter le doctorat *honoris causa* de l'Académie de médecine Nicolas Copernic de Cracovie. Le doctorat fut présenté en séance solennelle au Consulat de Pologne à Montréal par le professeur Dʳ Zdzislaw Przybylkiewicz.

La médaille du 50ᵉ anniversaire de fondation de la Société polonaise des microbiologistes offerte par le professeur-docteur W. Kurylowicz en mission au Canada et à l'Institut.

Conclusion

Cet ensemble de dates et d'événements peut paraître ennuyeux ou présomptueux à ceux qui ne connaissent pas ou ne comprennent pas l'essence de l'œuvre de l'Institut, c'est-à-dire, entre autres objectifs, informer la communauté scientifique locale, nationale et internationale de toute innovation, technique ou amélioration de son cru touchant la santé et la technologie microbiologique et recevoir de cette communauté le plus de renseignements possible applicables aux problèmes de même nature à l'Institut et au Canada.

Comment réaliser cet objectif sans nourrir des relations fermes et constantes avec les communautés scientifiques et technologiques du pays, cela va sans dire, mais aussi de l'étranger.

La preuve du succès en cette matière se voit dans les réalisations scientifiques et techniques de l'Institut et sa position à la pointe du progrès. Elle se manifeste également dans le rôle que ses membres ont eu tôt fait de jouer sur la scène internationale et dans les distinctions et honneurs qu'ils ont reçus.

En 1989, le docteur V. Pavilanis, fondateur et directeur du Centre de virologie à l'IAF, recevait un doctorat *honoris causa* de l'Institut (Université du Québec).

En même temps, le docteur S. Sonea, qui m'a remplacé à la Faculté de médecine de l'Université de Montréal, ainsi que madame Simone David-Raymond, fondatrice de la Clinique BCG, devenue l'hôpital Marie-Enfant, recevaient aussi cet honneur.

Il se dégage de ces pages d'histoire une fierté bien légitime. Aucun membre de l'Institut, aucun Canadien, ajouterons-nous, ne les liront sans éprouver le même sentiment. L'Institut, à l'étranger, fut un porte-parole écouté de la science immunologique appliquée et de la médecine préventive au Canada, un exemple d'innovations audacieuses et un centre de formation renommé.

Pour synthétiser les données du présent document, nous avons compilé les données suivantes :

Pour évaluer l'importance de ces données, il est nécessaire de rappeler le mouvement du nombre du personnel scientifique et non technologique de l'Institut, de 1938 à 1978.

Année	Personnel scientifique
1938	4
1948	11
1960	31
1972	54
1978	68

Synthèse des données minimum
Extraites des dossiers individuels
1938-1978

CONGRÈS, SYMPOSIUMS, TABLES RONDES, COLLOQUES INTERNATIONAUX

• Congrès (délégués participants et leurs coauteurs)		145	
• Symposiums et autres réunions spécialisées			
– hors Québec	160		
– au Québec	92		
	252	252	
TOTAL (minimum)		397	397
• Postes officiels occupés dans les congrès internationaux (minimum)			6
• Organisation de symposiums ou de réunions internationales (minimum)			
– hors Québec		10	
– au Québec		16	
TOTAL (minimum)		26	26
• Missions à l'étranger			125
• Participations aux organismes mondiaux (OMS, UICT, OTAN et autres — membres de comités d'experts)			60
• Consultations individuelles demandées par les organismes mentionnés ci-dessus			9
• Invitations pour des occasions extraordinaires comme hôte de gouvernements ou d'organismes officiels			10
• Stages à l'étranger d'études post-scolaires — membres du personnel autorisés			20
• Stages à l'étranger de membres du personnel antécédemment à leur engagement			37

On nous permettra d'insister sur le caractère préliminaire des données précédentes. Elles ont été compilées à partir des dossiers individuels auxquels il manque quelquefois certaines précisions. Cependant, ces données sont suffisantes pour le besoin de la démonstration, c'est-à-dire pour exposer la nature et la masse de la contribution de l'Institut sur le plan international.

Troisième partie

Réflexions

Chapitre douzième

Nuit et aube fantastiques

Nuit et aube fantastiques[1]

*En 1941, l'Institut de microbiologie et d'hygiène de Montréal
était la première institution à commencer son activité dans
l'édifice de l'Université de Montréal à la Montagne, abandonné depuis presque dix ans. Sans aucun doute, l'IAF a
inauguré la reprise des travaux de cette construction.*

*À cette occasion, l'auteur décrit, sous la forme d'un orage
avec apparition de fantômes, la longue période de discussions, de désintéressement, de blâmes de toutes sortes qu'a
traversée l'Université pendant ces années.*

*L'orage se termine. Une procession monte sur la montagne.
Les temps sont changés. Cette nuit et cette aube fantastiques
représentent l'histoire de cette sorte d'éclipse subie alors par
l'Université. Heureusement, avec l'installation de l'Institut,
l'espoir renaît et la construction générale reprendra sous peu.*

Oncle Baptiste vit de rentes et de discussions. Dans sa petite ville de
province, en compagnie d'autres bourgeois plus ou moins connaissants, il
opine sur tous les sujets, même les choses universitaires, premier thème de
la conversation lorsque moi, son neveu, ai le plaisir de le rencontrer.

---

1. *L'Action universitaire*, septembre 1942. Revu et corrigé.

Jusque-là, l'oncle et ses amis, notables de la place, ne concevaient pas à sa juste valeur le rôle national et économique de l'enseignement supérieur. Dans leur esprit, l'Université se comparait aisément à une manufacture d'avocats et de docteurs. La rue Saint-Denis suffisait à cette fin, allez! Extravagance et inutilité que ces édifices de la Montagne! Le cher oncle s'était même un jour prononcé ouvertement au conseil de sa municipalité contre toute augmentation de taxes en faveur des universités.

Lorsqu'il est de passage à Montréal, l'oncle se retire généralement chez moi. L'autre jour, à mon grand contentement, je lui fis visiter le magnifique immeuble universitaire de la Montagne. Nous sommes passés partout dans la bâtisse quasi terminée. Toutes les explications possibles sur le rôle, le fonctionnement, l'histoire, surtout celle des années de misère, et la construction de l'Université, il les a écoutées et comprises. Je lui révélai aussi nos besoins et nos projets.

Mon oncle est intelligent, rempli de bon sens et patriote! Que n'est-il mieux renseigné! Une certaine défiance naturelle, héritage de ses aïeux normands, ne l'empêche pas toujours de se laisser convaincre. Tant de fois, on a voulu le tromper! Tant de fois, il est vrai, plans et paroles n'ont jamais abouti aux actes!

Pas ignorant, mon oncle! Loin de là! Je ne résiste pas à la tentation de relire sa dernière lettre, dans laquelle il me raconte le songe extraordinaire qu'il fit à son retour. Façon peut-être détournée de me confier sa conversion à la cause universitaire, ou du moins ses tourments de conscience.

St-Henri-de-Wakefield, le 12 juillet 1942.

Mon cher neveu,

Que je suis content de mon voyage et fier de mon neveu! Ma promenade m'a fatigué, c'est entendu. Quand on a les rhumatismes, la visite des édifices universitaires de la Montagne est une téméraire entreprise. Mais je n'ai pas de regrets et t'assure que j'ai ouvert les yeux. À ta tante et mes amis, j'ai parlé de tout ça, de vos idéals, de votre avenir.

Tant de choses me roulaient dans la tête le soir de mon retour. Au coucher, je me revoyais avec toi dans le dédale des structures centrales, des avant-corps et des ailes de votre nouvelle université... je devrais dire, **notre** université. Je m'endormis au milieu de ces souvenirs.

Alors, le dieu des songes me servit une féerie fantastique, en trois tableaux. Je me permets de la revivre tout au long avec toi.

Crépuscule et ténèbres

Au crépuscule, je me découvre seul, perdu sur la terrasse aérienne de l'aile la plus avancée et la plus extrême au nord-ouest des constructions, l'aile C de cette moitié de la bâtisse, moitié destinée, m'avais-tu appris, au futur hôpital universitaire.

Point d'observation unique, tu avais bien raison, d'où la vue plonge dans la plaine habitée. Je revois les clochers et les toits, serrés au premier plan, s'espaçant ensuite dans la brume du soir, à mesure qu'ils s'éloignent vers la haie bleue et ondulée des Laurentides. Cet horizon accidenté et bien découpé s'abaisse graduellement à l'ouest vers le grand miroir du lac des Deux Montagnes.

À droite, en harmonie avec cette grandiose nature, le colossal ensemble des immeubles universitaires, étalés sur le flanc du mont Royal, tout près du faîte verdoyant que j'aperçois entre deux édicules, derrière l'ingénieuse stratification des toits.

Pour compléter ce tour d'horizon, une plantation touffue de tombes, formant l'extrémité du cimetière, au pied de la troisième colline du mont Royal, elle-même admirablement coiffée du dôme florentin de l'Oratoire. Et puis, loin, très loin, presque confondues avec l'azur, les dernières bosses rondes des Alléghanys.

À ce moment, l'astre du jour disparaît, l'air farouche, par delà des nuages compacts, sombres et menaçants. Nues exhalées de la terre du Québec, allongeant leurs hideux pseudopodes au-dessus de la plaine insouciante, vers la Montagne qu'elles vont bientôt couvrir comme d'un velum de mauvais augure. Le ton neuf et éclatant des murs universitaires a lugubrement terni. Je vois des troupes d'ouvriers, chargés d'outils, fuir ces lieux de malheur et s'évanouir dans les ténèbres montantes. L'imminence d'un cataclysme m'obsède. Dans quel abîme s'effondrera cette double masse de blocs rectangulaires, accolés et étagés sur l'horizontale, cette vaste construction sans clef d'union, ce gigantesque corps sans âme?

Maintenant, dans la profondeur de la nuit, la masse des immeubles sombre comme un paquebot dans une mer d'huile. Les lignes brunes et crénelées des toits superposés émergent encore. Des fulgurations fauves, projetées de l'occident, frappent d'un reflet cuivré la coque et les superstructures de ce vaisseau titanesque, en apparence abandonné, mais solidement enfoncé dans le roc, capable d'affronter la tempête et d'attendre des années le renflouement libérateur.

L'obscurité des environs contraste avec l'illumination profuse de la plaine, dont les habitants semblent ignorer la proximité de ces murs puissants.

À l'exception peut-être de quelques aventuriers galants qui défient, dans les bois voisins, les lois de Dieu et de l'homme! À l'exception également de quelques gamins, amateurs de « *sling shot* » qui brisent les carreaux à plaisir!

Nuit tragique! Nuit d'hallucinations!

Sur le rebord du toit m'apparaît soudain une forme humaine, vêtue et coiffée de noir, brandissant une grosse canne et grillant une cigarette. Effrayé, mais tout à la fois réjoui de rencontrer peut-être une âme charitable, je lui demande :

— Ami, si vous êtes un bon Canadien comme Baptiste, sortez-moi de ce dédale!

— Impossible j'y suis moi-même emprisonné, répond le fantôme avec un sourire moqueur.

— Qui êtes-vous donc?

— L'architecte malheureux de ce monument.

— Ah! c'est donc vous l'homme aux grandes visions qui nous coûtent si cher!

— N'exagère pas, mon Canadien, rien ne doit être négligé pour donner à tes enfants une atmosphère d'étude non seulement convenable, mais enviable même par nos voisins.

— Non pas à égalité de millions, mais à égalité, sinon à supériorité, d'invention et d'adaptation. N'oublie pas que toute oeuvre universitaire constitue un placement pour une nation. Les chefs de file, les experts, les penseurs, les semeurs d'idées sortent presque tous des universités. Quelle nation survivrait privée de ses élites?

— Qui parle ici de millions? interrompt une autre voix de fantôme.

Cette maison est hantée, pensai-je. Pourrai-je jamais en sortir? Je prie le nouveau fantôme, à qui je me nomme, de m'indiquer une sortie.

— Impossible, répond-il, j'ai juré de ne jamais sortir d'ici.

— Mais pourquoi? En voilà des obstinés!

— Pour protester contre l'abandon de ce palais aux intempéries et à la décrépitude.

— Que faites-vous en ces lieux, jeune fantôme, à la voix pleine et roulante, aux bras chargés de paperasses?

— Je suis le Trésorier.

— Et tous ces papiers?

— Des rapports d'enquêtes, des projets de budgets.

— Et votre bourse?

— Presque vide. J'ai beau tenter de savantes opérations, elle ne se garnit pas beaucoup depuis des années. Plusieurs causes expliquent mes échecs. Si vous examiniez votre conscience, Baptiste, peut-être en découvririez-vous quelques-unes.

Cela me fait ruisseler, surtout lorsque, ici et là sur les terrasses plates des ailes, apparaissent de nombreux autres fantômes, gravement affublés de toges et de toques, les uns si maigres que les os leur rasent la peau. Le fantôme-architecte et le fantôme-trésorier me renseignent d'une seule voix : « Ce sont des carcasses de professeurs, l'ami! »

De sinistres éclairs balaient cette scène tragi-comique et, dans l'instantanéité de cette lumière glauque et blafarde, les longs plateaux en gradins des toits, découpés de lanternes et de tourelles cubiques, semblent couvrir quelque ville orientale, quelque casbah perdue dans les âges.

Je fais remarquer au fantôme-architecte que cette gradation des terrasses rappelle les descriptions des Mille et une nuits, que le pignon de la chapelle a quelque chose de flamand : « Ne te creuse pas la tête, Baptiste, c'est du style Ernest Cormier tout pur. »

Le tonnerre ébranle les nues. Aux roulements prolongés succèdent des éclats inquiétants. Le firmament a pris feu. La nature chaude et pesante désire une violente rupture d'équilibre. Phase préparatoire aux orages d'été et non la moins terrible de ces météores. Spectacle excitant la tension nerveuse des pauvres mortels.

« Que l'orage crève! » osai-je proférer. À cet instant, la foudre frappe l'altière cheminée. Craquement d'arbre fracassé! Les fantômes et moi-même, aveuglés, sommes emportés dans le tourbillon du déplacement d'air. Revenu à moi, je me retrouve, ainsi que mes compagnons, juchés sur les retraits à la flamande du pignon de la chapelle. Méphisto, en personne, nous domine, perché sur la fléchette du clocheton rougi à blanc par ce contact. Le tentateur nous tourmente : « Vendez donc cette bâtisse à cette grande compagnie, propose-t-il, pour ''de la belle argent''. Vous rebâtirez dans la plaine. Au lieu de béton et de brique, vous ferez du crépi, c'est assez pour les Canadiens français. Les hauteurs, c'est pour l'Anglais, la Montagne, pour Israël. » Dans un effroyable ricanement, il disparaît et laisse échoué à sa place un vol de chauve-souris.

L'ouragan se déchaîne épouvantable. Affreux et incessants clins d'yeux des éclairs, éclats de foudre qui mitraillent le béton et la brique, hurlements et lamentations de la bâtisse, sons tordus, sortant comme des fusées de la bouche des ventilateurs…

Dans la cour d'honneur, vision horrifiante! Un sabbat, un sabbat infernal! Des lutins, aux mains et à la face luminescentes, s'emportent dans une ronde démoniaque : la Ruine, la Misère, la Chicane, l'Incompétence, la Jalousie, l'Intérêt, l'*Inferiority Complex*, la Calomnie, la Politicaillerie, et autres avortons de même espèce se sont donné rendez-vous avec quelques squelettes de damnés. Le claquement des os accompagne ce macabre ballet et domine parfois le souffle enragé de la tempête. Par moments, les Millions, gentilles ombres sympathiques, passent, repassent, mais trépassent, brutalement emportés dans la tourmente. Une pauvre fée, la Vieille Université, courbée sur son bâton « *Fide et Scientia* » s'avance avec peine au milieu de ces spectres agités qui se moquent d'elle et l'injurient...

Violenta non durant! Une lourde pluie battante éteint ces feux infernaux, assaille les murailles, fait ruisseler pignons, tours, gouttières et calme peu à peu l'ouragan. Les clameurs tumultueuses de la foudre s'éloignent par derrière la Montagne. Les nuages s'amincissent.

Constellations et clair de lune

Des constellations brillent dans les cieux. Au-dessus du cimetière, la « Constellation historique », disposée comme un livre ouvert. Des ombres phosphorescentes écrivent cette sentence que je lis à mesure : « Leurs ancêtres, au prix d'extrêmes souffrances et de la mort, avaient conquis la liberté d'instruire le peuple dans sa langue, dans sa religion et selon ses coutumes. Les descendants hésiteraient-ils aujourd'hui à sacrifier un peu d'argent pour jouir d'une liberté si chèrement payée? »

La « Constellation universitaire » luit au zénith, éclatante sur le fond noir du firmament. À ses boutons lumineux s'accrochent les replis d'un voile délicat et vaporeux dont les molles ondulations scintillent de bleu et d'or. Dans l'infini des espaces sidéraux, une voix prophétique dit un récitatif : « Ô Dieu, quand permettrez-vous à l'Âme universitaire d'informer ce puissant corps? Souffrez que l'Université de Montréal atteigne bientôt sa destinée! Qu'elle devienne le centre de haute culture française, une rivale des plus orgueilleuses institutions scientifiques du continent! Soutenue par votre Providence, Seigneur, elle guidera le peuple vers les hautes sphères et l'empêchera de sombrer dans un abject prolétariat. Alors, cette université s'avancera dans la mer anglo-saxonne comme un phare de civilisation française. Un peuple fier, se rendant compte de sa propre force, la fera valoir. »

Tout à côté, la « Constellation de l'Espoir », formée de huit étoiles de première grandeur portant un coffret étincelant de pierres précieuses. Cette société d'étoiles maintient le calme absolu dans ce véritable ciel de Rois mages.

La lune, dans son plein, monte de l'orient. Ses rayons, légers et bleutés, transforment les terrasses aériennes en jardins suspendus, ou encore, leur donnent l'aspect d'une succession de marches monumentales accédant à quelque temple disparu. Dans le ciel pur et oriental, se détache la silhouette en accent circonflexe du pignon de la chapelle et de son pendant, le campanile miniature, genre minaret, fait de blocs verticaux empilés et formant pyramide. Les ombres des flèches, des châteaux d'eau, sertis comme des joyaux dans le bout des tours angulaires, des ventilateurs aux toitures plates de pagodes, et des mille et une structures accessoires rectangulaires s'allongent en pointu sur les toits. Les murs bordant la cour d'honneur et ceux des ailes qui la prolongent, coupés en diagonale par le même jeu d'ombres, apparaissent dans leur partie éclairée, de ton gris argent, comme les remparts d'un palais imaginé par Schéhérazade.

Dans la plaine, silence et recueillement. Les eaux lointaines du lac des Deux Montagnes invitent madame la Lune à s'y baigner.

Abandonné par les fantômes, je me trouve alors près du squelette bétonné, aux bras courts et tendus, des malheureuses assises de la tour centrale. Un bruit sourd, sorte de ronronnement prosaïque de moteur, interrompt ma fascination. Y aurait-il présence humaine dans cette habitation solitaire? Résolu à rencontrer ces hommes, je m'engouffre sans peur dans une poterne tout près et, tantôt dans l'obscurité absolue, tantôt éclairé par ce qui passe de rayons lunaires à travers des fenêtres non achevées, j'explore de nouveau les entrailles de l'immeuble. Saint Christophe me guide dans le dédale des massifs de béton et me préserve des périls : insidieux précipices, gouffres des ascenseurs, escaliers hélicoïdaux sans protection, tas de briques. Je traverse des salles aux colonnades géantes, intérieurs de cathédrales endormies.

Voici l'entrée, immense et haute nef, labyrinthe de piliers délimitant trois rotondes, vraie scène d'opéra, toute prête pour l'évolution d'un ballet. Quelques étages plus bas, la Centrale de chauffage et d'énergie (chef-d'œuvre de mécanique!) enchevêtrement indescriptible de tuyaux et d'escaliers de fer, machines ronflantes de transatlantique, fournaises cyclopéennes, cadrans lumineux qui me regardent avec de grands yeux verts!

Et cette ouverture ténébreuse? Oh! c'est le souterrain oublié!!

Pas d'homme nulle part! Mais si! À un tournant, (quelle frousse!) autour de quelques tisons à demi éteints, trois ou quatre gueux dorment en paix. Véritable cour des miracles!

Là, une main me saisit. Tout près de m'évanouir, j'entends ces paroles : « Je suis le mécanicien en chef. Que faites-vous ici? »

– Grâce pour ma vie! Je cherche des hommes, des hommes comme mon neveu, des universitaires.

– Mon ami, je vous conduirai à l'Institut de microbiologie et d'hygiène, là-haut dans l'aile H.

L'inconnu me ramène à cet institut que j'avais visité en ta compagnie.

Me voilà donc dans un intérieur vivant, tout au contraire de l'abandon. Construction complètement terminée. De longs corridors au plancher luisant, aux murs de tuile mate, chatoyant de crème et de gris sous l'illumination électrique, donnent accès à des enfilades de laboratoires séparés par des panneaux de verre. Un palais de glace!

Au milieu de tes tubes et appareils, je te reconnais, toi, le patron. Il me fait grand plaisir de lier conversation :

– Mon cher neveu, ça me soulage de trouver des intellectuels bien vivants dans ce que j'avais toujours cru un immense tombeau de la pensée.

Le travail de nuit de tes collaborateurs m'étonne. Tu le devines sans doute puisque tu me fournis ces explications que j'avais entendues lors de ma visite en ta compagnie : « Nous connaissons parfaitement la journée de quinze ou seize heures. Cette somme de travail, comptée en années, a donné le résultat que vous avez sous les yeux. Nous sommes venus il y a deux ans pour rester. Le principe de terminer ces immeubles en fut par le fait même consacré et c'est l'une de nos grandes satisfactions. »

Je circule, avec mon hôte, dans ces laboratoires lumineux, tout en redoutant la proximité de grands flacons, aux formes curieuses, dans lesquels, m'assures-tu, croissent des quantités effroyables de microbes mortels et se diffusent des poisons si violents qu'une seule goutte suffirait à tuer un régiment. Des autoclaves monstrueux, sous pression de vapeur, respirent bruyamment.

– Si je comprends bien, monsieur le Directeur, nous sommes dans une institution de recherches sur les microbes.

– Parfaitement. L'Institut de microbiologie a été fondé, sous les auspices du ministère provincial de la Santé, pour subventionner la recherche à même les profits réalisés par la fabrication et la vente des vaccins et des sérums. Les sommes dépensées à cette fin dans la province servaient autrefois à l'étranger. Notre œuvre se résout donc en économie et constitue un placement. Votre bourse ne s'est pas trop ressentie de cette création. Au contraire, elle récupérera avec gros intérêts le capital échappé dans cette entreprise.

– C'est à souhaiter, monsieur le Directeur.

— Du reste, mon cher oncle, vous assisterez bientôt ici à la métamorphose de l'âme universitaire. Vous comprendrez alors davantage que l'aube d'une ère nouvelle se lève pour les Canadiens français. Sur le toit de la bibliothèque, vous verrez, à l'aurore, un imposant cortège gravir le mont Royal pour la prise de possession définitive de cette université. Mais, auparavant, veuillez signer dans notre livre d'or.

J'étais bien flatté, Auguste, d'apposer ma signature tremblante dans ce riche recueil contenant déjà les autographes de nombreux personnages. Il y avait des signatures illisibles, mais j'ai pu distinguer au hasard le nom de pays qui ne sont pas à la porte, comme on dit.

Je reviens au petit bonheur vers les toits lorsque, dans le demi-jour des corridors, je t'aperçois te dirigeant, comme moi, vers la terrasse au-dessus de la bibliothèque, face à la cour d'honneur, là d'où le spectateur, appuyé sur la balustrade à créneaux, peut le mieux embrasser l'ensemble et les détails de la manifestation si attendue.

Aube — Procession

Quel émerveillement!

La frondaison opaque de la Montagne se dessine sur l'aube matinale. Dans la demi-clarté, surgit à pic vers le firmament, une tour quadrangulaire, si élancée qu'elle surplombe et la Montagne et toute la contrée. Cette clef d'union du chef-d'œuvre, critère d'espoirs dix ans renfermés, jamais vaincus, m'as-tu souvent répété, elle se campe maintenant dans le ciel et invite à la pensée.

Je revois ce monument que j'avais tant admiré avec toi sur les plans.

L'ascension vertigineuse des parallèles massifs de la tour s'arrête, brusquement tronquée par une série de retraits formant le rebord d'un belvédère d'où s'élève un temple carré, entouré de pilastres et percé d'ouvertures filiformes. Une coupole à la byzantine, ou mieux une calotte à la Richelieu, pare le temple d'élégance et donne à toute la tour un air pontifical en harmonie parfaite avec l'ensemble des constructions et le panorama à nos pieds.

L'édifice universitaire m'apparaît ensuite comme un gigantesque sphinx : le corps, aplati et articulé, projeté sur la pente du mont Royal, est retenu en avant par deux énormes pieds tridactyles, cependant que, au centre et en arrière, il supporte une tête hautement détachée mais gardant encore l'énigmatique impassibilité égyptienne.

Des bois avoisinants parviennent, écartées dans la tiédeur matinale, les premières notes des pinsons et ces mille bruissements étouffés de la nature en éveil. L'aurore s'annonce majestueuse. Les jets d'ombre réapparaissent coniques au pied des ailes et des nombreux appendices de l'immeuble. Une brume transparente couvre la plaine comme d'une glace dépolie.

D'où viennent ces rumeurs lointaines, ces éclats assourdis, me demandai-je. Les sons grossissent, sortent de la futaie, à droite, disparates mais harmonieux : chants, fanfares, tambours et clairons. C'est la procession triomphale !

Elle gravit l'allée de la Victoire, taillée en pleine forêt, défile sous les murs de la citadelle jusqu'aux abords de la cour d'honneur, par la droite du rond-point, au centre duquel se déploie maintenant un groupe de bronze à la mémoire des artisans de la nouvelle université. Le défilé progresse toujours aux accents du Te Deum. L'aurore permet d'entrevoir des bannières multicolores et des groupes aux costumes différents.

En tête, un étendard bleu lettré d'or : « Charte remaniée de l'Université de Montréal. » Je vois aussi les représentants du Pape et du Roi, les hauts personnages religieux et politiques du jour. Précédant la famille universitaire, le Chancelier, que tu me fais distinguer par le sceptre de l'autorité qu'il porte. Il est accompagné du Recteur, du Vice-recteur et des aumôniers. Suivent les facultés, chacune dirigée par son doyen qui manie habilement la baguette magique de « l'impulsion ». Au sein de la Faculté de médecine, des personnages ailés, symboles des hôpitaux, soutiennent une arche d'alliance et d'égalité. Maintenant, mon oncle, me dis-tu, la Faculté existe pour des intérêts moins exclusifs que ceux des hôpitaux.

Nous remarquons, dans la foule, les mânes d'anciens professeurs, anxieux de goûter ne serait-ce qu'une heure de vie dans ces murs tant désirés; le chœur des boursiers reconnaissants qui agitent leurs thèses; la troupe nombreuse des bourgeois convertis à la cause universitaire : ils portent la bannière du « Front universitaire » et réclament l'adhésion des gens de bonne volonté et de respectable fortune; le groupe des bienfaiteurs de l'Université qui lisent leurs noms gravés sur les murailles; les étudiants du pays et de pays étrangers qui paraissent bien sympathiques et satisfaits.

Le groupe du Chancelier approche du perron d'honneur sur lequel se tiennent, en grande cérémonie, le Président et les Gouverneurs de l'Université. Ils s'apprêtent à accueillir la suite du cortège dans cette université dont ils ont la responsabilité du bien être matériel et de l'avenir.

Les chants et la musique se taisent tout à coup. Ne subsiste que l'écho des carillons de la plaine sonnant l'angélus du matin. Le soleil levant couvre cette scène d'un éventail de rayons d'or projetés en oblique dans le fond des cieux.

Au moment où le Chancelier pousse symboliquement la porte principale et ouvre ainsi la nouvelle université, des accords d'orgue, transmis de la salle des promotions, entonnent un alléluia qui atteint bientôt un fortissimo écrasant d'émotion.

Tu criais, je criais moi-même : Alléluia! Alléluia!... lorsque ta tante, à grands coups de coude dans mes côtes, parvient à modérer mes transports et à interrompre cette apothéose. En réalité, j'avais crié comme dans un cauchemar. Il me semblait avoir rêvé douze fois trois cent soixante et cinq nuits. La fiction n'est pas toujours invraisemblable.

Ton oncle Baptiste

Chapitre treizième

Qui était mon ami Paul Cartier?

L'expression « Qui était » peut interpeller l'homme sur son ascendance, son instruction ou son caractère, mais ici, elle le rejoindra surtout dans son milieu universitaire, affectif ou sportif.

Et le mot « ami »? Parlons-en. S'agit-il d'un condisciple universitaire ou encore d'un copain? Plus s'éloigne la date qui nous a séparés, plus je sens que Paul Cartier se confirme comme l'un des meilleurs amis que j'aie pu souhaiter avoir.

Je voudrais, dans ce chapitre, rappeler aux anciens de l'Université de Montréal et à des membres de diverses formations sociales une figure originale et sympathique qu'un grand nombre ont sûrement connue.

Mais qui était donc mon ami Paul Cartier?

Avant que je ne le connaisse

Il était né en 1895 au village de Sainte-Madeleine, comté de Saint-Hyacinthe. Son père, le docteur Antoine-Paul Cartier, décédé en 1934 à l'âge de quatre-vingt-cinq ans, comptait parmi les derniers survivants de l'époque de la médecine héroïque. Ayant terminé ses études médicales à l'École Victoria en 1873 et s'étant établi pendant deux ans à Coaticook, il vint ensuite dans la paroisse de Sainte-Madeleine parmi les pionniers.

À sa mort, monsieur Louis Dupire, du *Devoir*, lui consacrait un article des plus intéressants. Il faisait revivre l'époque des routes ardues, l'absence prolongée du médecin de chez-lui, quelquefois trois ou quatre jours d'affilée. Le docteur Cartier s'adaptait à toutes ces circonstances. Immédiatement à l'aise dans la plus modeste chaumière, il y faisait même sa propre cuisine et parfois, celle du malade ou de la malade. Il baptisait les nouveau-nés ou ensevelissait les morts, jouant le rôle de missionnaire laïc et d'auxiliaire du prêtre. Cette profession, il l'a pratiquée jusqu'en 1921.

Mais il y a plus. Le docteur Cartier, en 1892, représentait les électeurs de Saint-Hyacinthe à la Législature de Québec, se liant d'amitié avec monsieur Mathias Tellier, futur chef de l'Opposition et futur juge en chef de la Cour d'appel. Paul m'a raconté que son père partait pour Québec emportant une grosse malle dans laquelle sa femme avait empaqueté ses effets personnels et même de la nourriture non périssable. Il devait passer plusieurs mois loin de sa famille. Comme il fallait aimer la politique et vouloir s'y dévouer! Car les honoraires ne correspondaient pas alors à la tâche. D'ailleurs, je crois qu'il ne recevait rien, ou presque, comme député.

De même que son cousin, sir Georges-Étienne Cartier, un des pères de la Confédération canadienne et l'une des personnalités les plus remarquables du Canada, le docteur Antoine-Paul Cartier était né à Saint-Antoine, où son père tenait un gros commerce. Sir Georges-Étienne Cartier vouait une prédilection à son cousin et dirigea les débuts de sa carrière.

Mentionnons aussi que les mérites du docteur Cartier furent reconnus par la profession. Il devint gouverneur du Collège des médecins et chirurgiens de la province de Québec, ayant aussi reçu le titre de docteur en médecine *honoris causa* du collège Bishop de Lennoxville qui reconnaissait ainsi son dévouement à la cause de la santé publique.

Au nombre des frères de mon ami Paul, on comptait Jacques-Narcisse Cartier, l'un des pionniers de la radio au Canada, journaliste, aviateur et surtout, grand voyageur[1]. Il contribua à la victoire des Conservateurs, en 1930, dans la province de Québec.

La mère de Paul s'appelait A. LeNoblet-Duplessis, une parente de l'ancien premier ministre, Maurice Duplessis.

Tout cela explique en bonne partie que mon ami Paul connaissait, directement, ou par ouï-dire, un grand nombre de gens capables de porter un jugement original sur les événements, ce qui déjà faisait de lui un personnage des plus intéressants.

Paul avait terminé ses études classiques au séminaire de Saint-Hyacinthe en 1919. La sœur de son père, madame Alice Déziel, sachant

---

1. Il traversa l'Atlantique de Montréal à Londres à bord du dirigeable anglais R-100.

qu'il désirait laisser les sentiers battus des professions libérales pour se diriger vers une carrière scientifique, comme la chimie, s'était rendue auprès de monseigneur Gauthier, chancelier de l'Université de Montréal, pour le supplier d'ouvrir dans cette jeune université (devenue autonome en 1920), des cours de chimie et de sciences de façon à permettre aux jeunes, à Paul en particulier, de continuer leur instruction dans leur langue et... peut-être aussi de protéger leur foi! Ce qui fut fait.

Ainsi, Paul avait gradué en chimie à la Faculté des sciences de l'Université de Montréal en 1923, étant l'un des premiers élèves de ce nouveau Département et de cette nouvelle Faculté des sciences et de cette université devenue autonome. L'École polytechnique offrait bien elle aussi, et depuis quelque temps, des cours de chimie appliquée à l'ingénierie. Mais voilà qui éveille les histoires de rivalité (à mon sens, plutôt apparentes que réelles) qui coururent un certain temps entre ces deux facultés dès la fondation de la Faculté des sciences. D'ailleurs, Paul ne se destinait pas à la carrière d'ingénieur et ne se sentait pas attiré vers le Polytechnique.

À la Faculté des sciences de l'Université de Montréal, il suivit donc des cours de chimie générale, de chimie minérale et organique et de chimie physique, et, plus tard, de chimie appliquée à l'industrie. Il aimait beaucoup cette dernière spécialité et s'y est intéressé toute sa vie, de même qu'à l'analyse et à l'identification. Tous les élèves de chimie, y compris ceux du PCN et de médecine, ont apprécié sa technique et son savoir-faire quand il devint démonstrateur, assistant et professeur. Je me souviens du scrupule qu'il apportait à l'analyse des vins de messe, qu'il n'a abandonnée que quelque temps avant sa mort, s'étant fait pendant de longues années le bras droit et, plus tard, le remplaçant du docteur Georges Baril, particulièrement dans cette responsabilité.

Mon ami Paul fut l'un des premiers de la Faculté des sciences de l'Université de Montréal à recevoir une bourse du Conseil national de recherches, en même temps qu'Antoine Bédard (ingénieur), dans le but de poursuivre des travaux sous la direction du professeur Paul Rioux, décédé le 5 septembre 1985, dépassant l'âge de quatre-vingt-quinze ans. Avec ce dernier, il a publié l'un des premiers travaux effectués au Département de chimie et intitulé : « Sur l'influence de quelques corps organiques sur la vitesse d'absorption du gaz carbonique par les solutions de bicarbonate de soude neutre », dans les Comptes rendus de l'Académie des sciences, série C, sciences chimiques, vol. 184, pp. 325,326, 1927. La note était présentée par monsieur Henri Le Chatelier. En 1928, Paul est chargé de cours en chimie appliquée, puis en chimie générale (1929-1930). Il est ensuite promu professeur agrégé de chimie appliquée en 1933. Il enseigne la minéralogie et la géologie en relation avec l'analyse chimique. En 1934, il devient professeur agrégé de chimie analytique et, en 1950, professeur agrégé du cours de chimie de la quatrième année du baccalauréat ès sciences, poste qu'il occupe jusqu'à sa retraite en 1961.

Paul avait épousé Noëlla Rouleau le 1er juillet 1931. Ils ont eu un fils, André, spécialisé dans la photographie scientifique à l'Université de Sherbrooke.

Paul était un homme de belle apparence, distingué, au teint plutôt foncé, comme ses yeux et ses cheveux. Son regard perçant portait très loin, faculté qu'il a conservée jusqu'à la fin. Dans sa jeunesse, il avait vaincu une attaque de poliomyélite. Une de ses jambes en souffrait de séquelles, ce qui n'affectait sa démarche que lorsqu'il se hâtait.

Comment et où avons-nous fait connaissance, Paul Cartier et moi-même.

Notre amitié a duré cinquante ans. Elle avait vu le jour en 1925 alors que nos tâches respectives nous amenaient à fréquenter cette indescriptible et ténébreuse pièce qu'on appelait le « magasin », au Département de chimie de la Faculté des sciences de l'Université de Montréal, rue Saint-Denis. Paul, nouvellement gradué (licence ès sciences 1923) était alors démonstrateur en chimie. Quant à moi, étudiant en prémédicale (PCN) depuis septembre 1924, j'arrivais à peine à faire mes paiements mensuels à l'Université de Montréal. Mes seuls revenus provenaient des leçons de musique que je donnais en fin de semaine à Salaberry-de-Valleyfield, au séminaire et à la maison.

Le professeur Georges Baril me paraissait un bon père de famille. Un soir, après les cours, me vint une inspiration. Je remontai les escaliers conduisant à son bureau au 3e étage et fus reçu immédiatement. Il me mit parfaitement à l'aise. Après lui avoir affirmé, ce qu'il savait déjà, que j'étais féru de chimie, j'osai lui révéler mon état financier précaire. Bien m'en prit, car le docteur Baril m'avoua tout de suite : « Puisque vous aimez la chimie, que vous réussissez bien et que j'ai besoin d'un aide pour monsieur Errold Boucher, je vous engage à quarante dollars par mois ». Nous avions examiné les temps libres et les jours de congé dont je disposais. Je le quittai après des effusions bien naturelles de reconnaissance. C'est ainsi que, placé sous la direction immédiate du fameux Errold Boucher, je fis connaissance dans le « magasin », du démonstrateur Paul Cartier. Avec le temps et même les années, et après le départ d'Errold Boucher, je devins principal préparateur du maître Georges Baril et, sur la fin de mes études, démonstrateur en chimie biologique, collaborateur de Paul Cartier, dont on retrouvait la présence continuelle au magasin et à tous les cours pratiques.

Vers ces années-là, messieurs Roger Barré, décédé, Jules Labarre et Léon Lortie, ce dernier dernièrement décédé également, trois docteurs ès sciences, entreprenaient une carrière qu'ils illuminèrent. Le professeur de travaux pratiques, le défunt Hervé Nadeau, pharmacien, dirigeait une bonne partie des séances. Parmi les rares étudiants au niveau du doctorat, se trouvait un autre très cher ami, Philippe Montpetit, pétri d'humanisme et l'un des esprits les mieux équilibrés que j'aie eu l'honneur de fréquenter.

Dans le magasin, faisait office d'aide-préparateur, un monsieur Lamer, lui aussi, comme tout le monde, tout à tous. Le magasin mesurait environ trente pieds de long sur une douzaine de pieds de large. Il était bordé d'armoires de tôle, du plancher au plafond, contenant des produits chimiques et de la verrerie. Sur le mur de droite, ces armoires faisaient place à un grand évier de pierre, là où une dame lavait à longueur de journée la verrerie des laboratoires. Au centre, deux séries d'armoires de métal s'adossaient jusqu'au plafond, de sorte que l'espace de circulation et de transport se trouvait des plus réduits. Au fond, une porte donnait sur l'escalier de sauvetage à l'extérieur; une autre, à gauche, donnait sur l'amphithéâtre de cours théoriques; à droite, une demi-porte arrangée comme un comptoir servait à dispenser des produits aux élèves des cours pratiques dans la salle de laboratoires attenante. Il serait oiseux de raconter ce qui s'est passé de cocasse dans cet espace restreint. C'est plutôt dans l'amphithéâtre qu'est survenu le pire incident. À gauche de la longue paillasse qui servait de table au professeur, Paul Cartier avait monté un appareil, pour démontrer la distillation du pétrole, constitué d'un ballon en verre communiquant avec plusieurs tubes en U, lesquels se terminaient par un tube plongé dans l'eau. Le ballon, posé sur un trépied, se trouvait protégé du feu direct du bec Bunsen par une plaque d'amiante. Dans l'animation de son cours théorique, le professeur Baril, jugeant que la distillation avait assez duré, ou que le pétrole bouillait trop fort, et plutôt que de souffler dans le sifflet pour alerter Paul en attente dans le magasin, décida par mégarde de fermer la clé du gaz. Résultat : le vide se fait dans le ballon et, au bout de quelques instants, l'eau est siphonnée à travers les tubes en U et tombe dans l'huile bouillante. Explosion! Tout est réduit en poussière, atomisé! Les élèves de la première rangée, dont un frère capucin aux cheveux en brosse, reçoivent une buée chaude de pétrole comme une douche, mais heureusement, pas trop brûlante!

C'est dans cet antre du magasin que, au cours de conversations avec Paul, je reçus son opinion sur les professeurs et sur pratiquement tout le monde à la Faculté des sciences et à l'Université. Paul ne les enviait pas, mais il les jugeait assez bien, à leurs œuvres. Aujourd'hui, je peux en témoigner rétrospectivement. Paul m'apparut bientôt comme un philosophe au-dessus de toutes les contingences de la vie, non pas un adepte du « je m'en foutisme », mais un esprit calme, un ennemi de la niaiserie et de l'hypocrisie. Et pourtant, là n'est pas la raison immédiate pour laquelle Paul devint mon ami.

Paul sportif, chasseur et pêcheur

Depuis mon enfance, ma famille habitait l'été un vaste domaine sur une pointe au sud-est du lac Saint-François, près de Salabery-de-Valleyfield. On s'y est d'abord rendu en voiture tirée par un cheval, puis, plus tard, en ce qui me concerne, en automobile. Le printemps et l'automne, ma famille ne pouvait habiter ces lieux pourtant enchanteurs. Les occupations de mon père, organiste, ne le permettaient pas. Il devait se trouver à l'église les dimanches et fêtes.

Quant à moi, j'avais pris goût à la pêche et à la chasse. D'abord, je mis la main sur un fusil de calibre 12 à un coup, avec gâchette. À l'automne de 1925, je m'étais lié d'amitié avec Clovis De Grandpré, un autre genre de philosophe. Lui aussi, il aimait bien la chasse et la pêche. Mais, Paul avait une supériorité sur nous deux par le fait qu'il avait déjà appris de main de maître le maniement des armes et la pratique de la chasse aux oiseaux en compagnie de très bons chasseurs. De plus, il avait fréquenté les meilleurs sites du lac Saint-Pierre, mais n'avait cependant pas dépassé Montmagny ni fait la chasse aux oies blanches.

Cet automne-là, occasionnellement, Paul Cartier, Clovis De Grandpré et moi-même, nous nous sommes rencontrés à la « pointe Frappier », qu'on appelait dans le temps la « pointe du Milieu » et y avons chassé le canard et pêché l'achigan, le brochet, le doré et la perchaude. Dans le temps, et jusqu'au creusage du nouveau canal, ces gibiers et poissons abondaient au lac Saint-François.

Vers la fin de septembre, on tirait quelques coups de fusil sur du canard local. Vers le 10 octobre, après deux ou trois jours de grand vent, arrivaient les canards noirs et ensuite, les canards migrateurs de lac. Ils formaient des volées si considérables que le ciel ici et là en était obscurci et qu'une ombre suivait leur déplacement sur les eaux. C'est par dizaines de milliers que les canards fréquentaient le sud-est du lac et ce, jusqu'aux grandes gelées de la mi-décembre. Aujourd'hui, les changements de courants, les modifications des fonds marins, les rives devenues habitées et les pollutions de toutes sortes sont venus à bout du canard et de tous les poissons nobles. Même les « ménés » sont presque disparus. Il ne reste que la perchaude et le crapet! La pointe du Milieu formait deux baies magnifiques à l'est et à l'ouest et s'étendait assez loin dans cette partie du lac. On chassait en chaloupe à quelques centaines de pieds du bord de l'eau, protégés par un rideau de sapin, dit « cache » et, tard dans la saison, on chassait au bord à l'abri d'affûts en pierres de grève cordées à cet effet. Les oiseaux contournaient pointes et baies le long du sud du lac et finalement, arrivaient par la gauche au bout de la pointe. Apercevant nos canards de bois disposés sur l'eau comme des simulacres, ils se précipitaient au milieu d'eux à condition, bien entendu, que vous n'ayez fait aucun mouvement provocateur. Là était notre chance. D'autres fois, leur curiosité n'étant pas suffisamment éveillée ou quelque objet les ayant apeurés, le groupe d'oiseaux modérait son vol légèrement mais le relevait bientôt et continuait. C'est alors qu'il fallait rivaliser de vitesse avec eux pour les « prendre » au vol.

N'allons pas croire que nous pouvions tirer à même les volées dont j'ai parlé. Il s'agissait de petites bandes qui s'en séparaient et qui cherchaient de la nourriture, des compagnons ou des compagnes le long des pointes et des baies.

C'est à la pointe que nous avons pleinement vécu notre amitié. Quand mes occupations me laissaient quelque répit de temps à autre, nous y passions des fins de semaine, en compagnie de Clovis, du samedi après-midi au dimanche soir. Nous y vivions en vieux garçons! Parmi les nombreux avantages de ma liaison avec Paul et Clovis m'apparaît le fait qu'ils étaient toujours prêts, n'importe quand à m'accompagner. Nous étions heureux comme des frères. Ma femme et mes enfants goûtaient le bonheur de passer ces quelques fins de semaine à la maison des parents, beaux-parents ou grands-parents Ostiguy à Valleyfield où ils étaient choyés à souhait.

Bien sûr, je devais m'occuper de mon jardin, de mes fleurs, de mes pelouses, et de bien d'autres choses, temps qu'il me fallait distraire de la chasse et de la pêche. Alors, mes amis tendaient la ligne, tenaient l'affût de chasse, se promenaient dans la forêt, ou encore chauffaient la fournaise à bois.

Un jour, mes moyens financiers m'ont permis enfin d'acheter un fusil convenable. Notre aire de chasse et de pêche s'est alors agrandie. Avec Paul, j'ai fréquenté les meilleurs endroits du lac Saint-François, sur ses trente milles de long, et du lac Saint-Pierre, d'un côté et d'autre. Nous avons fait la chasse aux oies blanches à l'île aux Grues, à l'île aux Oies et à l'île au Canot, au cours d'expéditions fabuleuses guidées par les frères Lachance. Nous avons aussi chassé le faisan dans les prés et les forêts de la rive nord de l'Outaouais.

Nos conversations à la maison, ou dans mon petit camp de chasse, en pierres de grève, situé au bout de la pointe, ou encore dans les affûts de chasse, ou dans la chaloupe, ne tenaient pas seulement du sport mais d'un nombre infini de sujets. De temps à autre, nous recevions la visite, à la maison ou au camp, de mon frère, le docteur Jean, voisin de la même pointe, décédé prématurément depuis, et qui était devenu vice-doyen de la Faculté de mé-

decine de l'Université de Montréal; celle de chasseurs du voisinage venant
s'enquérir du mouvement du canard et nous raconter leurs prouesses. Nous
étions convaincus que la cynégétique et l'halieutique n'ont pas comme intérêt
principal de descendre des canards ou de sortir du poisson de l'eau mais
surtout, et tout d'abord, de favoriser les liens amicaux entre ceux qui les
pratiquent.

Avec Paul, j'ai aussi voyagé quelquefois dans le grand Nord de la
province de Québec, à Manouan et au lac Mistassini. Nous visitions les Indiens
sous les auspices du ministère de la Santé du gouvernement fédéral, au début
de l'été et au moment de leur rassemblement annuel, pour pratiquer certaines
épreuves immunologiques et les vacciner contre certaines maladies, ou tout
simplement pour enquêter sur leur état de santé. Paul m'aidait comme adjoint.
Inutile d'ajouter que nous ne manquions pas l'occasion d'une pêche au doré
ou à la truite, et Paul m'a aussi accompagné au club du lac d'Argent pour y
pêcher, ou encore pour chasser la perdrix. Sa conversation à la veillée faisait
l'admiration de plusieurs membres du club tant elle les informait de détails
originaux et savoureux sur des personnalités connues de tout le monde. Il
avait une connaissance encyclopédique des gens de notre province.

À la pointe, il nous racontait souvent son admiration pour les chasseurs
avec qui il avait fait ses premières armes. Évidemment, il ne manquait pas
de nous donner son opinion, le plus souvent sollicité par nos interrogations,
sur quelque personnage de l'Université, de la politique ou datant d'un passé
même lointain. Car Paul était plus vieux que nous de quelques années et
son expérience tenait, par ses liens familiaux, d'un intéressant recul.

La dernière chasse

Mais tout a une fin. Le cher ami Clovis nous a quittés pour un monde
meilleur en 1960. Paul et moi avons continué le même train de vie jusqu'en
1975.

Cette année-là, à la mi-octobre, nous avions été à la chasse aux canards
dans les parages de Saint-Anicet sur le lac Saint-François. Nous logions dans
une roulotte. Nous nous étions couchés de bonne heure quand, tout à coup,
je fus réveillé par un appel de mon compagnon : « Armand, il est cinq heures
du matin. » Vite, nous nous sommes habillés et quand vint le temps de
preparer le dejeuner, nous avons constaté qu'il n'était qu'une heure et demie
du matin. Cette méprise de Paul m'a semblé, par la suite, de sinistre augure.
Notre guide vint à l'heure convenue. Installés au milieu des joncs sur une
plate-forme branlante au-dessus de huit pieds d'eau, nous avons tiré quelques
canards. Mais Paul semblait souffrir du grand vent lui d'ordinaire si insensible
à la mauvaise humeur de la nature.

Quelques semaines plus tard, le 30 novembre, il décédait subitement dans la nuit à l'âge de quatre-vingts ans, à l'Hôtel-Dieu de Montréal. Je restais avec le souvenir d'un demi-siècle de vie dans l'amitié nourrie du plaisir cynégétique et halieutique. Depuis cette date, je n'ai jamais plus fréquenté les grandes eaux de nos lacs, ni les forêts sauvages au gibier à plumes. Je me suis rabattu sur le Club de la Roue du Roy là où, en souvenir de ces bons amis, j'ai pratiqué quelques années le tir au faisan dans les sentiers, la chasse au canard sur le plancher des vaches et la pêche à la truite dans l'étang. Du naturel, je suis, pour ainsi dire, venu à l'artificiel, ce qui ne remplace pas l'attrait des eaux libres du fleuve et des lacs. Par exception, avec mes petits-fils, j'ai quelquefois encore pêché au lac Saint-François.

À mesure que s'éloigne le souvenir de mes amis, celui de Paul Cartier avec qui j'ai le plus longtemps pratiqué la chasse et la pêche, ces sports, non plus alimentés d'amitié, ont perdu pour moi leur principal attrait.

Qui était donc mon ami Paul Cartier?

À la lumière de ce récit, on aimera ranimer sa mémoire comme celle d'un homme rempli de qualités de cœur, d'une grande modestie et d'un jugement serein et jamais acerbe. Son habileté à la chasse et à la pêche en faisait un compagnon sans égal. Sa sérénité en tout et partout neutralisait le stress qui, à certains moments, pouvait m'habiter. Paul m'a enseigné une certaine philosohie de la vie. Son calme, son détachement, son respect de la vérité composaient un modèle à imiter.

Quant à Clovis, il faisait contraste avec nous. Son originalité résidait dans sa nonchalance, sa lenteur et sa jovialité. Tous deux, Paul et Clovis, aimaient la pointe comme moi. Dans nos conversations, nous pouvions tout dire et être sûrs que les échos ne dépassaient pas les murs de la maison et n'étaient pas emportés par les vents du large.

Quelle chance et quel bonheur pour moi que d'avoir profité de présences aussi précieuses! Comme au surplus, peu avant de mourir, chacun avait avoué « se tenir prêt », je veux bien croire que Dieu les a emportés dans ses délices éternelles, là où chasse et pêche n'ont plus de sens, mais où comptent l'essence et l'effet des plus belles conversations que nous avons tenues.

Chapitre quatorzième

La recherche:
ce qu'elle n'est pas et ce qu'elle est![1]

D'autres ont parlé et écrit sur la recherche et sur son prolongement concret, l'invention, avec beaucoup plus d'autorité que moi.

Je voudrais jeter à la volée des réflexions, les unes acceptables à première vue, les autres plutôt paradoxales et provocatrices ou évocatrices, qui me sont venues de mes lectures sur le sujet, de l'enseignement que j'ai reçu, des échanges de pensées que j'ai eus avec bon nombre de chercheurs et de découvreurs, et de ma modeste expérience.

Ce qu'elle n'est pas

Commençons par dire ce que n'est pas la recherche, ou la carrière de chercheur.

La recherche n'est pas une rêvasserie, ni un développement d'idées lunatiques. Non, car la lune elle-même a changé d'allégeance. Elle n'appartient plus au monde du rêve et de la fantaisie. Bien au contraire, sa conquête est devenue un symbole de la puissance concrète des sciences exactes et expérimentales.

La recherche n'est pas non plus un acte de sens commun. Non, le génie, le chercheur, au contraire du bon sens, ne marchent pas dans les

---

1. *Laval médical*, octobre 1971

sentiers battus. Le moment venu, ils procèdent par l'inattendu et en dehors des voies communes. Mirabeau disait : « Le bon sens, c'est l'absence de toute passion vive et vice versa; seuls les hommes à grande passion peuvent être grands. »

La recherche n'est pas un acte inspiré et guidé par la logique de la nature. Non, car dans la manifestation de ses secrets, la nature est capricieuse et défie le raisonnement. Un esprit trop logique ne peut que s'y perdre.

La recherche n'est pas un exercice d'intelligence. Non plus. Ce ne sont pas nécessairement les premiers de classe qui excellent dans la recherche. Il n'y a pas de proportion entre le degré ou la vivacité de l'intelligence et le rendement en matière de recherche.

La recherche n'est pas une succession triomphale de découvertes. Bien au contraire, une vie dont la plus grande partie est faite d'échecs et de frustrations que seul peut surmonter l'optimisme inné du vrai chercheur.

La recherche ne mise pas sur la chance; celle-ci, comme l'a dit Pasteur, ne favorise que les esprits bien préparés.

La recherche n'est pas une tour d'ivoire. De nos jours, il ne le faut plus : le bien commun l'exige et doit l'emporter sur la modestie traditionnelle du savant et de l'artiste. Le public est de plus en plus friand de choses scientifiques. Il veut aussi se faire expliquer l'emploi de ses deniers.

La recherche n'est pas une sinecure. Qu'on nous délivre de cette image du savant ou de l'artiste, encore perpétuée parmi certaines gens du monde. Les vrais chercheurs, les vrais artistes, sont des bourreaux de travail.

Vous voyez déjà que la carrière de chercheur n'est pas un métier comme un autre.

Assez pour cet aspect négatif.

Ce qu'est la recherche

La recherche est plutôt :

– Un état d'esprit, une manière de penser, une seconde nature;

– Une liberté et en même temps une tyrannie de pensée (c'est en y pensant toujours qu'on arrive à la découverte),

– Une discipline de pensée et de travail;

– Une longue préparation;

– Un exercice de jugement sur un thème d'imagination, d'hypothèses;

– Une vie d'enthousiasme et de patience, une passion obstinée et jamais satisfaite, à la poursuite de la connaissance, de la vérité et de la beauté;

– Une arène où l'ingéniosité du savant est en lutte avec la complexité de la matière;

– Un état de doute apaisé par les faits bien contrôlés;

– Une prévision intuitive de l'enchaînement des faits;

– L'art de tirer parti des erreurs;

– Une course aux faveurs de la nature;

– Une formation à la modestie (se rappeler les frustrations et les échecs);

– Une technique élégante, propre, impeccable, précise, indiscutable;

– Un travail acharné : la vie est courte et le chemin de la découverte est long;

– La volonté de travailler en équipe et de s'inspirer des idées et techniques de plusieurs disciplines;

– La volonté d'écrire, de publier, de discuter en s'inspirant de la dialectique, et de faire servir au bien commun les résultats valables. C'est là aussi un acte d'honnêteté envers soi-même, envers la science, un acte de justice envers ceux qui ont payé;

– L'art de se tenir les deux pieds sur terre, de savoir planifier et préparer des projets et des budgets qui prendront de plus en plus d'importance au cours de la carrière, de savoir les administrer et les diriger; c'est aussi l'art de s'adapter à la politique scientifique des gouvernements;

– Enfin, la recherche est une reconstitution de la Création. Quelquefois : une création.

La carrière de la recherche se distingue nettement de toute autre. On ne s'y engage pas sans aptitude ni sans une longue préparation. Les études supérieures servent sans doute d'initiation à la recherche. Ce qui ne signifie pas que tous les détenteurs de doctorat soient de bons chercheurs, ni que la carrière de chercheur leur soit exclusive, ni que, par définition, ils doivent s'y engager.

En outre, la recherche est, entre beaucoup d'autres choses, une vocation qui exige des renoncements, particulièrement sur le plan social. Que dire de la vie de famille du chercheur ou de l'artiste, du rôle de son époux ou de son épouse. Il ne suffit pas de s'aimer ou de se supporter les bons comme les mauvais jours. Cela va jusqu'au renoncement, jusqu'à ne jamais s'offenser que la science ou l'art passe en premier, jusqu'à employer toute la force de son âme à remonter le courage du conjoint dans ses luttes quelquefois dramatiques pour imposer ses idées, ses découvertes, sa conception de la beauté, ou, dans les déconvenues douloureuses qui jalonnent la vie des plus grands hommes. Que l'époux ou l'épouse du savant ou de l'artiste jouent le rôle d'inspirateurs et de collaborateurs, mais non celui de rivaux de la science ou de l'art!

Dieu veuille que mon propos ne vous laisse pas sur une note pessimiste. Si la carrière de chercheur est difficile, elle comporte de grandes satisfactions : celle du travail bien accompli qui porte sa récompense en lui-même, celle de découvrir des parcelles de vérité et de beauté, celle de concourir à l'amélioration du bien-être de l'humanité, celle d'exprimer la beauté de la création, celle de sentir en soi le dieu intérieur de l'enthousiasme productif, de l'idéal de la science et de l'art qui s'éclaire, comme le disait Pasteur, des pensées de l'infini. Et il ajoutait ces mots : « Il est salutaire de rappeler aux cités, qui auraient tendance à l'oublier, qu'elles ne vivent à travers les âges que par la vaillance et le génie de quelques-uns de leurs enfants. »

Réflexion

L'art et la science ne se sont vraiment épanouis que dans des milieux économiquement forts. Les divers gouvernements du Canada semblent d'opinion que, tout en cultivant la virtuosité dans l'art et la science, les pays désireux d'acquérir une certaine indépendance économique se doivent de stimuler en particulier la recherche technologique et industrielle. C'est l'innovation en matière de procédés mécaniques ou technologiques qui a apporté la richesse et la fortune à certains peuples, particulièrement aux Américains.

La participation aux richesses suppose un apport innovateur, particulièrement dans les domaines prioritaires de l'exploitation des ressources naturelles, de l'écologie, des sciences pratiques de la santé, de l'homme et de la terre.

Mais la recherche, au niveau appliqué comme au niveau fondamental, germe dans la même originalité de pensée, obéit aux mêmes exigences et suit la même méthode rigoureuse.

Le Canada, ce pays aux immenses ressources naturelles, attend maintenant le jour où ses enfants se rendront compte, d'abord, qu'ils vivent pour la plupart des miettes dorées que laisse tomber sur leur sol la technologie étrangère, où ils songeront à s'en remettre davantage, pour leur avenir, à leur originalité propre en matière d'innovations pratiques. Notre pays attend le jour où ses chercheurs, conséquemment, se tourneront plus nombreux vers les applications des principes connus, le jour où ils ne se croiront pas tous destinés à la virtuosité de solistes dans les sciences fondamentales, le jour où, convaincus de la noblesse et de la puissance de l'innovation pratique, ils auront conscience de satisfaire leur légitime curiosité scientifique même en dirigeant leurs recherches sur les aspects pratiques de l'industrie, de l'écologie, de l'économie, des sciences de la santé, des sciences de l'homme et de la terre.

Chapitre quinzième

Ma conception de la médecine préventive moderne

Introduction

Depuis le commencement du monde, l'homme a baigné dans un film microbien et infectieux de matières fécales. Ce film s'est épaissi avec la formation des fourmilières humaines; il s'est aminci avec l'apparition de l'hygiène, de la salubrité publique et de la médecine préventive. De sorte que, dans les pays évolués, l'individu ne récolte plus aussi facilement l'immunité spontanée qu'il acquérait à même l'ambiance infectieuse d'autrefois; les états vierges d'infection contagieuse et d'immunité sont de plus en plus fréquents. Comme substitution à cette biosphère à la fois mortelle et naturellement immunisante, la médecine préventive apporte les méthodes artificielles et inoffensives d'immunisation.

Charles Nicolle a montré que « les maladies infectieuses ont une naissance, une vie et une mort ». Récemment, le docteur Dubos affirmait que « chaque civilisation crée ses propres maladies ». L'OMS enseigne de son côté que « où l'on réussit à enrayer une maladie, une autre prend de l'importance ».

Notre société moderne n'en a donc pas fini avec le destin des maladies infectieuses, car elle voit poindre l'émergence de nouvelles et mystérieuses infections. Elle devient en plus menacée de l'intérieur par des processus insidieux et chroniques, par la pollution et par les accidents.

Ces changements, de même que les découvertes quotidiennes de la science et de la médecine, l'application de l'assurance-hospitalisation et de l'assurance-santé vont désormais influencer le cours de la maladie et donner une nouvelle orientation à la médecine préventive. Concrètement, ce renouveau se reflétera sur l'organisation et le fonctionnement des services de santé.

Administrer, c'est prévoir et, dans la conjoncture actuelle, les responsables de la santé publique doivent prévoir l'évolution de la maladie et s'organiser non pas pour gagner la dernière guerre, mais la prochaine et les futures.

Nous sommes donc amenés ici à reconsidérer l'approche désormais double de l'administrateur de la santé publique dans la prévention, en premier lieu, des maladies infectieuses aiguës, classiques ou nouvellement émergentes et ensuite, des maladies apportées par le vieillissement de la population et par la vie moderne, mécanique et trépidante.

Sans dresser immédiatement des plans techniques ni verser dans l'utopie ou la rêverie, il est permis d'élaborer une conception philosophique de la prévention de la maladie et de s'inspirer des idées récemment émises par des autorités en la matière.

Médecine préventive et prévention des infections aiguës et contagieuses

C'est ignorer les lois de l'écologie et se laisser aller à une fausse sécurité que de croire et de prêcher que les maladies infectieuses disparaîtront de la société moderne. Ces maladies menaceront toujours la santé publique et il nous sera très difficile, sinon impossible, de les rayer de notre vie.

Les changements naturels ou artificiellement provoqués de la flore pathogène, la purification et les modifications de la biosphère, la mollesse de la vie qui abaisse l'aptitude physiologique, mentale et physique, créent des terrains neufs où prendront pied les vieilles infections connues, si on néglige les méthodes préventives classiques, mais aussi où viendront évoluer d'autres agents microbiens ou viraux insoupçonnés ou inattendus.

Constatons l'importance prise ces dernières années dans les populations évoluées par certaines infections virales, comme la grippe et les maladies respiratoires aiguës, le sida, les infections par coxsackies, par l'hépatite infectieuse et par les infections staphylococciques, colibacillaires, mycotiques ou mycobactériennes. Des zoonoses surgissent menaçantes comme la rage chez les animaux sauvages, la fièvre Q, l'histoplasmose. Dans les hôpitaux, la flore infectieuse a changé non seulement d'origine mais aussi de nature :

au début du siècle, les patients y arrivaient en état d'infection; aujourd'hui, l'infection se contracte trop souvent à l'hôpital; autrefois, c'étaient les bactéries à Gram positif (coloration bleu violet) qui dominaient la scène, aujourd'hui, ce sont, pour au moins 50 %, les bactéries à Gram négatif (coloration rouge).

Et que dire des grandes inconnues de la pathologie infectieuse : le rôle direct ou indirect des virus dans le cancer, dans l'origine de certaines malformations congénitales où l'on soupçonne l'action du virus de la rougeole et peut-être même de ceux de la grippe, dans les effets pathologiques lointains d'infections encéphalitiques plus ou moins apparentes. Quel rôle pathogène se rattache aux virus dits orphelins ou à ceux que l'on retrouve chez l'animal et chez l'homme sans pouvoir les étiqueter d'un point de vue pathologique. L'ubiquité et le nombre qui augmente sans cesse des espèces virales isolées laissent planer sur la pathologie une hypothèse osée, avouons-le, et qui consisterait à attribuer à ces agents l'étiologie de certaines maladies dites chroniques, comme la sclérose en plaques.

Par ailleurs, des agents reconnus non pathogènes, tels les colibacilles, causent de graves épidémies de diarrhée infantile. Il arrive que les radiations fassent reculer la résistance naturelle à la flore bactérienne normale qui peut alors devenir pathogène.

Un nouvel éventail de maladies et des risques mortels qu'elles comportent se déploie. Le nouveau et le pire sont à prévoir et à prévenir, y compris des désastres nationaux ou mondiaux. La possibilité de guerre bactérienne force à chercher des moyens pratiques de détection précoce et de prévention spécifique. La médecine préventive en temps de guerre recourra vraisemblablement à des immunisations de masse au moyen des vaccins classiques et de nouveaux vaccins adaptés à l'attaque prévue. On s'adressera à des méthodes collectives d'immunisation que les recherches actuelles tendent à mettre au point. D'autre part, à cause des surprises et des inconnues de la guerre bactérienne, de la guerre nucléaire et des infections nouvelles, il est urgent de chercher des procédés pour stimuler et augmenter artificiellement et rapidement la défense naturelle anti-infectieuse de l'organisme. Des travaux effectués dans nos laboratoires laissent entrevoir cette possibilité.

Aussi est-il maintenant et plus que jamais de précaution élémentaire de ne laisser personne en état vierge d'immunité au moins pour ce qui est des infections épidémiques contre lesquelles il existe déjà des vaccins efficaces et d'application pratique et courante. Nul ne prétendra qu'il faille en finir avec toutes les immunisations ordinaires.

Les microbiologistes mettront un jour à la disposition de l'hygiéniste des cocktails de vaccins qui simplifieront l'énorme travail des immunisations.

Prévention des maladies chroniques, des invalidités et des accidents

Il y a longtemps, Hippocrate a dit : « Ce sont les changements, et plus particulièrement les grands changements apportés à notre mode de vie, qui provoquent en général des maladies ». Il avait, pour ainsi dire, prévu l'époque dans laquelle nous vivons et qui occasionne par ses bouleversements de toutes sortes la nécessité de tourner les méthodes de prévention vers de nouvelles cibles.

On commence seulement à considérer le côté préventif des maladies chroniques.

Il est assez étonnant de constater cependant qu'on ait pu arriver, de nos jours, à prévenir, enrayer ou contenir certaines maladies chroniques ou à longue échéance, les accidents dans les industries et certaines invalidités. On peut mentionner le diabète sucré, l'anémie pernicieuse, certaines malformations congénitales du cœur, la fièvre rhumatismale et ses conséquences, l'endocardite bactérienne, les endocardites ou affections cardiaques consécutives aux infections diphtériques ou syphilitiques, les affections cardiaques consécutives à l'hyperthyroïdisme, le glaucome, la malaria, le pian, dont il est aujourd'hui possible d'atténuer, ou du moins de retarder les effets.

En outre, la lutte contre l'obésité, l'emploi de graisses non saturées dans l'alimentation semblent pouvoir prévenir jusqu'à un certain point la fréquence des affections coronariennes et des maladies cardiovasculaires. Nul doute que le bannissement de la cigarette soit un élément à considérer dans la prévention du cancer du poumon et même de certaines maladies cardiaques. Certains médicaments réduisent les méfaits de l'hypertension et en reculent l'échéance mortelle; d'autres réduisent l'acuité des symptômes de certaines affections mentales et permettent même au patient de reintégrer la société. Les techniques de réhabilitation, c'est connu, peuvent rendre à la société normale des invalides qui, autrefois, n'auraient pu y vivre qu'en dépendance absolue de la famille ou de la charité. Malheureusement, on n'a pas encore étudié suffisamment les accidents, particulièrement ceux de la route, de la pollution, et de la vie domestique.

C'est le début, et non la dernière étape, de ces maladies chroniques, qui importe pour le médecin hygiéniste. Il est temps de reconsidérer le concept courant selon lequel la pathogénèse des maladies de nature dégénérative ne commence qu'à l'âge moyen de 40 ans. Certaines de ces maladies existent à l'état larvaire pendant des années avant que ne se développent les symptômes cliniques apparents. Des programmes bien organisés de détection, comprenant des épreuves précliniques, permettraient de déceler, dès le plus jeune âge, les déficiences de l'organisme. Ainsi, pour ne donner que quelques exemples, une hausse dans la glycosurie décèle le diabète sucré, l'achlorhydrie l'anémie pernicieuse, l'hyperactivité vasculaire l'hypertension primaire; les infections virales prénatales mènent à certaines anomalies congénitales, les pharyngites à streptocoques hémolytiques à la fièvre rhumatismale, la silicose à l'emphysème pulmonaire, les polyposes aux carcinomes de l'intestin, la cigarette au cancer du poumon, l'hypercholestérolomie à l'artériosclérose.

Si le diagnostic de ces états était assez précoce, des mesures préventives pourraient par conséquent exercer leur effet avant l'âge de l'éclosion clinique de la maladie ou avant qu'elle n'atteigne sa phase irréversible.

De plus, on sait qu'il y a possibilité de prévenir plusieurs maladies d'origine professionnelle en exerçant dans les industries et les manufactures la surveillance préventive voulue. Du point de vue mental, le début de certaines affections peut certainement être décelé par les instituteurs, les médecins et les infirmières dans les écoles et par les médecins dans les cliniques préscolaires et industrielles. Une éducation bien conduite parmi les travailleurs de l'industrie et chez les cols blancs, dans la période précédant la mise à la retraite, permettrait à ces gens de s'y bien préparer mentalement. Une organisation rationnelle du soin des gens âgés préviendrait non seulement la mort précoce de ces sujets, mais aussi les frustrations auxquelles ils sont exposés.

La carie dentaire semble certainement réduite par la fluoration de l'eau et pourtant l'utilisation de ce moyen comme prévention est loin d'être généralisé.

Le glaucome peut servir d'exemple de la méthode à suivre pour la prévention des maladies à longue échéance. Cette maladie est contractée par 2 % des personnes au-dessus de 40 ans. Il existe, au Canada, 10 000 cas de glaucome, et comme les symptômes cliniques apparents de cette maladie ne se développent que lorsqu'elle a atteint le stade d'irréversibilité, la moitié de ces cas n'ont pu être dépistés.

Cependant, il a été prouvé qu'on peut réduire de 12 à 8 % le nombre de cas de cécité causé par le glaucome par l'application précoce et systématique de programmes de dépistage, dans des groupes choisis, au moyen de la tonométrie et de méthodes thérapeutiques appropriées.

La prévention de la cécité chez 50 individus par année représente, du point de vue économique, une valeur plus grande que les sommes versées pour l'élaboration des programmes de dépistage du glaucome actuellement appliqués au Canada.

C'en est assez pour se convaincre que, par une organisation rationnelle et systématique de diagnostic précoce et de « follow-up », on peut arriver à une prévention secondaire, sinon primaire, de ces maladies et invalidités.

Comment les services de santé et les hygiénistes organiseront-ils ce travail de prévention sans pour cela abandonner la prévention traditionnelle des maladies infectieuses, aiguës et contagieuses et sans pour autant accroître énormément le coût des services de santé.

C'est aux hygiénistes et aux administrateurs de la santé publique qu'il incombe de rationaliser le système au point d'en limiter le coût, sans en diminuer l'efficacité et la portée.

Le cas spécial de la gérontologie et de la gériatrie

Le rythme ascendant d'influences réciproques des sciences, de la technologie et de la médecine émerveillera encore plus l'humanité. Les conditions de santé seront largement améliorées, spécialement par l'apport de sciences en pleine évolution comme la gérontologie et la biotechnologie. Je me limite à la première discipline.

La gérontologie couvre tous les aspects de la vieillesse et, entre autres, les aspects physio-pathologiques (chapitre de la médecine appelé « gériatrie »). Les personnes âgées forment un segment de plus en plus considérable de la population. Le taux de personnes âgées de soixante-cinq ans et plus en Amérique du Nord passera de 8 % en 1980 à environ 15 à 20 %, en l'an 2000. Les personnes âgées occupent maintenant 30 % de tous les lits d'hôpitaux et l'on s'attend à une montée à 43 % vers l'an 2000. À cette date, à soixante-cinq ans, les hommes auront encore une moyenne de treize années à vivre et les femmes, de dix-huit années. Présentement, 39 % des gens de soixante-cinq ans et plus continuent à travailler. Mais 70 % souffrent d'affections chroniques et de manque d'adaptabilité. Parmi les résidents des maisons pour personnes âgées, on note un taux de 40 % d'incidence de maladies mentales. En somme, un problème majeur qui s'amplifie!

Les maux inhérents à l'âge découlent de l'ennui, de la solitude, des changements brusques du mode de vie, des inquiétudes et de l'inadaptation suscitée par la retraite obligatoire, de la pollution de l'environnement et du vieillissement biologique. Les disciplines de la gérontologie, plus les moyens améliorés de lutte contre la pollution, les fruits de la recherche, spécialement de la recherche biomédicale, et l'orientation opportune de la formation clinique du praticien, concourront, avec un grain d'imagination de la part des dirigeants, à réduire ces maux, sinon à les supprimer.

Il est prévisible que, avant longtemps, gouvernements et employeurs favoriseront la préparation de longue main à l'état de retraité et proposeront, le moment venu, un horaire de travail plus flexible.

L'approche diagnostique du praticien, comme celle du gériatre et du physiatre, s'inspirera davantage des antécédents héréditaires du patient et utilisera rationnellement les examens préventifs et les batteries de tests détecteurs précoces de prédispositions à certaines maladies liées à l'âge.

La médecine thérapeutique saura encore plus tenir compte des modifications de la sensibilité organique et cellulaire propre aux personnes âgées, de l'intégrité de leurs organes effecteurs et du mécanisme d'homéostasie. La posologie thérapeutique sera mieux adaptée. La médecine et la sociologie conseilleront une diversification des soins à domicile ou en institution, selon l'incapacité ou l'autonomie des couples et des individus.

Les personnes âgées sont les plus touchées par la pollution physique et chimique et leur taux de mortalité augmente avec cette dernière. La lutte pour l'assainissement du milieu prendra de plus en plus d'importance et contribuera à raréfier les affections liées aux impuretés de l'environnement, telles que, entre autres, la bronchite, l'emphysème et le cancer pulmonaire. Les vaccins améliorés protégeront davantage contre la pneumonie et la grippe, maladies face auxquelles les personnes âgées sont si vulnérables.

Ce que les vieillards sont en droit d'attendre de la vie n'est pas encore épuisé. La science et la médecine sont là pour le leur garantir.

Schéma d'ordre général et économique de conservation de la santé par la prévention

La base de la prévention réside dans l'adaptation aux changements

Depuis les débuts de la médecine moderne jusqu'à nos jours, le concept selon lequel les maladies ne peuvent être enrayées qu'à l'aide de médicaments et de vaccins, ou par des mesures de protection spécifiques ou en évitant la contagion, a favorisé la prévention d'un certain nombre de maladies infectieuses. Il va sans dire cependant que ce concept ne peut s'appliquer par définition quand il s'agit de prévenir les maladies de nature inconnue qui présentent une menace nouvelle pour l'humanité.

Selon cette dernière façon de concevoir la prévention, la santé est un privilège et l'individu n'y aura droit que s'il accepte de donner à son corps sa part de temps et de respect. La santé d'une société est conditionnée par la santé de chacun de ses membres.

Si les changements, et plus particulièrement les changements radicaux, sont une des principales causes de maladie, notre plus grand espoir, selon le docteur Dubos, repose sur une adaptation active du corps humain à ces changements.

Tout en faisant connaître à l'individu les possibilités de prévention de la maladie, on devra lui apprendre à s'adapter aux changements et il devra compter, pour ce faire, sur l'aide des éducateurs et des autorités en santé publique et industrielle.

D'un côté, nous avons diminué les contacts avec les agents infectieux, de l'autre, nous avons éliminé de notre vie l'effort physique et l'accoutumance à la chaleur, au froid et à différentes formes de « stress ». L'aptitude physique, mentale et physiologique de l'individu s'en est trouvée considérablement réduite.

La formation de cet état vierge, pour ainsi dire, la mécanisation de la vie de tous les jours, l'automation, certaines restrictions nécessaires à la liberté de l'individu, et paradoxalement des périodes plus longues de loisirs et une vie sédentaire ont favorisé l'apparition de ces maladies chroniques et de ces déficiences mentales. En outre, tous ces facteurs ont rendu très difficile, sinon impossible, l'adaptation à certaines conditions pénibles rencontrées dans le cours de la vie actuelle. Comment de tels organismes désaccoutumés peuvent-ils lutter contre la tension et s'adapter au « stress »?

Il ne serait évidemment pas logique d'entreprendre à grands frais, des programmes de dépistage et de prévention de la maladie si on ne prenait pas les moyens de s'attaquer à la racine même du mal en remplaçant l'effort physique et l'endurcissement naturels par l'éducation physique, l'exercice rationnellement et systématiquement pratiqué tant à l'extérieur qu'à l'intérieur, et l'occupation des loisirs de façon à rétablir l'aptitude physique, mentale et physiologique du corps humain.

Tout ceci se résume encore à une philosophie de la vie.

L'individu ne saurait réclamer le droit à la santé s'il n'accepte pas sa responsabilité de donner à son corps une bonne part de temps et de respect, de suivre des diètes appropriées, de se soumettre à des examens médicaux périodiques, de voir à l'occupation de ses loisirs et de payer pour le coût de ces programmes de santé publique.

L'éducation académique, religieuse et morale contribuera grandement à développer cet esprit de modération chez les jeunes et à leur inculquer le sens de leurs devoirs, tant envers le corps qu'envers l'âme.

Au besoin, l'emploi de médicaments peut ou pourrait rapidement augmenter la résistance à l'infection, à l'effort physique ou au surmenage; cette résistance artificielle et passive ne saurait toutefois remplacer une résistance acquise activement. Elle ne peut qu'apporter un supplément à l'aptitude naturelle de résistance dans les situations critiques.

L'espoir réside dans la recherche

Il faut appuyer la recherche et en faire ressortir l'absolue nécessité en vue d'aider l'individu, la communauté et les administrateurs à s'adapter à tout changement. C'est la recherche qui permettra, en effet, de connaître l'étiologie et l'épidémiologie de certaines maladies infectieuses ou à longue échéance, ou de nouvelles maladies encore mal connues, d'imaginer des programmes de dépistage précoce et économique, de déterminer les priorités d'action et de choisir les moyens non spécifiques les plus efficaces et, en même temps, les plus abordables qui aideront à enrayer ces maladies. Il est évident que les recherches en planification sont importantes, mais elles ne doivent pas dépasser l'immédiat. On a vu, il n'y a pas tellement longtemps, dépenser des sommes considérables pour une planification dont les échéances étaient aussi éloignées que vingt ans. De toute façon, la planification et même certaines techniques de mise en pratique relatives à la santé publique requièrent la collaboration des médecins, des infirmières, et aussi du personnel non médical tel que sociologues, psychologues, anthropologues, économistes, politiciens d'expérience, porte-parole des travailleurs, éducateurs et même des communautés religieuses. La planification s'impose au point de vue stratégique à l'échelon supérieur de l'administration de la santé publique et, au point de vue tactique, aux échelons inférieurs.

L'observation démontre que le médecin spécialisé dans l'administration de la santé publique sert de plaque tournante de l'énergie préventive, en ce sens que, possédant plus de renseignements que quiconque sur la santé générale des individus, possédant aussi une information sur les organismes de santé et d'hospitalisation, sur les organismes de sécurité sociale et de bien-être, il est en mesure de planifier, de coordonner, de renseigner, et même de diriger les programmes de santé. C'est à ces fins que l'École d'hygiène de l'Université de Montréal fut fondée en 1945. Elle est devenue le Département de santé communautaire de la Faculté de médecine et l'École d'administration de santé publique. Ce dernier forme des administrateurs. Il est à souhaiter qu'un plus grand nombre de médecins se prévaudront de cette spécialité et apporteront ainsi à la santé publique une philosophie objective et non superficielle relative aux soins médicaux, à la médecine préventive et aux objectifs de recherche dans ces domaines.

Par ailleurs, la recherche doit étudier la redistribution des tâches dans le domaine de la santé et pratiquer l'économie de la compétence. Avant d'entreprendre de grands changements, il est bon de faire des essais dans un milieu limité.

Enfin, ajouterais-je que la direction de la santé a l'obligation morale de planifier la lutte contre les désastres et les situations urgentes. À un échelon plus élevé, elle ne peut négliger l'aspect de la prévention dans l'ordre international.

Conclusion

Le programme ci-dessus ne sortira vraisemblablement du domaine du rêve que le jour où les différents aspects de la médecine, aspects préventif, curatif, social, administratif et même expérimental ou relatif à la recherche, auront été rationnellement intégrés aux niveaux de la formation professionnelle et de la pratique de la médecine et de la santé publique, que le jour où l'éducation scolaire et l'éducation physique seront considérées comme indissociables.

D'ici là, les gens pourront souffrir et mourir. Des pertes économiques s'ensuivront. Non pas parce que la science et la médecine manquent d'ingéniosité et de fertilité, mais plutôt parce que la synchronisation est trop lente entre la découverte et son application à la communauté. En d'autres mots, la pratique ne se raccorde pas assez vite avec les concepts modernes de la santé.

Reste à savoir si chaque individu a atteint pleine conscience des bénéfices réels qu'apporte la santé dans ses aspects modernes au point de faire l'effort voulu pour y participer.

Chapitre seizième

La sacro-sainte électricité —
Écologie et juste milieu

Introduction

Toute ma carrière tient de la biologie appliquée, plus précisément de la microbiologie et de spécialités qui relèvent de la médecine préventive, de la médecine diagnostique et thérapeutique et de l'industrie biologique. J'ai toujours dit et enseigné que la microbiologie mène à tout. Discipline d'avant-garde, elle accélère présentement sa montée avec l'avènement du génie génétique et de la biologie moléculaire qui bouleversent à la fois les conceptions scientifiques de la vie et même certaines conceptions philosophiques, religieuses et morales. Revenant à la biologie générale, je rappelle qu'elle a créé ces dernières années une science nouvelle, l'écologie, dont tout le monde parle aujourd'hui. Cette sous-discipline procède autant de la philosophie, au sens propre du terme, c'est-à-dire la sagesse, que du pragmatisme scientifique. L'écologie a pour objet l'étude des rapports des êtres vivants avec leur milieu naturel. Il est impossible à la microbiologie de se désintéresser de l'écologie, puisque le règne bactérien couvre complètement la terre, se retrouve chez les vivants et les morts, humains comme animaux et végétaux et contribue énormément à maintenir des rapports équilibrés.

Vous voyez à quoi je veux en venir. Il s'agit de justifier mon intrusion dans le domaine de l'écologie.

L'écologie et le bien commun

L'écologie est orientée vers la préservation d'un juste équilibre dans la nature. Elle a développé une philosophie dynamique relativement aux aménagements artificiels que poursuit la civilisation contemporaine. La science de l'écologie forge des outils pour le bien commun. L'écologiste peut faire beaucoup de bien, mais si sa philosophie le pousse au fanatisme, il peut faire encore plus de mal que de bien. Les Anglais disent « Enough is enough », les habitants de l'Inde disent « trop, c'est trop », l'Ecclésiaste dit « le juste milieu », saint Thomas d'Aquin « *in medio stat virtus* ». Dans les conflits de toutes sortes, l'écologiste est appelé à jouer un rôle, je ne dirai pas à prononcer un jugement, mais à jouer un rôle, le rôle d'éclairer scientifiquement et objectivement les hommes politiques, les hommes d'affaires et les couches les plus influentes du peuple, en ce qui a trait surtout au déséquilibre que certains travaux ou installations de grande envergure peuvent apporter à la nature, en ce qui concerne également les inconvénients que ces derniers peuvent causer à l'homme lui-même. Il arrive que ces projets cherchent à s'implanter à la place de la nature, je ne dirai pas *dans* la nature, mais *à la place de* la nature. L'écologiste devient alors le gardien vigilant du bien commun. Il faut qu'il soit honnête, qu'il ne diminue ni n'outrepasse les conclusions de ses études, qu'il ne tombe pas dans la dialectique politique ou autre, et qu'il revienne inlassablement à la charge au moment propice. Il doit aimer la nature de toutes ses forces, il doit voir loin. L'écologiste et le biologiste visent à long terme alors que les promoteurs visent à plus ou moins court terme. Quant aux ingénieurs, je me suis fait rappeler dans les journaux, par un ingénieur distingué, que les ingénieurs sont aujourd'hui bien sensibilisés à ces questions d'écologie. Je n'en doute aucunement. Je lève mon chapeau devant la compétence de nos ingénieurs et de leur audace calculée. De par leur profession cependant, ils sont obligés de planifier des aménagements physiques immédiats. Cela ne limite pas nécessairement leur compétence au projet lui-même, mais ce dernier constitue leur premier intérêt.

Les gardiens de l'environnement se doivent de cultiver le dieu de la prévention, de la préservation. Sans eux, sans les philosophes de la nature, la terre ne présenterait plus que des proliférations de terrasses de ciment, de forêts de pylônes électriques et de grandes mares d'eau. Le vert des forêts s'anémierait sous l'exfoliation, le faîte des montagnes serait pelé sous toutes sortes de prétextes et les lacs deviendraient acides, la vie faunique s'enfuirait, le fond des eaux serait envahi par des herbes ou algues touffues. Les gens dépenseraient alors des millions pour acheter de l'eau pure en bouteille. Vraiment, les écologistes ont une tâche sur les bras. Comme les médecins de médecine préventive, ils agiront pour prévenir de tels désastres. En ce qui a trait au rôle de l'ingénieur par rapport à celui de l'environnementaliste ou des représentants des activités halieutiques, cynégétiques ou autres, je suis persuadé plus que jamais que ce professionnel est conscient et instruit des répercussions plus ou moins lointaines de certains aménagements du milieu naturel. Si je peux me servir d'une comparaison, les ingénieurs ressemblent, dans cette nouvelle optique, aux médecins d'aujourd'hui que leur formation rend plus attentifs aux effets de certains modes de vie individuels, sociaux ou professionnels, sur la santé publique; plus soucieux, par conséquent, de la nécessité de la prévention.

Ceci étant dit en toute franchise, je rappelle le mot de Clemenceau : « La guerre est une affaire trop grave pour être laissée dans les mains des seuls militaires. » Par ailleurs, j'ai enseigné pendant trente-cinq ans, comme la plupart des spécialistes de santé publique, que la planification moderne des mesures de santé publique et de prévention de la maladie dépasse la seule compétence professionnelle du médecin. Elle suppose, en plus, la consultation auprès de certains spécialistes et auprès des corps représentatifs de la société, qu'on a eu soin d'informer amplement et suffisamment avant que les délégués politiques ou autres n'en viennent à une décision.

Ma pensée, quant aux projets qui portent atteinte à la nature, suit la même direction. L'ingénieur n'est pas le seul concerné. D'autres experts ont leur mot à dire. Les couches les plus éveillées de la population ont aussi le droit d'exiger une pleine information et de donner leur opinion sur tout sujet de modification de l'héritage naturel, pouvant déranger, à court ou à long terme, l'environnement, l'exploitation touristique possible et la qualité de la vie, ainsi que sur les diverses options qui doivent être soumises de façon claire et compréhensible. Les grands promoteurs, dont l'État, se moquent véritablement des citoyens quand ils entreprennent des aménagements, de taille même modérée, avant que des organismes indépendants n'en aient étudié l'impact ou quand ils n'allouent que quelques semaines à de telles consultations.

Comme expérimentateur, je souhaite qu'on ne se limite pas aux seuls exposés théoriques et hypothétiques, mais qu'on y adjoigne la démonstration expérimentale, c'est-à-dire que l'on expose des maquettes ou des reproductions expérimentales, animées et fonctionnelles, compréhensibles par monsieur tout le monde, démontrant les effets visibles des diverses options. Ce n'est pas encore suffisant, car les écologistes doivent en expliquer au public les effets non visibles sur la faune et la flore sous-marines, sur la chimie et la qualité de l'eau et surtout, sur ce à quoi le citoyen peut s'attendre à la suite du projet. Ainsi, on lui expliquera pendant combien de temps les déblais informes provenant de ces travaux gâteront la nature et la qualité de vie.

Mais je ne suis pas professionnellement un écologiste et n'ai pas la prétention de m'aventurer sur le terrain scientifique lui-même. Il m'est cependant permis de vous décrire une expérience vécue, qui n'aurait peut-être pas tourné aussi tragiquement si l'écologie avait, à ce moment-là, tenu le rôle qu'on lui connaît de nos jours.

Mon vécu en écologie

Je suis né dans le sud-ouest de la province, un coin peu développé, il est vrai, au sud du fleuve Saint-Laurent, dans cette petite ville qui s'étend paresseusement à l'embouchure du lac Saint-François. On n'y vivait pas riche, mais on y vivait en paix et en harmonie avec la nature, l'une des plus enchanteresses et uniques au monde, à cause de la vaste nappe d'eau claire, accueillante, poissonneuse et giboyeuse du lac Saint-François, élargissement du fleuve, entre Salaberry-de-Valleyfield et Cornwall, à cause des eaux turbulentes et bondissantes du fleuve à la tête et à l'aval du lac, eaux semées d'îles sauvages et mystérieuses, tout à proximité de Montréal et de son agglomération, soit une distance maximum de quarante milles. Un parc naturel, extrêmement riche et pittoresque, dont l'accessibilité constituait déjà en soi une richesse. Mais il se trouvait là, en même temps, un potentiel hydroélectrique considérable. La solution allait être imposée en faveur de la captation pure et simple de cent pour cent, et même davantage si possible, de cette réserve. Aucun désir de préservation raisonnable ou partielle pour l'aménagement futur en faveur du tourisme et de la jouissance de la vie.

Un jour, en 1929, la hache et les béliers mécaniques sont tombés sur cette région bénie des dieux. Parmi les quelques promoteurs qui s'étaient fait gloire d'annoncer la possibilité de détourner les eaux du lac Saint-François vers un fantastique canal de navigation et de potentiel électrique, s'en trouvait un plus actif et plus efficace, monsieur Sweezey. Il réussit à emboîner financiers, ingénieurs, hommes politiques et industriels dans le projet. Quel piston actionnait de telles démarches? Cherchez dans le Middle West américain. L'État de New York s'y opposait. Le Canada, d'une part, a docilement emboîté le pas en ce qui regarde la navigation; le Québec, d'autre part, gonflé devant l'appel de l'électricité, a permis le détournement des eaux sans condition ni réserve qui vaillent. Tous se sont entendus pour hâter les travaux, bousculer la région sur des dizaines de milles, promettre le pactole aux villes et villages, transformer les rapides en lacs innommables, substituer aux vertes forêts disparues sous la dynamite, des rangées de pylônes métalliques couvrant la campagne à perte de vue et dans tous les sens, disperser des milliers de gens, réduire considérablement la richesse agricole de la région, au nom de la sacro-sainte navigation et de la sacro-sainte électricité. Sans doute, des objectifs avantageux et nécessaires pour la collectivité, envisagés à court et à moyen terme, objectifs que l'on faisait miroiter quand même démesurément, eu égard aux aliénations qu'ils imposaient. Mais administrateurs et administrés, du haut en bas de l'échelle, en étaient médusés.

Pas un mot d'écologie! Nom encore inconnu. Aucune étude sérieuse des effets des chambardements proposés sur l'environnement ou de la disparition de ce décor exceptionnel, sur le droit des générations actuelles et futures de jouir au moins d'un minimum de ces beautés précieuses et irremplaçables qui ajoutent à la qualité de la vie et finissent même par être rentables à long terme.

Quand tout fut terminé, la région et la ville de Salaberry-de-Valleyfield sont restées dans un isolement encore plus critique qu'auparavant. On ne peut y accéder que par des ponts plus ou moins bien entretenus dont l'un est tombé d'usure avec perte de vies, à Beauharnois, il y a quelques années. Je l'avais traversé à peine deux heures auparavant. Un autre, à Saint-Louis, a été fracassé par un bateau et fut fermé une bonne partie de l'année. Le pont, au sud de la ville, d'une longueur d'au moins 3 000 pieds, est perpétuellement sous la torche des soudeurs. Le revêtement de son tablier est rarement en bon ordre. Il fait partie de la route 30, dont le trafic vers le sud-ouest de la province et les États-Unis est considérable. Il faut suivre des approches tortueuses invraisemblables avant d'arriver à ce pont, pour s'apercevoir qu'il est fermé, ou plutôt partiellement ouvert et cela, pour le passage des cargos pendant la période de navigation. De sorte que des milliers de citoyens, d'un bord et de l'autre du pont, et des centaines de voitures sont ainsi, *et à la fois,* immobilisés. De toute façon, il faut que les gens soient bougrement patients pour endurer pareil inconvénient depuis plus de quarante ans. Je serais tenté de reprendre, à l'adresse des responsables de la chose publique, la célèbre apostrophe de Cicéron : « *Quousque tandem, Catilina, abutere patientia nostra!* » *Jusques à quand enfin abuseras-tu de notre patience!* Imaginons aussi le désastre que provoquerait une collision comme celle de Saint-Louis, entraînant la fermeture du pont en question pendant des mois.

À quand le pont de la libération ou encore le tunnel, et avec approches convenables?

Le canal, de quinze milles de longueur, est bordé, sur des centaines de pieds de chaque côté, par des fondrières formées des déblais du creusage, envahies de broussailles et d'arbres rabougris, véritable spectacle de désolation! Les beaux rapides, cette série d'eaux bouillonnantes allant de l'embouchure du lac jusqu'aux Cascades, sont devenus de banales étendues d'eau. Les îles, paradis d'oiseaux, sur lesquelles l'homme n'avait que rarement accosté, sont déboisées, à demi-noyées et dominées par des pylônes électriques ou réunies les unes aux autres par des barrages disgracieux. Inutile d'élaborer sur les conséquences écologiques d'un chambardement aussi monstrueux, en particulier les modifications aux courants du fleuve et du lac, le changement de la nature sous-marine entraîné par ces nouvelles directions des eaux, l'élimination, à quelques exceptions près, des fonds de sable, l'apparition d'algues sous-marines sur les fonds de roches, algues susceptibles de fermentation avec dégagement de gaz sulfhydrique, le changement des allées et venues des oiseaux aquatiques dont certaines espèces comme le héron à longues pattes et le petit héron ont diminué en nombre, la réduction considérable du nombre et de la densité des volées de canards bien caractéristiques de l'endroit.

Il est vrai que le nombre des citoyens de la région a augmenté de deux ou trois fois, mais cela n'est guère différent de ce qui est arrivé ailleurs dans la province et ne saurait être attribué absolument aux retombées économiques du creusage du Saint-Laurent. On avait laissé croire que la région se couvrirait de manufactures, à cause de la proximité de l'électricité. Quelques manufactures, peu nombreuses, se sont installées dans la région, mais avec quel impact! Certaines ont craché et d'autres crachent encore des fumées, des tonnes de fumée, sur une partie des environs, quelques-unes produisent de l'acide nitrique et, pendant longtemps, ont aussi laissé échapper des vapeurs acides. Ainsi, l'une des plus belles îles de Valleyfield, l'île aux Chats, densément boisée de belles essences, et qui gardait l'entrée majestueuse de la baie Saint-François, a été complètement détruite dans cet environnement.

Cependant, le long du canal de Beauharnois, Valleyfield a construit des installations portuaires, soit un véritable port de mer qui la met directement en relation avec le monde entier. Un actif à la canalisation, sans doute, mais tardif et d'avenir plus ou moins assuré.

Somme toute, il n'est pas exagéré de réaffirmer qu'autrefois, la région offrait une nature sans pareille. Pourquoi ne lui avoir point laissé un minimum de son apparence originale? J'ai éprouvé maintes fois le bonheur et les émotions que causait le saut des eaux bouillonnantes à travers l'archipel intact par où se déversait le lac Saint-François. Bien peu de gens pouvaient se vanter d'en avoir jamais exploré le secret et observé la gent ailée qui l'habitait. Là commençait la succession de trois rapides : Côteau-du-Lac, Les Cèdres et Les Cascades. J'étais tout jeune, en 1912, quand la première fois, j'ai sauté ces rapides en bateau.

Toute cette nature qui a tellement marqué ma jeunesse est disparue. On n'en a pratiquement rien conservé de l'aspect original. Et j'ai ressenti, par la suite, comme un affront à ma génération et aux suivantes, la métamorphose inconsidérée de cet Éden. Je me suis demandé et me demande encore si, au nom du développement industriel ou de tout autre projet, il est toujours nécessaire dans le cas de l'énergie, par exemple, de gratter jusqu'à 110 pour 100 du potentiel. Au lieu de *remplacer* la nature, les responsables n'auraient-ils pas pu *y insérer le projet*, de façon à conserver un minimum du caractère original des lieux pour la jouissance de la vue, pour la qualité de vie et pour l'exploitation touristique à l'avantage des générations présentes et futures. Le *bien commun* n'aurait-il pas été ainsi mieux servi? Si les écologistes avaient été plus nombreux à ce moment, si une agression de la part de biologistes et de citoyens avertis avait eu lieu, peut-être aurait-on réussi à diminuer l'incidence de ces destructions outrées. Quand on a utilisé les chutes Niagara, on n'a pas détruit les chutes, on s'est arrangé pour leur laisser le minimum du caractère qu'on leur connaissait. Après l'arrêt des travaux que les écologistes ont obtenu dans la vallée de la rivière Jacques-Cartier, par exemple, après les succès qu'ils espèrent quant aux projets pour les rapides Lachine, pour donner un autre exemple, je suis persuadé que la solution, pour toute réalisation d'une telle exigence, est située quelque part entre le court et le long terme, c'est-à-dire *dans un juste milieu*. La décision appartient au peuple, à ses classes dirigeantes et, bien sûr, aux hommes politiques, qu'il faut complètement renseigner par des études écologiques et économiques.

Le transport de l'électricité

Le problème du transport de l'électricité ne laisse plus le citoyen indifférent. Où que vous vous retrouviez dans la province présentement, votre vue des champs et des montagnes est déviée par des séries de pylônes et par des tissus de fils électriques qui s'étendent à perte de vue. J'ai été frappé ces dernières années, au cours d'une promenade dans la région du Saint-Laurent nord, particulièrement dans le beau comté de Charlevoix, de constater que ces pylônes et ces fils électriques bondissent, comme des géants aux bottes de sept lieues, de montagne en montagne, dont le faîte feuillu a été pelé d'une large raie pour leur livrer passage et ressemble ainsi à la chevelure cocasse de certains indigènes des îles lointaines. Les fils descendent dans les vallées, tellement nombreux que, sous le soleil, ils brillent comme un tissu métallique et font oublier le vert de la nature.

Bien sûr qu'il faut transporter l'électricité. J'ai demandé à un ingénieur spécialiste s'il n'était pas possible lorsque les lignes s'approchent de la civilisation, de les enfouir dans des tunnels pour les mettre davantage à l'abri des intempéries et autres dommages imaginables, de façon à laisser sa place entière à la verdure. Il m'a répondu que ce n'était pas impossible, que ça pouvait coûter cher, que ça ne réglait pas complètement le problème des dommages. Avec les ventes d'électricité que l'on fait présentement, le problème des effets du transport d'électricité sur l'apparence de la nature et la qualité de vie va se poser de plus en plus.

Récupération pour fins touristiques
et jouissance de la vie

J'ai demandé également à cet ingénieur s'il n'y avait pas moyen de songer bientôt, là où il y a lieu et possibilité, à une certaine récupération de la nature pour fins touristiques et de jouissance de la vie, de façon à ce que notre province n'atteigne pas le stade où elle ne sera plus qu'un vaste champ d'exploitation électrique, dont une grande partie pour le besoin des voisins. Prenons un autre exemple, celui des transformations gigantesques effectuées dans la région de Valleyfield-Beauharnois. Je rappelle d'abord que, en Ontario, on a inventé une nouvelle nature pour usage touristique entre Cornwall et Prescott, sous forme de parcs. On a tiré parti des déblais et de la transformation du Long-Sault en un lac-réservoir. En ce qui a trait à la transformation en trois lacs délimités par des barrages en aval du lac Saint-François, les travaux sont terminés. Ils apportent l'eau nécessaire aux riverains. L'inconvénient reste que le niveau de ces lacs varie considérablement selon les besoins de l'Hydro et l'afflux du débit venant de l'ouest. La vie halieutique s'en ressent également. Je ne connais aucun plan d'aménagement touristique ou récréatif des îles qui ne se soit encore relevé des changements des dernières années, ni des berges, surtout celles du canal de Beauharnois, allant de Valleyfield à Beauharnois. Ce ne sont que fondrières et marais.

Est-il ridicule de songer que, un jour et progressivement, selon un plan bien défini, on rétablira d'une manière ou d'une autre, sinon l'aspect attrayant de la nature d'autrefois, du moins un paysage agréable et moins désolé que présentement? Je vais encore plus loin. Est-il possible de penser qu'un jour, on fera les travaux nécessaires pour aménager un passage navigable et ressusciter une partie des rapides qui s'écoulaient dans ces parages et aménager les îles désertes qui s'y trouvent? On reconstituerait ainsi, du moins en partie, un paysage dont l'attrait touristique aurait sûrement son prix et sa rentabilité et compenserait pour les kilowatts que l'on perdrait. Mais je recommence à rêver et je m'arrête.

Choix : si nécessaire, payer le prix de nos choix

Il est certain que pratiquer le juste milieu comporte un choix entre plusieurs solutions. Si, pour garder la nature dans son intégrité, on est, par définition, contre tout projet d'aménagement, il faut être conscient que c'est un choix coûteux et risqué en ce qui a trait à notre niveau de vie. Si, d'autre part, on cherche à utiliser 110 pour 100 du potentiel et à remplacer la nature sans considération et quasi totalement, on accepte le choix que le financement en soit assuré en bonne partie par des étrangers au pays qui, par la suite, espéreront importer cette électricité en en payant un prix, supposons-le, raisonnable. On accepte en même temps le choix que la province devienne bientôt un vaste champ d'exploitation électrique avec le risque écologique du « trop, c'est trop ». Il y a d'autres choix aussi, l'énergie nucléaire, le soleil, les vents, les marées, les chutes sur les rivières.

En ce qui regarde le nucléaire, je vous avoue n'être pas complètement ignorant de la question puisque, dès après la guerre, alors que l'on a songé à l'utilisation pacifique des agents nucléaires, j'ai organisé à l'Institut que je dirigeais un service de recherche sur les applications nucléaires à la microbiologie. J'ai décrit, avec l'un de mes collègues, à un grand congrès international à Londres, et pour la première fois, les techniques permettant d'insérer, de façon sécuritaire dans un laboratoire spécialisé, les manipulations nucléaires combinées aux manipulations microbiologiques.

Il n'est pas certain que conserver la nature à tout prix soit la vraie solution, à certaines exceptions près. Dans beaucoup de pays, les forêts et les plans d'eau que l'on admire sont des transformations et des aménagements faits de main d'homme. Par ailleurs, l'électricité est entrée dans notre vie pour y rester. On va même jusqu'à la gaspiller. Quand on fréquente les autoroutes et le centre des grandes villes, on constate la profusion extrême de l'éclairage électrique qui ne sert à presque personne au cours de la nuit. On reste étonné d'une semblable orgie. N'y aurait-il pas lieu de revenir à des habitudes de vie plus modérées et de tenir le juste milieu tant en ce qui a trait à la décision d'un aménagement qu'à l'utilisation domestique et commercial d'une richesse aussi précieuse?

Le juste milieu, tel que je le conçois, suppose une solution qui harmonise le projet à la nature, qui conserve à cette dernière un minimum valable de droits acquis, en un mot, une solution qui tienne compte du bien commun actuel et futur sous tous les angles.

Est-il risqué ou inopportun de suggérer que l'on songe bientôt, à même les revenus de l'électricité, à en soustraire une part raisonnable pour une récupération partielle ou pour l'enjolivement de sites naturels indûment détruits?

Caton l'Ancien terminait tous ses discours en criant : « Il faut détruire Carthage! » À l'inverse, répétons aux promoteurs « Dans l'aménagement de la nature, respectez le juste milieu. » Car, une fois anéantie, il est quasi impossible de ressusciter la nature.

Chapitre dix-septième

Des faux dieux et du vrai Dieu de la médecine

Des faux dieux et du vrai Dieu de la médecine[1]

Introduction

Le voyageur cultivé, curieux d'écouter sur les lieux mêmes, en manière de méditation, l'écho des premières et immortelles expressions de la raison et de la spiritualité de l'homme occidental, se dirige avec émotion vers les pays du Levant, ceux que baigne ou qui avoisinent la Méditerranée, cette « mer des idées » comme l'écrivait Veuillot, « de la civilisation et des arts, la mer épique ». Malheureusement, les dieux, depuis la plus haute Antiquité, n'ont cessé de tourmenter cette partie prédestinée de la planète. Pour l'amour des dieux, depuis la guerre de Troie, on s'y entre-tue, ce qui n'est guère une invitation au touriste. Socrate et le Christ y furent sacrifiés à l'opinion du peuple sur la divinité. Et les dieux provocateurs ne sont pas morts! Aujourd'hui, le voyageur rencontre là les faux dieux du nationalisme et du pétrole qui gouvernent encore la paix et la guerre.

La bonne fortune m'a été donnée, cependant, sinon de suivre l'ordonnance idéale d'un tel voyage, du moins d'en accomplir, par intermittences et malgré ces dieux bellicistes, un bon nombre d'étapes. Une première fois, en route vers l'Inde, et résolu de m'arrêter quelques jours au Proche-Orient

---

1. L'*Union médicale*, juillet 1971

j'ai dû passer outre, car c'était l'affaire de Suez. Le détournement de notre avion me donna l'occasion exceptionnelle de voler au petit jour entre les chaînes enneigées des Himalayas. Par mon hublot, je voyais leurs crêtes squelettiques toutes roses émerger des abîmes violacés des vallées; elles s'allongeaient à l'infini comme d'immenses ossatures de dinosaures ensevelies dans les neiges éternelles.

Deux fois, par la suite, des missions auprès d'organismes scientifiques universitaires ou gouvernementaux, m'ont fourni le plaisir de séjourner dans ces divers pays où j'ai aussi rencontré plusieurs de mes anciens élèves en santé publique.

Dans les vallées et sur les côtes de l'Asie Mineure et dans les îles attenantes, se développa une civilisation peut-être plus importante pour nous que celle de la Grèce insulaire. Sont originaires de ces lieux célèbres, Homère, Thalès, Héraclite, Pythagore, Hippocrate et Galien. L'art ionien y atteignit la divine perfection. Les noms de Pergame, d'Éphèse, de Smyrne, de Milet, d'Alexandrie valent sans doute ceux d'Athènes et de Sparte. Le Dodécanèse resta, jusqu'à Byzance, la pointe extrême de notre civilisation. « Là, à quelques lieues de l'Asie, écrit l'historien-philosophe allemand Curtius, se déroula plus d'histoire qu'il n'y en eut jamais en espace si étroit. »

Pour nous, disciples d'Esculape et d'Hippocrate, l'archéologie, qui avait découvert dans le Péloponèse la splendeur d'Épidaure, a mis à jour récemment, dans le Dodécanèse, le berceau de la médecine rationnelle que fut Cos.

La médecine tire son origine de l'empirisme du sorcier-guérisseur dont le plus ancien portrait connu fut peint, il y a 17 000 ans, sur les parois de la caverne des Trois Frères dans les Pyrénées. Les Grecs considéraient les Égyptiens comme les fondateurs de la médecine méthodique. Homère jugeait les médecins égyptiens comme les meilleurs de tous. L'Égyptien Imhotep était considéré comme le père de la médecine. De son vivant, on lui a élevé des monuments et on l'a déifié après sa mort. Plusieurs siècles plus tard, les Grecs l'identifièrent à leur propre dieu de la médecine, Asclépios.

Pèlerinage à Épidaure et à Cos

Il est plus que jamais instructif de retracer l'histoire de la médecine et de constater qu'elle a été influencée par des faux dieux, des imposteurs et des mythes successifs dont elle n'est parvenue que péniblement et lentement à se débarrasser. Elle risque peut-être d'en voir naître de nouveaux dans le genre moderne. Ce qu'il faut retenir de l'histoire médicale, c'est l'importance relative de deux éléments qui a varié selon les époques : religion, dogmes, impostures et mythes d'un côté, et art et science de conserver et de rétablir la santé, de l'autre. La médecine progresse quand l'homme la traite comme un art et une science. En toute autre période, elle reste stationnaire ou dégénère.

Pour se faire une idée de ces deux aspects de la médecine de la Grèce antique, suivons Empédocle d'Agrigente, le médecin-philosophe, de l'école de Sicile, accomplissant un pèlerinage à Épidaure et une visite à Cos à la recherche de la guérison. Empédocle débarque donc de son trirème dans le havre de Nauplie, en Argolide, et se hâte vers le but de son voyage. Par son seul aspect, le paysage d'Épidaure lui est déjà une exhortation à se mieux porter. Épidaure est un lieu de grâces. Les Grecs possédaient le secret génie de découvrir, afin de les consacrer à leurs dieux, des sites qui, en quelque sorte, visualisaient les puissances que ces dieux personnifiaient.

Avec Empédocle, nous pénétrons dans une sorte de Lourdes, de Vichy ou de centre d'art et de sport associés, une cité compacte où se pressent des foules de plusieurs dizaines de milliers de personnes, l'un des plus fameux pèlerinages de l'Antiquité, le plus beau d'entre les 800 connus, et qui fonctionnera pendant des siècles jusqu'à la fin de la domination romaine. Dans ce vallon ineffablement paisible, entouré de collines boisées de cyprès et amplement fourni de fontaines, Empédocle découvre une incroyable prolifération d'édifices dont l'archéologie a mis à jour les ruines : temples, portiques, propylées, autels, bains, thermes, dortoirs, gymnase, bibliothèque, prytanée ou palais de justice, palestre, stade et théâtre. Oh! ce théâtre grandiose, le plus grand de la Grèce, sinon du monde, et qui subsiste tout entier de nos jours dans son intransigeante nudité : gradins de pierre érodés par le temps s'adossant en hémicycle concave au flanc de la colline. Empédocle y assistera, en compagnie de quelque 20 000 auditeurs, comme on le fait encore aujourd'hui, à des tragédies et comédies des grands classiques. Bien que placé sur le gradin le plus reculé, il n'a perdu aucun mot, tant l'acoustique y est extraordinaire.

Empédocle s'est soumis longuement à toutes les prescriptions des Asclépiades; il a enfin, docilement et en toute bonne volonté, cherché à dormir dans l'abaton du temple Asclépion et à voir en rêve le dieu et son serpent, il a fait son offrande. Après quelques semaines de séjour, il se sent mentalement rasséréné, mais non physiquement guéri. Il est déçu. Cette thérapie surtout religieuse ne lui paraît pas, à lui médecin-philosophe, reposer sur des données très rationnelles. Il n'est pas impressionné par le nombre d'*ex-voto* de pierre attestant des guérisons extraordinaires obtenues, même à distance. Soit dit entre parenthèses, dans les temples d'Asclépios, comme le rapporte Platon dans sa République, on refusait de traiter les patients qui se croyaient impurs ou qui étaient apparemment irrécupérables. On créait ainsi un système tout à fait biaisé en faveur du succès thérapeutique.

Des Asclépiades ont parlé à Empédocle de l'un des leurs, Hippocrate, qui, dans l'Île de Cos, pratique et enseigne une médecine différente, bien dégagée de la religion. Il décide de le consulter et, avec un certain regret, quitte les lieux enchanteurs d'Epidaure et cingle vers Cos. À son arrivée, Empédocle envoie prendre rendez-vous immédiatement auprès d'Hippocrate dont le centre médical est situé sur la colline et domine la mer. Le lendemain, Hippocrate le reçoit dans son iatron, formé d'une pièce de consultation et d'une pièce de chirurgie. Il laisse son patient parler, l'observe, l'examine et l'invite à la clinique qu'il tiendra le lendemain sous le platane historique, au milieu de ses élèves et en compagnie d'un invité très éminent de Cnide, île voisine, le médecin Euryphon qui, lui aussi, a une approche nouvelle mais quelque peu différente de l'art médical. En attendant, Hippocrate suggère à son patient une promenade de détente au bois de cyprès d'Apollon dans le voisinage et une visite à sa palestre privée.

La clinique du lendemain réunit tout ce monde sous le fameux platane. Cet arbre, au tronc immense multiplié de troncs secondaires, on le voit encore de nos jours au milieu de la place à Cos. Il n'est pas impossible que son âge remonte au temps d'Hippocrate, c'est-à-dire à 2 500 ans. Il se trouvait aussi, à ce moment, pas loin de l'iatron d'Hippocrate, un genre d'hôpital dont on voit les ruines et dont seuls les bourgeois de la ville pouvaient avoir usage. Le grand temple d'Asclépios, dessiné aujourd'hui sur le sol par des ruines et non encore complètement exploré, ne fut bâti, d'après Sigerist, qu'après la mort d'Hippocrate.

Lorsque je me suis assis moi-même à l'ombre du très vieux platane d'Hippocrate, j'ai vécu en esprit ce colloque qu'a pu très vraisemblablement y tenir le père de la médecine. J'imaginais Empédocle parlant le premier. En somme, il était l'auteur d'une théorie biologique sur les causes de la maladie, celle des humeurs, mais restait convaincu que, par la seule métaphysique, comme Pythagore l'avait déjà tenté, on réussirait à donner une base solide à la médecine. Le grand Hippocrate reprit en rappelant que, lui aussi, ayant été formé à l'école de Socrate, connaissait la philosophie, qu'il était d'accord avec Empédocle pour exclure toute cause démoniaque, religieuse ou superstitieuse de l'étiologie des maladies, qu'il admettait la théorie des humeurs et n'excluait pas l'exploitation raisonnée de certaines thérapies religieuses ou psychiques. Le serment qu'il a composé ne commence-t-il pas par ces mots : « Par Apollon, le guérisseur, et Asclépios »? Mais les causes externes et internes et les traitements des maladies, c'est dans le déterminisme de la nature, et non dans la religion, la magie et la philosophie qu'il faut les rechercher. Ce sont les changements du milieu, particulièrement les grands changements, qui sont les causes générales des maladies. Il insiste sur l'observation méticuleuse du malade et sur la dynamique de la maladie, sur une certaine expérimentation, principalement des régimes et des diètes, et sur l'adaptation d'une hygiène rationnelle du corps à l'environnement. « Mon système est biologique, écologique et rationnel; il enveloppe l'homme entier, sain ou malade, dans la nature, dans le commerce des choses entre elles. » Et il ajoute : « non seulement le médecin, le patient, mais les assistants, l'entourage et l'organisation des circonstances doivent concourir au succès du traitement. La vie est courte, l'art est long, l'expérience difficile », dit-il, comme de coutume, en terminant. Euryphon, de l'école de Cnide se dit tout près d'Hippocrate. L'élaboration doctrinale lui pèse peu. Ce qui importe, à son avis, ce sont les symptômes : le traitement doit s'attaquer d'abord aux symptômes. La médecine hippocratique en paraissait donc une de grand avenir. Pourquoi s'est-elle pour ainsi dire pétrifiée au cours des siècles qui suivirent?

Les faux dieux de la médecine ancienne

À cause des faux dieux! Vers le Ve siècle avant Jésus-Christ, alors que, dans le monde, s'annonçait le crépuscule des dieux, il semble que la Providence eut pitié des hommes et suscita des génies pour les guider : en Grèce, ce furent les grands philosophes et, comme on vient de le voir, les grands médecins; en Chine, Confucius; dans le monde extrême-oriental, le fameux Bouddha dit « le sage »; en Terre sainte, les grands prophètes. La pensée de ces hommes influence encore le monde entier. Le malheur est qu'on les a tournés en faux dieux. Pendant des siècles, l'homme a fixé sa pensée et ordonné ses actes de façon statique, quasi aveugle, sur l'enseignement de ces grands hommes interprété par une exégèse non renouvelée. D'abord, dans son enthousiasme, il a souvent voulu en faire des dieux. Les premiers de ces faux dieux existaient déjà à cette époque, c'est Imhotep, le père de la médecine méthodique en Égypte élevé à sa mort au rang de dieu, comme plus tard, en Grèce, Asclépios lui-même. L'exégèse historique sur le culte d'Asclépios lui-même n'est pas complète, mais il semble très probable qu'Asclépios ait vécu vers l'an mil avant Jésus-Christ. Homère, qui écrivait à cette époque, ne le mentionne pas comme un dieu. Il raconte les exploits thérapeutiques des deux fils d'Asclépios, Machaon et Polidaure, les meilleurs médecins de l'armée grecque de Troie, à qui, sur le conseil d'Agamemnon, Ménélas et Ajax se sont confiés.

Homère prenait cependant les médecins excellents comme homologues des dieux. C'est entre l'an mil et l'an cinq cent avant Jésus-Christ que les Grecs, frappés des succès obtenus par le système psychothérapique des Asclépiades, descendants d'Asclépios, et l'une des premières corporations fermées de médecins, firent un héros d'Asclépios et l'associèrent à Apollon le guérisseur, et aux dieux de l'Olympe.

L'homme a toujours tenu l'art de guérir comme un don divin. D'ailleurs, le même dieu dans la mythologie grecque, et même pour les chrétiens d'hier, pouvait rendre malade et guérir.

Le deuxième faux dieu de la médecine, si je puis ainsi m'exprimer paradoxalement, fut Hippocrate et son école. À sa mort, on a voulu aussi le déifier, comme plus tard on a tenté de déifier saint Paul, à la suite d'une guérison spectaculaire qu'il avait provoquée au nom du Christ. Hippocrate et saint Paul se seraient bien défendus de cet honneur. Mais l'hippocratisme originel fut transformé en dogme, en faux dieu, par Galien; statisme qui dura jusqu'au XVIIe siècle.

La troisième formation de faux dieux en médecine apparaît avec la résurgence, après la chute de l'Empire Romain, de la médecine religieuse. Pendant longtemps, même jusqu'au cœur du Moyen Âge, on a continué à pratiquer la religion du temple d'Esculape en vue de la guérison. C'est pourquoi Esculape fut l'un des dieux le plus farouchement honni par l'autorité chrétienne. C'était un sacrilège de s'adresser à Esculape quand la nouvelle religion montrait le Christ comme le véritable Dieu de la médecine, le médecin sauveur. En guise de dérivatif au culte d'Esculape, on invitera les malades à dormir dans l'église, comme dans l'abaton, mais devant le tabernacle et les statues des saints. En Sicile, à Chypre, à Rhodes, cette pratique se retrouve, paraît-il, encore de nos jours. Chaque maladie aura son saint spécialisé en intercession.

On en voulait aussi beaucoup au serpent d'Esculape. Même si la Bible rapporte la guérison des Hébreux par la vue du serpent d'airain, les chrétiens ne voyaient plus, dans le serpent, que l'origine de la damnation de l'homme. (Cependant, la thériaque originelle, modifiée par Galien et utilisée comme panacée même par la chrétienté jusqu'aux temps modernes, a toujours contenu de la chair de serpent.)

Au nom de la suprématie de l'âme mal comprise, on éliminera aussi les gymnases et l'éducation physique. La pratique de la médecine, avec traitement centré presque uniquement sur la prière, envahit bon nombre de monastères au point que les papes durent intervenir et, finalement, interdire aux clercs toute pratique, d'abord de la chirurgie, et plus tard, de la médecine. Des courants métaphysiques apparurent vers le XIIIe siècle qui forcèrent l'aristotélisme et la scolastique à outrepasser leur objet et leurs moyens et les introduisirent dans la médecine et les sciences dont ils devinrent de faux dieux et retardèrent la maturation.

Pour expliquer les doctrines médicales du temps, les médecins, imbus de cette métaphysique déformée, en vinrent au verbiage genre Diafoirus que Molière a si finement ridiculisé.

Autre faux dieu : l'autoritarisme religieux. Toujours la religion! Rien de surprenant : médecine et religion s'adressent à des composantes indissociables de l'homme; le risque de chevauchement et de friction est grand. Dans les diverses écoles médicales européennes, l'enseignement était soumis à l'autorité. On vit aussi l'Église s'opposer à ce que les chrétiens consultent les médecins juifs. Il s'ensuivit un exode, comme au temps d'Hitler. Pourtant, plusieurs monastères cachaient et employaient ces médecins, parce qu'ils étaient les meilleurs, ayant été formés dans les écoles arabes, elles-mêmes plus dépouillées jusqu'à un certain point des faux dieux dont j'ai parlé.

Il serait trop facile de critiquer l'action de l'Église de ce temps. Dans le désordre qui suivit la chute de l'Empire romain et en l'absence d'une profession médicale organisée, à qui les populations auraient-elles pu s'adresser? L'Église paraissait une force et un élément d'ordre. L'impuissance de la médecine face aux épidémies inclinait les peuples à recourir à la religion, l'unique espoir. De plus, dans le christianisme, le contact du malade avec son Dieu paraissait plus intime et les peuples affligés trouvaient dans cette religion un dieu personnel plus ami, un dieu sauveur devant qui les hommes étaient égaux et qui n'excluait aucune maladie, ni même les mourants, au contraire d'Esculape, ni même les morts.

Paracelse, le Luther de la médecine, selon Osler, jeta le premier cri de révolte contre l'hippocratisme vermoulu et brûla publiquement les œuvres de ses apôtres obstinés, Galien et Avicenne. Descartes donna le coup de mort à la scolastique décadente. Restaient encore de nombreux faux dieux qui hantent toujours la médecine : les astrologues, les charlatans même dans la profession médicale, sans compter, bien entendu, les guérisseurs. J'arrête ici cet aspect historique. À partir du XVIIe siècle, la médecine parvient progressivement à se dégager des grands faux dieux, si je puis dire, qui furent emportés par le vent des études biologiques tenues en sommeil depuis Aristote, et par le progrès des sciences modernes.

La médecine moderne est plus divine que jamais mais de nouveaux faux dieux se font menaçants

La période que traverse présentement la médecine fait craindre l'apparition de nouveaux dieux.

En ces temps où la pensée se fonde trop souvent sur la devise de « Greenwich Village » : « cogito, ergo sum », je me demande s'il est de mise de philosopher sur la médecine et la divinité? Pour les philosophes, anciens et chrétiens, la divinité implique nécessairement la toute-puissance, basée sur la connaissance des principes, et la maîtrise des cieux et de la nature; elle implique aussi la justice, et surtout, pour les chrétiens, la bonté et l'amour. L'Antiquité n'excluait pas la charité. Ce sujet n'a guère été abordé par les chercheurs. Le christianisme n'a pas inventé la charité, il l'a codifiée à partir de l'Évangile. Quant à la médecine, bon nombre de gens et même de médecins en limitent leur conception, encore aujourd'hui, à l'art de guérir.

Bien sûr, la pratique de la médecine moderne est indissociable des notions de diagnostic et de thérapeutique. Sans la pratique, la médecine est impensable. Mais la puissance de la médecine contemporaine dépasse cet aspect traditionnel : elle a créé la médecine préventive et la médecine expérimentale. La nouvelle société a engendré la médecine socio-économique et administrative. Un enseignement qui perpétuerait chez les futurs médecins l'unique aspect de la médecine curative s'entêterait dans une imposture qui a duré trop longtemps et ravalerait le médecin et la médecine aux yeux des gens bien informés.

Pour les Chinois, le grand docteur est celui qui traite, non pas un sujet déjà malade, mais celui qui ne l'est pas encore. Plus que jamais, les choses médicales passionnent le grand public, comme dans l'Antiquité, ce dernier se passionnait pour les dieux de la médecine. En réalité, on retrouve dans la médecine moderne encore plus d'attributs divins que jamais. Considérons en premier lieu l'objet de la médecine : la conservation et le rétablissement de la santé. La santé, soit l'état de bien-être physique, mental et social, est un don qui affecte l'homme entier, le seul vrai bien sur terre, sans lequel les autres ne valent rien, un don si grand que les gens l'ont naturellement rapporté aux dieux et les croyants à la Providence. Le Christ affirmait que pas un seul cheveu ne tombe de la tête sans la permission de Dieu. En second lieu, considérons le patient lui-même : dans quel état de dépendance quasi totale ne se sent-il pas devant le médecin à qui il s'est confié. Nul autre après Dieu n'a le vrai pouvoir de le tirer de sa situation critique. Les païens et les chrétiens ont jadis considéré la guérison comme une sortie de terre, comme une résurrection qui ne pouvait relever que d'un dieu.

Dénigrer la médecine et le médecin quand on n'est pas malade est un jeu facile. Pour se venger des médecins de l'Antiquité, on leur a coupé les mains et crevé les yeux. Mais la maladie frappe un jour ou l'autre. Nul n'y échappe. Si le patient, devant son médecin, ne se fait petit enfant et docile, si d'avance, par aberration ou pour quelque raison que ce soit, il se fait avare de sa confiance, il perd un atout psychique important de guérison. Il entame sa volonté de guérir. Hippocrate a dit de la médecine : « C'est une bien grande preuve que cet art existe et qu'il est puissant lorsqu'il peut démontrer qu'il lui arrive de sauver même ceux qui n'y croient pas ». On rencontrera toujours des gens à qui cette dépendance fatale répugne à l'avance. Ils se défoulent pour ainsi dire sur la profession et, indirectement, sur la médecine elle-même qu'ils condamnent comme un faux dieu. Certains tenants des sciences contestent que la médecine soit une science; c'est un art, un empirisme technique. À ce mépris et cette ignorance, s'ajoute souvent l'envie qui porte à vouloir réduire l'exercice de la médecine dans la société à l'égal de celle d'un métier quelconque. Ces gens sapent ainsi par anticipation l'estime et la confiance du public envers la puissance réelle et la noblesse divine de la médecine.

La puissance de la médecine

Car la médecine s'apparente au divin, tout d'abord par cet attribut de la puissance. Cette puissance repose sur la connaissance profonde et rationnelle, donc scientifique, du normal et du pathologique chez l'homme et sur l'excellence de l'art et de la technique. Cette puissance a été jusqu'à aujourd'hui, et continuera encore d'être un émerveillement pour l'homme. Depuis vingt ans, il s'est fait plus de découvertes favorables et appliquées à la santé que dans tous les siècles passés. Cette puissance a engendré la fragmentation de la pratique médicale et une demande accrue de soins médicaux. Il en a résulté une diminution de la disponibilité des effectifs médicaux de première ligne, celle qui est toute proche des patients. La spécialisation multiple et outrancière de la médecine et l'attrait des spécialités qui en résulte pour le jeune médecin forment peut-être déjà le piédestal d'une fausse déité qui de nouveau mènera la médecine dans une impasse. Le problème n'est pas d'aujourd'hui puisque déjà, sous les Pharaons, la médecine égyptienne ne se pratiquait que par spécialités. Voilà un problème qui n'a pas encore trouvé de solution en Amérique du Nord.

Comment la médecine peut-elle se défendre contre sa propre puissance qui, en fait, la coupe de la société en la fragmentant, en la surchargeant et en la dépersonnalisant? Où se trouve le juste milileu? Ne résiderait-il pas, en partie du moins, dans la naissance d'un nouvel hippocratisme et d'un nouvel humanisme de la médecine? Si le médecin affiche l'image d'un ingénieur de la santé, d'un technicien superspécialisé, dont une partie de la besogne courante pourra bientôt s'accomplir par la machine ou par les collaborateurs paramédicaux, n'y a-t-il pas risque, pour l'exercice de la médecine, d'être rabaissée dans l'esprit du citoyen moderne à la mécanique d'un merveilleux robot? C'est pourquoi il semble que la profession accroîtrait son action et son prestige si, dans un renouveau hippocratique, déjà tenté par Sydenham au XVIIe siècle, mais vite désamorcé sous la pression des doctrines de spécificité, elle considérait la santé dans son entier et le malade dans son milieu, si elle s'intéressait activement non seulement aux aspects traditionnels, physique, psychique et plus ou moins spécifique de l'homme malade, mais en plus aux problèmes de son milieu familial, professionnel et socio-économique, en s'inspirant de la philosophie écologique d'Hippocrate, en un mot, si elle se rapprochait du peuple et de ses problèmes et se désembourgeoisait.

La médecine a besoin de revenir, non pas nécessairement à l'humanisme traditionnel plutôt retranché, mais à un humanisme écologique, social et actif. À cette fin, il importe qu'elle utilise les moyens connus ou en trouve de nouveaux en vue de décharger le médecin de certaines contraintes de la pratique au profit d'études de recyclage sans doute, mais aussi au profit de la participation puissante que les connaissances de la science et de la technique médicales peuvent apporter à l'étude et à la solution des problèmes médico-sociaux et économiques de l'heure : la pollution, la pauvreté, la délinquance, la drogue, etc.

Cette puissance, cet art et cette technique de la médecine se manifestent tout aussi bien dans la médecine préventive, il n'est pas besoin de le dire, puisqu'elle a réussi à faire reculer l'emprise terrible des maladies contagieuses sur l'humanité, mais elle devrait maintenant s'attaquer avec vigueur et opiniâtreté aux affections chroniques, au milieu, à la pollution, aux accidents et autres problèmes médico-sociaux de l'heure. C'est encore la science, l'art, la technique et la conscience du médecin qui le guident dans l'expérimentation, car le vrai médecin, comme l'ont dit Hippocrate et Claude Bernard, est toujours expérimentateur, dans un certain sens. C'est de l'expérience quotidienne et rationnelle qu'il tire une efficacité accrue de sa science et de son art. Seul le médecin bien formé peut prendre la responsabilité d'observer, chez des groupes de patients, l'effet de nouveaux traitements et en faire des essais qui ne mettent pas la vie en danger. *Primum non nocere!* Il deviendrait un faux dieu de la médecine qui expérimenterait sans tenir compte de toutes les données, non seulement scientifiques, mais proprement humaines.

La justice distributive et la médecine

La médecine s'apparente aussi au divin par l'attribut de la justice. La pratique et l'organisation de la médecine ont-elles toujours repondu à l'idéal divin de la justice distributive? En général, comme tout le monde le sait, cette pratique en fut une individualiste. On aime à se représenter le médecin distribuant des soins gratuitement aux pauvres et faisant payer les riches. C'était là une certaine justice distributive. Je dirai que la médecine devient encore plus divine que jamais puisque, de nos jours, elle étend sa justice à la société et se trouve, du moins en théorie, mise à la portée de tous. Il est courant de dire que la santé est un droit. Je crois que c'est plutôt un privilège dont on ne peut jouir qu'en participant soi-même activement à son acquisition et à sa conservation. La santé ne vient chercher personne dans son lit. Cette participation de l'individu est essentielle. Si l'éducation sanitaire et l'éducation tout court ne vont pas de pair avec l'extension de la distribution des soins médicaux, les soins de la santé, en fait, ne profiteront en général qu'à ceux qui veulent bien ou peuvent faire l'effort actif pour les recevoir. Tous ceux qui ont pratiqué la médecine préventive savent qu'il existe des groupes impossibles à atteindre de toute façon. C'est pourtant là que la maladie se concentre, puisque ce sont des groupes généralement défavorisés. La santé et la guérison à la portée de tout le monde sont une offre magnifique mais la couverture n'en sera pas entière aussi longtemps que médecins et sociologues n'auront pas trouvé la façon de rejoindre ces individus réticents. Même la gratuité des moyens préventifs ne les fait pas remuer. Ainsi j'estime à environ 15 % la population qui ne se prévaut pas des moyens classiques de vaccination. Tous les médecins praticiens savent aussi par expérience que de nombreux patients ne viennent consulter que beaucoup trop tard.

Au cours des siècles, on n'a pas manqué de critiquer les honoraires des médecins. On les a accusés de pactiser avec le faux dieu de l'argent. Sujet très délicat à traiter en ce moment! Si la médecine procède de la justice distributive, cette justice ne saurait évidemment s'exercer à sens unique. D'une part, le médecin a droit à des honoraires ou à un salaire proportionné aux impératifs de sa profession. L'objet de la médecine confère de très lourdes responsabilités en certains cas à celui qui l'exerce. Le médecin est en grande demande. Montesquieu disait : « Ce n'est pas les médecins qui nous manquent, c'est la médecine ». Maurois paraphrasait inversement : « Ce n'est pas la médecine qui manque de nos jours, mais nous craignons que les médecins ne nous manquent ». Les aptitudes requises pour étudier la médecine et les contraintes de la pratique elle-même éloignent un grand nombre de jeunes qui ne se sentent pas capables de cette vocation. À mon sens, et même si l'on rabaissait le niveau des études, le nombre de candidats vraiment motivés et désireux de se consacrer à la pratique restera toujours dans une proportion limitée. L'excellence mérite aussi reconnaissance. Les services du médecin sont très souvent, comme une œuvre d'art, inestimables. Il est donc difficile dans plusieurs cas d'en fixer le prix. Si les nouveaux systèmes socialisés tendaient vers une égalité de médiocrité, s'ils ne tenaient pas compte de l'excellence, comment pourrait-on attirer vers la médecine des esprits doués? Une bonne médecine coûtera toujours plus cher qu'une médiocre.

La justice commande quand même de rester sur terre et d'être réalistes car, d'autre part, le patient représenté aujourd'hui par l'État, a droit à des soins médicaux dont le prix, en toute justice, et compte tenu des facteurs mentionnés ci-dessus, ne peut dépasser de beaucoup la capacité collective de payer. Les anciens ont fait face aux mêmes problèmes : en Mésopotamie, en Perse et dans l'Égypte des Pharaons, les honoraires des médecins étaient fixés selon certains codes. Espérons que l'État et les syndicats médicaux se pencheront sur ce problème important pour l'obtention d'une bonne médecine. On ne saurait faire marcher une automobile avec un moteur déréglé au départ. Je suis certain que de son coté, la profession trouvera moyen de réorganiser et de rationaliser la pratique médicale, de l'adapter aux situations nouvelles et d'utiliser la médecine de groupe, des aides paramédicaux et des instruments de travail qui l'aideront à jouer pleinement son rôle.

À ce sujet, présentement, les sociétés industrielles de cybernétique poursuivent une enquête sur l'Exploration du futur de la technologie du champ médical. On essaie de supputer les dates de mise en pratique courante en médecine des techniques audiovisuelles. Si les experts de la

NASA ont pu suivre de la terre les signes vitaux des astronautes dans la lune, il n'est pas impossible que leurs instruments allègent un jour la pratique médicale. Les médecins pourront sous peu entrer ainsi en consultation les uns avec les autres par l'utilisation des ordinateurs et de moniteurs portatifs qui décupleront leur travail, les rendant en tout temps disponibles, même de loin, à leurs collègues et assistants et à leurs patients. Par ces instruments, ils obtiendront des réservations dans les hôpitaux, des renseignements sur l'état de leurs patients, changeront leurs diètes, évalueront leur progrès et ajusteront leur traitement, ou encore recevront des renseignements de la bibliothèque. On n'élimine même pas les visites à domicile, ou dans les hôpitaux pour malades chroniques, par le truchement de ces moyens audiovisuels.

Quant aux méthodes de *multiphasing* avec *screening* collectif ou individuel, sortes de criblages diagnostiques précliniques, généraux ou sélectifs, on peut s'attendre qu'avant la fin du siècle elles soient rationalisées et atteignent le degré d'efficacité et d'économie désirable. À moins qu'on ne fasse de toutes ces techniques d'autres faux dieux de la médecine! Car l'exercice de la médecine tiendra toujours de l'art et non exclusivement de la technique instrumentale au moment de l'observation du patient, du diagnostic et de l'ajustement du traitement.

Pénétrons-nous bien cependant que la médecine est en voie de transition. La technique de demain déchargera le médecin d'examens subjectifs et analytiques courants, les ordinateurs lui fourniront un dossier déjà élagué et analysé. Le médecin deviendra plus disponible, disposera de plus de temps pour pénétrer davantage l'intimité du patient et se pencher sur sa souffrance et son inquiétude, car les affections ou les très nombreuses complications psychiques des maladies, dont le nombre augmente dans notre société, n'ont que faire de robots; elles commandent les soins d'un médecin savant mais disponible et très humain, de plus en plus humain.

Dans ses dimensions socio-économiques et administratives, la pratique nouvelle de la médecine suppose aussi une organisation et une administration qui évitera la substitution de l'autoritarisme étatique au faux dieu moyenâgeux de l'autoritarisme religieux. Médecin et patient sont des hommes engagés dans un effort qui, à certains moments, ne leur laisse pas le temps de penser à autre chose qu'à la vie et à la mort. Personne ne tolérerait un système qui introduirait à tel moment critique un élément profane et nuisible.

Le médecin a joué auprès des familles, dans la politique et dans la société, un rôle qui a fini par en faire une espèce de faux dieu, non pas de la médecine, mais un faux dieu social. S'il veut perpétuer ce rôle, il fait fausse route. Au contraire, s'il intègre sa profession dans le contexte socio-économique de l'heure, s'il redevient humaniste et philosophe, mais philosophe social actif, il poursuivra un nouveau destin dans la société.

La divinité de la médecine se manifeste dans l'amour

C'est dans l'amour et la charité que se manifeste surtout la divinité de la médecine. Le médecin est un dieu s'il cultive, dans la pratique, l'attribut divin qui touche l'homme le plus profondément, la disponibilité et l'amour, s'il apporte tous ses dons avec un brin de charité, avec de la compassion, avec des mots d'espoir, s'il approche son patient comme un frère tout en gardant son autorité, son calme et son sang-froid. Le nom d'Imhotep, père et dieu de la médecine égyptienne, signifiait porteur de la paix et aucune appellation ne pourrait mieux convenir à un vrai médecin. L'Évangile dit : « Heureux les artisans de paix car ils seront appelés fils de Dieu » (Mt. 5,9). Paix et amour sont inséparables. Des médecins que j'ai connus ont accompli le plus grand acte d'amour qui soit : ils ont fait le don suprême de leur bien-être, de leur santé et de leur vie en ne refusant jamais leur disponibilité à leurs patients. Le portrait si répandu du médecin penché sur son patient ne représente pas tellement la puissance ni la justice de la médecine, qu'un acte de compassion du médecin cherchant le moyen d'arracher son patient à la souffrance. Le médecin, dit-on, soulage souvent et guérit quelquefois. S'il passe en coup de vent, n'apporte que ses moyens techniques, si le patient ne se sent qu'un numéro, l'élément divin de la médecine est singulièrement faussé.

Selon l'hippocratisme rénové, c'est à l'homme entier pris dans son milieu que le médecin adresse son traitement et ses soins. Il met en œuvre la convergence de tous les moyens physiques, psychiques ou même spirituels, comme la prière, vers la guérison. Qu'il soit croyant ou non, le médecin consciencieux ne peut négliger dans son traitement les facteurs spirituels ou religieux. Chez les patients qui entretiennent la foi, et il en reste encore plusieurs malgré les apparences, l'apport spirituel contribue à l'apaisement, la résignation et même la collaboration raisonnée au traitement.

« Je le pansai, Dieu le guérit », disait modestement Ambroise Paré. En définitive, se demande Daniel Rops, qui guérit? La réponse, il la tire de l'Ecclésiaste : « C'est du Très Haut que vient la guérison, comme un cadeau qu'on reçoit d'un roi ».

Du vrai dieu de la médecine

L'idée de mettre en regard les faux dieux et le vrai dieu de la médecine m'est venue un soir qu'à Louqsor, il y a déjà longtemps, c'était en 1959, je me reposais d'une journée torride sur la terrasse de l'hôtel. Par delà la frondaison d'une palmeraie qui borde le Nil à cet endroit, je voyais défiler les voiles pointues des felouques, gonflées des brises encore chaudes du désert, et reflétant le rouge fauve du crépuscule. Je refaisais en esprit l'itinéraire de la journée dans la Vallée des Rois, sur la rive opposée du fleuve, au milieu des sables et des galets brûlants et dans les labyrinthes des caveaux funéraires des grands de l'ancienne Égypte. Peut-être Imhotep lui-même avait-il été enseveli dans l'un de ces tombeaux, lui qui était aussi l'architecte génial de la pyramide à degrés de Sakkarah. Et je me prenais à penser que, si de l'histoire ancienne on apprend l'existence *d'hommes faits dieux* dans la personne d'Imhotep et d'Asclépios, médecins renommés de l'Antiquité mais faux dieux par le fait même qu'ils ont existé avant d'être déifiés, on apprend aussi par les récits historiques de l'Évangile qu'il est apparu un jour, en Palestine, un *Dieu qui s'est fait homme*, le Christ, lui aussi médecin, encore plus médecin que les hommes médecins faits dieux, plus médecin qu'Hippocrate et plus médecin que les plus grands des médecins, parce qu'il maîtrisait la vie, la maladie et la mort, parce qu'il exerçait une puissance d'ordre transcendant, une puissance qu'il maniait avec justice et amour, parce qu'il a assumé lui-même la souffrance pour en libérer les hommes qui se confient à lui sans pour cela aujourd'hui négliger l'apport de la médecine. Devant lui, pas de pauvres, pas de riches. Il guérit par compassion et par pitié.

Le Christ affirme qu'il est venu sur terre apporter le salut. Mais le salut, c'est aussi le *salus* latin, qui signifiait santé et sécurité. Dès le début du christianisme, le Christ fut considéré comme le divin médecin. L'angélisme de diverses déviations philosophiques et théologiques a cherché à ramener à une dimension et à des visées trop exclusivement spirituelles la puissance « médicatrice » du Christ; cette puissance n'aurait pas été mue par des motifs humains en vue de la restauration de la santé du corps, mais par pur prosélytisme spirituel. L'histoire telle que rapportée par l'Évangile raconte que le Christ commence par s'occuper du corps, de la santé, de la nourriture. Il pleure avec l'homme, le réconforte. Il prend l'homme pour ce qu'il est, corps et âme, tout indissociable si ce n'est par la mort, et encore annonce-t-il à cet homme mortel, et réalise-t-il pour lui-même, une espérance, celle de la réunion éventuelle du corps et de l'âme, la résurrection, c'est-à-dire selon les Anciens, la guérison. Cette puissance sur le corps invite évidemment les chrétiens à penser qu'elle n'est qu'un reflet d'une action qui s'exerce en même temps sur toute la personne humaine, sur les âmes particulièrement.

Le Christ a été annoncé comme sauveur et est venu en apportant sur terre la guérison et la paix. C'étaient les objectifs mêmes des faux dieux de la médecine, Imhotep et Asclépios, mais seul le Christ les a pleinement atteints sur cette terre, si on s'en tient aux faits racontés dans l'Évangile. Par rapport aux critères de divinité de la médecine auxquels nous nous sommes arrêtés, et d'après l'historicité des récits du Nouveau Testament et de la crédibilité des événements qui y sont racontés, le Christ est le vrai Dieu de la médecine.

Voici la liste, par ordre alphabétique, de tous les scientifiques, employés de l'Institut, qui ont œuvré dans les différents domaines (de 1938 à 1986).

Directeurs durant cette période : Armand Frappier — Aurèle Beaulnes

Recherche biomédicale, paramédicale et production

Bactériologie

R. Beaudet	A. Forget	C. Planté
J.-C. Benoît	V. Fredette	V. Portelance
J.-G. Bisaillon	B. Gozsy	J.-D. Praden
G. Brault	A. Guérault	M. Quesnel
D.S. Chahal	M. Ishaque	S. Saheb
F. Charek	L. Kato	J. Sternberg
M. Crevier	D. Kluepfel	M. Sylvestre
J. Denis	B. Marcil	J. Tassé
J. De Repentigny	G. McSween	R. Turcotte
J. Desnoyers	A. Mercier	G. Vinet
M. Dobija	R. Morosoli	L. Zamir-Cohen

Virologie

D. Ajdukovic	C. Desjardins	V. Pavilanis
R. Alain	J.-P. Dessureault	M.-O. Podoski
M. Arella	R. Dubreuil	J.-F. Raymond
J. Arora	M. Fauvel	M. Rozewicz
R. Athanassious	C. Hamelin	R. Skvorc
S. Belloncik	J. Joncas	P. Talbot
L. Berthiaume	J. Lecompte	L. Thibodeau
A. Boudreault	J.-P. Lessard	G. Trépanier
A. Chagnon	G. Lussier	M. Trudel
M. Corbeil	V. Matte	P. Tijssen
J.-R. Côté	A. Nantel	
B. Couture	P. Paiement	

Immunologie

A.G. Borduas

M. Clode-Hyde

G. Dulac

J.-M. Dupuy

A. Fafard

A. Guindon

L. Lafleur

G. Lamoureux

M. Laurier

S. Lemieux

P. Lemonde

R. Mandeville

V. Micusan

D. Oth

E. Potworowski

G. Richer

G. Sauvé

F. Somlo

M.-C. Walker

J.-P. Wastiaux

Médecine comparée

G. Boulay

J.-P. Descôteaux

E. Di Franco

M. Lis

P. Marois

M. Panisset

R. Privé

R. Ruppanner

Épidémiologie et médecine préventive

M. Cantin

É. Cardis

L. Frappier-Davignon

R. Desjardins

A. Ezenwa

B. Lavergne

M. Burr-Paxton

O. Roy

J. Siemiatycki

CRESALA

R. Charbonneau

G. Dubois

M. Gagnon

M. Lacroix

F. Lépine

Production, contrôle de qualité

O. Ast

J. Belcourt

B. Belleau

F. Bellini

R. Boulanger

M. Brossard

J. Cameron

G. Dionne

R. Dugré

Y. Desormeaux

G. Elkouri

L. Forté

J.-C. Gilker

M. Gougeon

C. Hours

M. Lacroix

L.-D. Levac

G. Paquette

J.-C. Paquette

P. Pouliot

M. Quevillon

P. Rousseau